DISCOURS 24-26

SOURCES CHRÉTIENNES

Directeurs-fondateurs : H. de Lubac, s.j. et † J. Daniélou, s.j.
Directeur : C. Mondésert, s.j.

N° 284

GRÉGOIRE DE NAZIANZE
DISCOURS 24-26

INTRODUCTION, TEXTE CRITIQUE, TRADUCTION
ET NOTES

PAR

Justin MOSSAY

Professeur à l'Université Catholique de Louvain

avec la collaboration de **Guy LAFONTAINE**

Chargé de cours à l'Université Catholique de Louvain

Publié avec le concours du Centre National des Lettres

LES ÉDITIONS DU CERF, 29, Bd de Latour-Maubourg, PARIS
1981

La publication de cet ouvrage a été préparée avec le concours de l'Institut des Sources Chrétiennes (E.R.A. 645 du Centre National de la Recherche Scientifique)

SIGLES DES TÉMOINS CITÉS DANS L'APPARAT CRITIQUE

n   = AQBWVT.

A   = *Ambrosianus E 49-50 inf.* (*gr.* 1014) (ixe s.).

Q   = *Patmiacus gr. 43* (xe s.).

B   = *Parisinus gr. 510* (ixe s.).

W   = *Mosquensis Synod. 64 (Vladimir 142)* (ixe s.).

V   = *Vindobonensis theol. gr. 126* (xie s.).

T   = *Mosquensis Synod. 53 (Vladimir 147)* (xe s.).

m   = SDPC.

S   = *Mosquensis Synod. 57 (Vladimir 139)* (ixe s.).

D   = *Marcianus gr. 70* (xe s.).

P   = *Patmiacus gr. 33* (de 961).

C   = *Parisinus Coislin. gr. 51* (x^e/xie s.).

arm. = version arménienne (cf. G. LAFONTAINE, *Le Muséon*, 90, 1977).

R   = version latine de Rufin (éd. A. Engelbrecht).

Maur. = édition des Mauristes.

Le chiffre 1 après le sigle d'un ms. (S_1, D_1, etc.) indique le texte avant correction visible.

Le chiffre 2 après le sigle d'un ms. (S_2, D_2, etc.) indique une correction visible du texte du témoin.

DISCOURS 24

INTRODUCTION

Dans l'ensemble l'édition, la traduction et l'annotation de l'œuvre n'appellent pas de dérogations aux principes de travail déjà exposés dans l'introduction générale du premier volume de cet ouvrage. Néanmoins le texte du panégyrique de Cyprien présente, dans la forme littéraire et le fond, quelques particularités qu'il est indispensable de relever ; de son côté, la tradition manuscrite, telle qu'elle est reflétée par les dix témoins collationnés conformément aux principes adoptés pour cette édition, révèle des caractères spécifiques. Il faut savoir dans quelle mesure ces traits propres doivent jouer un rôle dans l'établissement du texte. Il sera question de cela (chap. II) lorsque l'œuvre et son contenu auront été présentés plus en détail (chap. I).

I. Contenu

Le titre du *Discours* 24 camoufle sous son ingénuité une extravagance historique. En effet, le personnage qui fait l'objet de ce panégyrique est un surprenant ectoplasme composé de traits empruntés pour une part à l'histoire du célèbre écrivain africain du IIIe siècle de notre ère, Cyprien de Carthage, évêque et martyr, et pour le reste à la légende du magicien Cyprien d'Antioche. En somme, notre Cyprien est une espèce de Centaure hagiographique né d'une imagination distraite ou romanesque, mais édifiant d'un bout à l'autre de la composition. C'est ce qui paraît être l'originalité la plus marquante de ce sermon.

Il sera indispensable, après avoir brièvement analysé le contenu de chaque chapitre, d'examiner ce que l'œuvre doit à l'histoire des deux Cyprien, celui de Carthage et celui d'Antioche de Pisidie, avant de préciser l'enseignement doctrinal et d'indiquer ce que l'on sait des circonstances dans lesquelles l'œuvre fut composée.

1. Analyse

La Saint-Cyprien, fête annuelle, oblige Grégoire à faire le panégyrique du saint ; il s'exécute cette année avec un léger retard (§ 1). Après une absence momentanée, l'auteur vient de réintégrer sa communauté, mû par une sympathie personnelle vis-à-vis des siens (§ 2) ainsi que par le désir de fêter le martyr comme il se doit (§ 3) : cette pratique est pieuse et utile aux âmes (§ 4).

S. Cyprien est particulièrement édifiant par sa conversion subite et surprenante (§ 5). Il était un Carthaginois illustre et instruit (§ 6) ; son œuvre littéraire postérieure à sa conversion l'atteste (§ 7), mais avant de devenir chrétien, il servait les « démons » du paganisme (§ 8). Or il rencontra une jeune personne, consacrée à Dieu, dont il s'éprit et qu'il entreprit de séduire (§ 9). Pour parvenir à ses fins, il vend son âme au diable, mais c'est en vain (§ 10) : la personne visée s'est placée sous la protection de la Sainte Vierge et résiste à toutes les séductions (§ 11). Découragé et éclairé par son échec, Cyprien se convertit (§ 12) et devient un modèle d'ascèse, de vertu et de doctrine chrétienne (§ 13). Survient la persécution de l'empereur Dèce dirigée spécialement contre Cyprien ; celui-ci encourage les fidèles à la persévérance (§ 14) ; il est proscrit, mais il continue à soutenir la résistance ecclésiastique par ses écrits (§ 15). Il donne ainsi à beaucoup l'énergie d'affron-

ter le martyre, qu'il subit finalement lui-même (§ 16).
Ses reliques miraculeusement découvertes après un long
oubli sont vénérées par les fidèles (§ 17).

S. Cyprien est un modèle à imiter (§ 18) : en suivant son
exemple, chacun le fêtera de la meilleure manière possible
et lui-même bénit ceux qui l'honorent ainsi (§ 19).

Disons tout de suite que cette analyse révèle un « enkomion » ou éloge conforme aux traditions du « parfait
rhéteur » : « En tête un préambule, à la fin un épilogue,
et entre les deux l'éloge proprement dit, d'après une série de
lieux communs, les « topoi », soigneusement déterminés[1]. »
En l'occurrence, le préambule insiste lourdement sur un
contretemps, qui a failli prendre l'auteur au dépourvu
(§ 1-4). Les lieux communs qui alimentent les développements du corps du discours concernent essentiellement la
conversion (§ 8-13), la mort (§ 14-16) et l'invention ou
le culte des reliques du saint (§ 17). L'épilogue prend la
forme parénétique de bons conseils (§ 18) suivis d'une
évocation du séjour du saint en paradis (§ 19). La rhétorique
a prévu « le cas où la pénurie des données défierait toute
l'habileté des sophistes. Il se peut, par exemple, qu'il n'y
ait vraiment rien à dire par rapport à la patrie ou à la
race. Alors on passe sous silence ces « topoi », ou mieux
encore, on tire parti de l'omission pour exalter celui
dont la gloire est assez éclatante pour dédaigner de pareils
avantages[2] ». C'est ce qui se constate ici, aux § 5-7, et 13,
comme dans une pièce d'atelier[3].

---

1. DELEHAYE, *Passions*, p. 196.
2. *Id.*, p.197.
3. NICOLAS LE SOPHISTE, *Progymnasmata* (éd. L. Spengel, III,
p. 480, 10-20 ; et 481, 28-482, 9) ; MÉNANDRE LE RHÉTEUR, *De genere
demonstrativo* (éd. L. Spengel, III, p. 210, 24-26). Cf. TRISOGLIO,
Studi, p. 186-195.

2. Problèmes historiques

« Le talent d'amplification développé par les études que l'auteur a faites à Athènes », et que P. Gallay relève après avoir analysé le *Discours* 24, n'empêche pas que, « tout en faisant de beaux développements, jamais il ne perd de vue le progrès moral de ses auditeurs. C'est précisément cette préoccupation qui l'amène à leur proposer un exemple vivant tiré de la vie de Cyprien[1] ». Il faudra revenir plus loin sur la doctrine morale qui sous-tend de tels développements. Il est indispensable de s'arrêter d'abord à une énigme historique posée par le texte. Le P. H. Delehaye y voit « une des œuvres les plus curieuses que nous ait laissées » S. Grégoire. « Sans doute l'évêque parla de S. Cyprien presque sans préparation. Mais le texte qui nous est parvenu représente-t-il son improvisation ? N'a-t-il pas été rédigé à loisir après la cérémonie ? Il y a de fortes raisons de le croire, car nous y cherchons en vain les traces inévitables d'une conception rapide et insuffisamment mûrie. Le style en est soigné, les développements se suivent avec beaucoup de logique et, si l'on peut y relever des erreurs, elles sont de celles que le tempérament de l'orateur suffit à expliquer[2]. »

Pourtant le *Discours* 24 confond Cyprien de Carthage, martyr sous Valérien, à Carthage, en 258, et Cyprien d'Antioche de Pisidie, martyr sous Dioclétien et Maximien, à Nicomédie, en compagnie de sainte Justine en 304. « Car il y a bel et bien confusion... La méprise est évidente », note P. Gallay[3]. Et l'on peut aller plus loin ; car, « si ce

---

1. GALLAY, *Vie*, p. 150 et 151.
2. DELEHAYE, *Cyprien*, p. 323 : ... « un roman pieux, destiné à satisfaire le goût du public pour les mystères et les diableries, tout en lui inculquant quelques vérités salutaires » (p. 322) (= LECLERCQ, *Oratio*, col. 2330 ; TRISOGLIO, *Studi*, p. 193).
3. GALLAY, *Vie*, p. 151 : références à DELEHAYE, *Cyprien*, p. 331-332.

discours figure sans aucune modification dans les œuvres (de Grégoire) », note J. Bernardi, « c'est la preuve qu'ignorance et confusions n'ont été relevées par personne autour de lui. L'ignorance de l'histoire et de la géographie pourrait bien constituer un trait caractéristique du milieu qu'il représente[1] ». Quant à nous, nous avons à préciser et à rappeler ici ce que le texte doit aux deux personnages, le Cyprien africain, illustre dans l'histoire ecclésiastique, et le Cyprien asiatique, célèbre dans les traditions littéraires.

3. S. Cyprien martyrisé à Carthage sous Valérien

L'importance historique du personnage nous dispense de détailler ici les traits bien connus de sa carrière. Nous renvoyons pour cela aux notices des manuels d'histoire littéraire ou religieuse et nous nous contenterons de préciser quelques points et de rafraîchir les souvenirs de chacun relatifs à l'évêque de Carthage. Car c'est bien de lui qu'il est question quand Grégoire affirme que son personnage « ne se trouve pas seulement à la tête de l'Église de Carthage, ou même de celle d'Afrique, qui est restée illustre jusqu'à nos jours à cause de lui et grâce à lui, mais même de la totalité de l'Église occidentale et pour ainsi dire de l'Église orientale elle-même et de toutes celles qui se trouvent dans toutes les régions méridionales et septentrionales, jusqu'où il était connu par sa prodigieuse aventure... » (§ 12). On peut tenir pour pure rhétorique l'exploitation faite ici de l'hyperbole fondée sur les quatre points cardinaux, pour souligner la célébrité universelle du Cyprien dont il s'agit. Il reste que ceci ne peut s'appliquer qu'à Cyprien de Carthage et à personne d'autre. Le rappel de ses écrits et de ses prédications

---

1. Bernardi, *Prédication*, p. 163.

(début du § 7 et fin du § 8, et § 13) peut même passer pour une confirmation de cette identification.

Les biographies de l'évêque de Carthage et notamment la notice que lui consacre le *Précis de patrologie* de B. Altaner, adapté par H. Chirat[1], comme celles de P.-Th. Camelot, dans le *Lexikon für Theologie und Kirche*, ou de G. Bardy, dans le *Dictionnaire d'histoire et de géographie ecclésiastiques*, se sont fondées sur une *Vie* du personnage écrite par son disciple Pontius, sur les *Actes Proconsulaires* de son martyre, ainsi que sur les témoignages de Lactance, S. Jérôme, S. Augustin et Cassiodore, pour fixer la chronologie et la topographie générale des événements de sa carrière ; mais, les œuvres mêmes de Cyprien, spécialement sa corresponsance, apportent aux biographes des échos directs et nombreux des activités et de la pensée du personnage historique[2]. Quelques repères chronologiques permettent d'encadrer la carrière et l'œuvre de l'écrivain africain : né à Carthage vers 200 ou 210, il devient évêque de la ville en 248 ou 250 ; pendant la persécution de Dèce (septembre 249-juin 251), il se met à l'abri ; il s'occupe ensuite des schismes de Félicien et des Novatiens et de la question des *lapsi*, réglée par le concile de Carthage de 251 ; dans les années 255, 256 et 257, il entre en conflit avec le pape Étienne au sujet de la pratique à adopter vis-à-vis des baptêmes conférés par des hérétiques ; un nouveau schisme découle de ce différend opposant l'évêque de Carthage, appuyé par Firmilien de Césarée de Cappadoce, au pape de Rome, S. Étienne ; la réconciliation s'est faite au moment où se déclenche la persécution de Valérien (vers sept. 253-vers juin 260) et de Gallien (vers sept.

---

1. Altaner, *Patrologie*, p. 261-270.
2. Bardy, *Cyprien*, col. 1150-1153. Sinko, *De Cypriano*, p. 10-14 : les *Lettres* de Cyprien ne sont pas connues de Grégoire, mais ce dernier lui prête des idées exprimées ailleurs. Cf. Delehaye, *Cyprien*, p. 325.

253-vers août 258) : proscrit le 30 août 257, Cyprien est décapité le 14 septembre 258[1].

« L'activité littéraire de Cyprien se relie étroitement aux événements de sa vie et de son temps », peut-on lire dans l'ouvrage de Quasten[2]. Ses œuvres, publiées dans le *Corpus* de Vienne par W. Hartel[3], portent la marque des préoccupations épiscopales, qui furent les siennes ; on n'y trouve aucun grand traité de synthèse dogmatique ; par contre, ses *Lettres* « constituent une source inépuisable pour l'étude d'une des périodes les plus intéressantes de l'histoire de l'Église[4] ». La *Lettre* 75 en particulier concerne l'envoi d'un certain Rogatien, diacre de Carthage, comme messager en Cappadoce, auprès de Firmilien de Césarée, l'allié de Cyprien dans le désaccord entre Rome et Carthage de 257. On garde aussi de lui la Lettre dont il adresse copie au clergé romain en même temps qu'un dossier justifiant sa conduite personnelle dans la persécution de 251 ; c'est la *Lettre* 20[5]. Le document correspond à ce qu'on peut lire dans notre *Discours* 24, § 14, où Grégoire de Nazianze explique, non sans quelque embarras, que Cyprien s'est mis à l'abri au cours d'une persécution pour pouvoir mieux encourager les autres « à tenir bon dans la lutte ».

Un lot d'apocryphes ont circulé sous le nom de Cyprien depuis l'antiquité : « Ces écrits prêtés à Cyprien sans raison suffisante sont plus nombreux que ses œuvres authentiques. Le fait tient à la haute estime dont il a joui universelle-

---

1. CAMELOT, *Cyprian*, col. 115-117 ; QUASTEN, *Initiation*, II, p. 403-407 ; HARNACK, *Literatur*, I, p. 701-717.

2. QUASTEN, *Initiation*, II, p. 407.

3. *C.S.E.L.*, 3, Vienne 1871, et *Corpus Christianorum*, 3 et 3 A, Thurnhout 1972 et 1976.

4. Cf. QUASTEN, *Initiation*, II, p. 417-434, spécialement p. 431 ; P. DE LABRIOLLE, *Histoire de la littérature latine chrétienne* (Collection d'études anciennes), Paris 1920, p. 186-225.

5. Cf. texte traduit et commenté dans QUASTEN, *Initiation*, II, p. 405.

ment[1]. » On connaît notamment l'existence d'un recueil à bon marché diffusé par des hérétiques dans un but de propagande à Constantinople, vers la fin du ɪvᵉ siècle ; S. Jérôme en avait connaissance : celui-ci attribuait à Novatien un traité du dogme de la Trinité qui s'y trouvait inséré. Le P. H. Delehaye en fait état à propos d'un passage plein de rhétorique du § 13 du *Discours* 24 de Grégoire de Nazianze, qu'il analyse et commente largement[2], formulant pour conclure l'hypothèse que voici : « Selon toute probabilité, S. Grégoire ne possédait sur S. Cyprien d'autres renseignements historiques que ceux-ci : Cyprien était évêque de Carthage ; il fut exilé ; plusieurs de ses lettres sont datées de son exil ; il écrivit divers traités[3]. » Assurément S. Cyprien de Carthage tient fort peu de place dans notre *Discours* 24.

4. Cyprien d'Antioche de Pisidie

L'Orient chrétien vénère depuis le ɪvᵉ siècle S. Cyprien d'Antioche (de Pisidie), martyr à Nicomédie, en 304, sous Dioclétien et Maximin. La légende s'est emparée de son nom. Elle a superposé au personnage la figure romanesque d'un Cyprien magicien converti par sainte Justine à la suite d'aventures où se mêlent la fleur bleue et le merveilleux. Les sources grecques anciennes associent généralement Cyprien et Justine[4]. La tradition repose sur trois documents : une *Conversion de Justine et Cyprien*, une *Confession de Cyprien* et une *Passion de Cyprien et Justine*[5]. Ces sources servent apparemment de base au poème de l'impératrice Eudocie-Athénaïs (393-460)[6], dont Photius

---

1. Quasten, *Initiation*, II, p. 434-435.
2. Delehaye, *Cyprien*, p. 326-329.
3. *Id.*, p. 329.
4. *BHG*, I, p. 137-140 ; II, p. 50 ; *BHG, Auctarium*, p. 53-55.
5. *AS, Sept.*, VII, col. 217-245.
6. *PG* 85, col. 832-864

connaissait les trois livres complets[1] ; Syméon le Métaphraste les a résumés[2]. Le *Discours* 24 de Grégoire de Nazianze a sa place dans ce courant hagiographique qui passe pour une production typique de la littérature populaire protobyzantine et dont certains critiques ont attribué le succès à l'association d'éléments païens et d'éléments chrétiens[3].

Les plus anciennes traditions sont analysées par le P. H. Delehaye[4]. Elles attribuent la conversion du sorcier Cyprien à l'action de Justa, une vierge chrétienne particulièrement vertueuse. Un avocat païen du nom d'Aglaïdas désirait gagner le cœur de la jeune personne. A cet effet, il avait eu recours à la magie de Cyprien, et ce dernier avait à son tour fait appel au diable, à qui il avait vendu son âme. Mais, rien n'y fit. Justa, la jeune chrétienne, triomphait de tous les sortilèges par le signe de la croix. Finalement le démon fut forcé d'avouer son impuissance à Cyprien, qui se convertit à la religion de Justa. Celle-ci devint diaconesse et prit le nom de Justine[5]. La *Confession* rapporte comment Cyprien devint un spécialiste des superstitions païennes et des arts divinatoires en parcourant la Grèce, l'Orient, l'Égypte et la « Chaldée », comment il promit un jour d'agir sur les démons pour aider un soupirant à gagner le cœur de sainte Justine, et comment

1. Photius, *Bibl., cod. 184* (éd. R. Henry, Paris, II, 1960, p. 196-199).
2. *PG* 115, col. 848-881.
3. Cf. Krestan et Hermann, col. 470. On écrit à ce propos qu'Antioche de Pisidie aurait pu passer au ive siècle pour un haut lieu de la magie et des magiciens. Les sources concernant spécialement la Pisidie ne sont pas fort explicites à ce sujet ; mais, les pratiques magiques semblent très à l'honneur partout à en juger par Eusèbe de Césarée, *Hist. ecclés.* (Introduction par G. Bardy. Index par P. Périchon), *SC* 73, Paris 1960, p. 251 et 310, références.
4. Delehaye, *Cyprien*, p. 315-320 ; *BHG*, I, p. 137-138 ; Gallay, *Vie*, p. 151 (autres références en note).
5. Delehaye, *Cyprien*, p. 315-317.

il se rendit compte à cette occasion de la supériorité de la religion chrétienne ; il décida donc de confesser ses erreurs afin d'en mériter le pardon. Justine fut si satisfaite de cette conversion, qu'elle quitta le monde et entra en religion[1]. La *Passion* détaille les martyres subis par Cyprien, Justine et Aglaïdas, à Nicomédie ; après qu'on leur eut tranché la tête, leurs reliques furent recueillies par des marins et transportées à Rome, où une pieuse dame, nommée Rufine, leur donna une sépulture convenable[2]. Ces trois documents ne sont pas tout à fait homogènes. Comme l'a montré le P. H. Delehaye, on y constate des divergences de détails révélatrices du caractère populaire de toute cette littérature développée autour des martyrs d'Antioche de Pisidie[3]. Le troisième document résumé ci-dessus, la *Passion*, serait même postérieur, croit-on, au séjour de Grégoire de Nazianze à Constantinople ; on y lit notamment que Cyprien et Justine auraient été martyrisés à Nicomédie sous Dioclétien[4].

D'autres traditions anciennes font état de détails absents des documents qu'on vient d'examiner. Ainsi le *Synaxaire arabe jacobite*, publié et traduit en français par R. Basset, donne à la date du 21e jour du mois de Toût, soit le 18 septembre, une notice qui commence comme suit : « En ce jour, moururent martyrs saint Cyprien (Kibryânous) et Justine (Youstinah). Ce Cyprien était infidèle et magicien. Il avait étudié la sorcellerie dans l'Occident et surpassait tous ceux qui s'y trouvaient. Ensuite l'orgueil de son infidélité et de sa magie le poussa à venir dans la ville d'Antioche (Anṭâkiyah) pour voir s'il s'y trouvait, parmi ses habitants, une science supplémentaire qu'il apprendrait, sinon il s'enorgueillirait au-dessus des gens »...

1. *Id.*, p. 317-319.
2. *Id.*, p. 319-320.
3. *Id.*, p. 320-322.
4. Krestan et Hermann, col. 473.

(p. 285). Amené à mettre son art au service d'un soupirant de la vierge Justine, il se rend compte de la faiblesse de sa sorcellerie et se convertit au christianisme. La leçon du *Synaxaire* se termine comme ceci : « Il se leva sur-le-champ, brûla ses livres, reçut le baptême du patriarche d'Antioche : celui-ci le fit moine, et au bout de peu de temps, le consacra diacre et aussi prêtre. Quand il fut avancé en mérite et en science ecclésiastique, il devint évêque de Carthage (Qartâdjinnah) ; il prit sainte Justine et fit d'elle la supérieure d'un couvent de religieuses. Quand le saint concile se réunit à Carthage, il fut un de ses membres. L'empereur Dèce (Dâkyous) ayant appris l'histoire de Cyprien et de Justine, les fit venir et leur demanda d'apostasier. Comme ils n'obéissaient pas, il leur fit subir de durs tourments et, à la fin, leur fit trancher la tête. Que leur prière soit avec nous ! Amen[1]. » L'intervention du Patriarche d'Antioche dans cette notice de synaxaire, indique qu'une branche, ou du moins un rameau important, de la tradition populaire a pu confondre dans ces récits, Antioche de Pisidie et Antioche sur l'Oronte. Pour le Métaphraste, il n'y a aucun doute : Cyprien le magicien, martyr à Nicomédie, sous « Claude » (§ 28-29), bien qu'originaire de Carthage (§ 10), est, avec Justine, la gloire d'Antioche sur l'Oronte (§ 1)[2]. La même tradition associe aussi avec une certaine insistance plusieurs protagonistes de la légende et la famille impériale des « Claudii » : Aglaïdas, le soupirant malheureux de Justa-Justine, est un descendant de « Claude » (§ 22), la matrone romaine qui recueille les reliques, nommée ici Martone ou Ruffine, se flatte d'être de la même famille impériale (§ 33) et le persécuteur de Nicomédie, le comte Eutolmius, est

---

1. BASSET, *Synaxaire*, p. 285-287.
2. *PG* 115, *Mensis septembris, Cyprien et Justine*, 1 (col. 848 A 1 - 849 B 5) ; 10 (col. 856 C 10-14).

le représentant qualifié de l'empereur « Claude » (§ 28-29)[1].
Sans autre précision, il n'est pas possible de dire quel
empereur est visé par là : Claude II le Gothique, qui se
nomme sur ses monnaies Marcus Aurelius Claudius (vers
août 268-janv. 270) ? Son frère Marcus Aurelius Claudius
Quintillus (janv.-avril 270) ? Marcus Claudius Tacitus
(sept. 275, mort vers avril 276, à Tyane, en Cappadoce)?
Quelles que soient les imprécisions et les incertitudes des
traditions relatives à saint Cyprien d'Antioche et à sainte
Justine, c'est de cette veine que s'inspire principalement
la majeure partie du *Discours* 24 : les § 8 à 12 développent
exclusivement les récits populaires concernant ces deux
personnages[2].

Et les racines de ces légendes plongent apparemment
leurs radicelles dans les couches anciennes des traditions
orientales. En 1927, déjà, une hypothèse de L. Radermacher
appuyée sur la publication d'une composition romanesque
faisait de la légende de Justine et Cyprien un dérivé du
Philopseudès de Lucien et un succédané de thèmes baby-
loniens, syriens et égyptiens[3]. La publication d'un grand
nombre de pièces populaires par Fr. Bilabel et A. Grohmann
a fait voir la prolifération des métastases de la légende

---

1. *Id.*, 28-29 (col. 877 A 11 - B 2). Selon les *Synaxaires de Constantinople*, ils sont martyrisés à Damas, avant de venir mourir à Nicomédie : DELEHAYE, *Synaxarium*, col. 97, 20 - 100, 7, spécialement
col. 99, 33 et 100, 1. Une confusion analogue entre Antioche de
Pisidie et Antioche-sur-l'Oronte, est relevée dans les légendes de
sainte Thècle : DAGRON, *Thècle*, p. 44-47.

2. DELEHAYE, *Cyprien*, p. 315, note qu'on ne trouve aucune
trace de Cyprien d'Antioche avant le ive siècle et que « toute sa
notoriété provient des pièces hagiographiques dont il est le héros ».

3. L. RADERMACHER, *Griechische Quellen zur Faustsage. Der
Zauberer Cyprianus. Die Erzälung des Helladius. Theophilus.* Einge-
leitet, herausgegeben und übersetzt (*Sitzungsberichte der Akademie
der Wissenschaften in Wien. Historisch- philologische Klasse*, 206, 4),
Vienne et Leipzig 1927. Il note en outre la relation de certains thèmes
de ces légendes avec l'histoire de sainte Thècle (p. 1-31).

du IVe siècle dans les sources grecque, latines, syriaques, arabes, éthiopiennes, coptes et slavone[1]. Avant de prendre la forme médiévale du Banquet de Cyprien[2] et d'alimenter la légende du docteur Faust[3], la figure du magicien Cyprien a charrié avec elle dans le cours des âges des bribes disparates de mystères antiques et de mysticismes divers[4].

5. Fusion des deux Cypriens

Le P. H. Delehaye tire cette conclusion de l'analyse du *Discours* 24 : « Ce serait donc S. Grégoire qui aurait le premier opéré la fusion entre Cyprien d'Antioche et Cyprien de Carthage[5]. » Fusion ou confusion tenace. Au siècle dernier, dom E. Blampignon notait que « ce Cyprien qui est pris pour l'évêque de Carthage par suite d'une erreur habituelle chez les Grecs, semble avoir été martyrisé à Antioche ou à Nicomédie, au IVe siècle[6] »... Les Mauristes s'appuyaient sur S. Lenain de Tillemont[7] et sur les recherches de dom Pr. Maran[8] pour résumer la question comme

1. F. Bilabel et A. Grohmann, *Griechische, koptische und arabische Texte zur Religion und religiösen Literatur in Aegyptens Spätzeit* (*Badische Papyrus-Sammlungen*, 5. Heft), Heidelberg 1934, p. 32-325 et 448-451. Cf. analyse dans Trisoglio, *Studi*, p. 191-193.

2. Cf. Leclercq, *Oratio*, col. 2334-2345 (avec le texte et un commentaire) ; Tillemont, *Mémoires*, IV, p. 185-198, spécialement p. 161.

3. Halkin, *BHG*, 2e éd., I, p. 137-140 (n°s 452-461 c) ; et Id., *BHG, Auctarium*, 1969, p. 53-55 (n°s 452 à 461 e).

4. Cf. A.-J. Festugière, *La révélation d'Hermès Trismégiste*. I. *L'astrologie et les sciences occultes*, Paris, 2e éd., 1950, p. 369-374 ; p. 37-40, montrant que la légende s'élabore au IVe s. (c'est-à-dire apparaît sous la forme que lui donne le *Discours* 24 de Grégoire de Nazianze).

5. Delehaye, *Cyprien*, p. 331.

6. E. Blampignon, *Monitum de S. Cypriani Antiocheni vita et certamine*, dans *PG* 115, col. 845-846.

7. Tillemont, *Mémoires*, V, p. 329 et 719.

8. *PG* 35, col. 1167-1170, II et III.

suit : « A notre avis, celui qui fit l'objet de l'éloge (de
S. Grégoire) est le Cyprien d'Antioche mieux connu des
Orientaux et chronologiquement plus proche de Grégoire.
Mais, comment celui-ci a pu commettre cette erreur, reste
une chose surprenante. » A moins peut-être, ajoutaient-ils,
que la hâte dont il fait état aux § 1 et 2, n'explique et
n'excuse son erreur, comme le dit le P. Pr. Maran[1].

Le P. Delehaye complète cette hypothèse par des sug-
gestions faites par Reitzenstein, en 1917. « Sans doute,
le lendemain de la fête de saint Cyprien, l'évêque
(= saint Grégoire) fut obligé d'improviser. Mais, il est
difficile de se persuader que son texte, tel que nous le
lisons aujourd'hui, dérive d'une sténographie de son
discours. L'auteur l'a écrit à tête reposée et n'a pas manqué, sans doute, de relire l'histoire de Cyprien. De quels
textes s'est-il servi ? On a émis l'hypothèse d'une *Vie* de
saint Cyprien publiée en tête du corpus de ses œuvres qui
circulait à Constantinople, et dans laquelle l'orateur se
serait documenté[2]. » La même théorie a été exposée plus
récemment par L. Krestan et A. Hermann, dans l'article
que le *Reallexikon für Antike und Christentum* consacre à
Cyprien le magicien ; ces critiques notent que les sources
relatives à leur Cyprien se classent chronologiquement
comme suit :

1. le récit de la *Conversion*, vers 350 ; 2. la biographie
perdue (que supposent les hypothèses présentées ci-dessus)
faisant partie de l'édition de Constantinople ; 3. la *Confession* de Cyprien ; 4. la prédication de Grégoire de Nazianze,
notre *Discours* 24, en 379 ; 5. l'origine des *Synaxaires* ;
6. la *Passion* de Cyprien ; 7. le Poème en trois livres de
l'impératrice Eudocie-Athénaïs, en 440[3].

---

1. *Id.*, IV.
2. Delehaye, *Cyprien*, p. 331.
3. Krestan et Hermann, col. 468-473.

« L'idée d'une biographie du martyr dans laquelle la confusion avec un homonyme de roman était déjà faite, est tout à fait vraisemblable », note le P. H. Delehaye[1]. Cette introduction n'ayant pas d'autre objet que de préciser de qui il est question dans le *Discours* 24, on peut s'en tenir à cette conclusion sur ce point.

Il faut cependant rappeler ici que les sources littéraires ne sont pas toujours de nature à fournir « les coordonnées hagiographiques » d'un personnage. Dans le cas présent, les § 5 à 18 du *Discours* 24 ont un caractère narratif très prononcé. Ce caractère place cette source dans un courant traditionnel marquant un ensemble de récits populaires[2]. Ce qui permet au P. H. Delehaye d'en tirer une leçon de méthode hagiographique. « Imaginons », écrit-il, « qu'au lieu de la documentation abondante que nous possédons sur S. Cyprien, il ne nous soit parvenu que la légende fameuse de Cyprien et Justine. Ce n'est point là une hypothèse dépassant les limites de la vraisemblance... Si nous en étions réduits, pour satisfaire notre curiosité, à nous contenter de cette rhapsodie, nous serions bien empêchés de nous

---

1. Delehaye, *Cyprien*, p. 331 ; J. Coman, *Les deux Cyprien de Saint Grégoire de Nazianze*, dans *Studia patristica*, IV, 2 (= *T. U.* 79, 2), Berlin 1961, p. 363-372, reprend à son propre compte les analyses du P. Delehaye et les complète par une hypothèse qu'il fonde sur les intentions supposées de Grégoire de Nazianze : selon cette théorie, la fusion en une seule figure du Cyprien de Carthage avec celui d'Antioche est « consciente et voulue » et doit se situer « probablement » dans la ligne d'une politique de rapprochement entre les Églises lointaines, Rome et l'Orient. « Cyprien, ni grec ni romain, se prêtait admirablement à ce rôle de pont entre l'Occident et l'Orient... S. Grégoire, qui aimait tant l'unité du christianisme, ne manqua pas de s'en servir » (p. 369, et 369-370). Dans la mesure où l'on est tenu d'expliquer les faits religieux ou culturels par des raisons politiques, sociales ou économiques, ces vues du critique roumain ne sont peut-être pas dépourvues de pertinence. M. Coman trouve dans l'existence du schisme d'Antioche (p. 371) le motif politique ayant poussé Grégoire à fabriquer un « Cyprien-synthèse ».

2. Cf. 6 (début), 7 (fin), 8 (début) et 17 (début).

figurer ce que fut le grand évêque de Carthage. Nous en serions peut-être à nous demander s'il a quelque droit à notre vénération, ou même, si le personnage a existé[1]. »

Par ailleurs, les sources liturgiques et archéologiques révèlent le caractère populaire du culte de sainte Justine parmi les chrétiens du Tyrol à l'époque moderne[2]. Grégoire lui-même fait le rapprochement entre la conversion de Justa-Justine, dont il parle sans la nommer (§ 3), et celle de sainte Thècle, qui, selon les *Actes de sainte Thècle*, fut une auditrice et une disciple de S. Paul, qui l'aurait convertie[3]. On n'a pas manqué de rapprocher en outre la figure de Cyprien et celle du Dr Faust, vendant l'un et l'autre leur âme au diable, et attestant qu'un courant commun de lyrisme et d'épopée charrie à travers la légende dorée les grands thèmes de Gœthe et de Calderón, dont la popularité prend aujourd'hui des dimensions nouvelles grâce à l'intervention de nouveaux moyens de diffusion audio-visuels tels que le film, le disque, la radio et la télévision[4].

6. Contenu doctrinal

Les Mauristes et, après eux, tous les commentateurs et critiques, ont insisté sur le caractère littéraire de ce panégyrique en même temps que sur les intentions hagiographiques de l'auteur. « Tout en faisant de beaux développements, il ne perd jamais de vue le progrès moral de ses auditeurs[5]. » Les détails significatifs relevant des techniques littéraires seront mieux à leur place dans les notes ; qu'il suffise de signaler ici que, dans l'ensemble, les développements narratifs (§ 5 à 18) ou personnels (§ 1 à 4) constituent presque la totalité du discours et qu'ils laissent peu de

1. Delehaye, *Cinq leçons*, p. 12.
2. Krestan et Hermann, col. 475.
3. Dagron, *Thècle*, p. 13-54.
4. Krestan et Hermann, col. 475-477, avec réf. bibliographiques.
5. Gallay, *Vie*, p. 151 ; *PG* 35, col. 1169-1170, V.

place aux exposés doctrinaux. En revanche, dans la mesure ou ceux-ci prennent dans leur contexte un ton d'actualité, ils ont valeur de témoignages historiques.

Les critiques en ont fait la remarque pour ce qui concerne le culte des martyrs et celui des reliques[1]. Grégoire met la vénération de ceux-ci en relation avec la rédemption universelle par la souffrance et par la Passion du Christ : « holocaustes conscients, victimes parfaites du sacrifice, offrandes agréables..., ils anéantissent le péché, purifient le monde » (§ 4)... ils sont « le bien de tous » (§ 17).

La chose est aussi remarquable en ce qui concerne le culte de la Sainte Vierge Marie invoquée comme protectrice : « ... après avoir prié la Vierge Marie d'assister une vierge en péril, elle recourt au remède du jeûne et du sommeil sur la dure » (§ 11). Faut-il voir ici le plus ancien témoignage du culte marial ? Y aurait-il un rapport entre cette dévotion de la vierge Justine, puisqu'il s'agit d'elle, et une commémoraison de la Vierge, mentionnée par certaines versions des synaxaires coptes et éthiopiens dont R. Basset a publié une version arabe ? L'occurrence liturgique attestée par les documents orientaux entre cette commémoraison et la fête du martyre de Cyprien et Justine, le 18 septembre, est sans doute une simple coïncidence[2].

Un autre passage à caractère dogmatique a passé pour un anachronisme. Il s'agit d'un développement oratoire qui se lit au § 13, où l'auteur vante la science de Cyprien en disant qu'il a écrit trois types d'ouvrages littéraires : moraux, dogmatiques, hagiographiques, et notamment des controverses contre les hérésies trinitaires des sabelliens et des ariens. On a vu dans cette énumération une

---

1. BERNARDI, *Prédication*, p. 163-164.
2. BASSET, *Synaxaire*, p. 287, n. 1, avec références au synaxaire traduit par Wüstenfeld (= *Synaxarium, das ist Heiligen-Kalender*, Gotha, 1879, 2 vol.) et au Synaxaire éthiopien.

méprise pure et simple : Th. Sinko supposait que, dans la hâte de son improvisation, l'écrivain avait pris les œuvres d'Athanase pour celles de Cyprien de Carthage[1] ! « La distraction dépasse ce que l'on peut attendre d'un improvisateur, et il faut trouver une autre explication[2]. » Le P. H. Delehaye la trouve dans le pur verbalisme oratoire. « La morale et le dogme font inévitablement l'objet des leçons d'un pasteur des âmes, et ce qui montrerait que l'orateur n'a touché ces deux points que par manière de développement, c'est que la matière doctrinale est caractérisée d'après les préoccupations présentes et nullement en conformité avec les controverses de l'époque de Cyprien[3]. » Nous aurions donc ici un aperçu des préoccupations doctrinales du milieu auquel le *Discours* 24 était adressé.

Il faudrait en dire autant des perspectives spirituelles et mystiques du ch. 4, ainsi que des monitions morales et ascétiques contenues dans le développement parénétique qui tient lieu d'épilogue conformément aux règles traditionnelles du genre littéraire[4]. Mais, à vrai dire, tout cela est si général, si impersonnel, si oratoire ! Il faut rappeler à ce propos que « le genre épidictique (auquel appartient le panégyrique), tel qu'il est compris par les sophistes, par ceux qui furent les maîtres de nos orateurs, tend à effacer les traits personnels et concrets pour les remplacer par des qualités abstraites. La méthode du développement par les lieux communs est la substitution de l'universel au particulier, et il y a la même différence entre le héros du panégyrique et celui du document historique qu'entre le portrait pris sur le vivant et l'image hiératique où tous les détails sont idéalisés[5]. »

1. Sinko, *De Cypriano*, p. 10 et 19.
2. Delehaye, *Cyprien*, p. 327.
3. *Id.*, p. 327.
4. Delehaye, *Passions*, p. 196-197.
5. *Id.*, p. 233.

7. Date et circonstances

« A quelle date situer cette oraison funèbre ? S. Cyprien de Carthage ne figurant pas sur les ménologes grecs, on en conclut avec vraisemblance que c'est la date de la fête de Cyprien d'Antioche qui doit être retenue, soit le 2 ou le 4 octobre. Quant à l'année, ce ne peut être que la première du séjour de Grégoire à Constantinople, donc 379, car c'est la seule où il soit vraisemblable qu'il ait pu oublier, comme il l'avait fait, la célébration d'une fête inscrite au calendrier de son Église[1]. » J. Bernardi résume ainsi très exactement la question. A ces arguments, il convient d'ajouter que Grégoire lui-même signale qu'au moment où il prononce le panégyrique de Cyprien, il n'a pas encore fréquenté longtemps ses auditeurs : si du moins, c'est bien ainsi qu'il faut comprendre le § 2 : « Quel vaste foyer de souvenirs qu'une fréquentation, même de courte durée, de personnes que leur naturel porte à la sympathie...! »

Une tradition byzantine invite à se demander où Grégoire a prononcé le *Discours* 24. Le *Synaxaire de la Grande Église de Constantinople* édité par H. Delehaye signale que le jour des Saints Cyprien et Justine, « la synaxe a lieu dans leur martyrion situé de l'autre côté dans les propriétés de Salomon[2] ». Le document témoin

---

1. BERNARDI, *Prédication*, p. 161. GARITTE, *Calendrier*, p. 348, note qu'une mention des SS. Cyprien et Justine est faite aussi le 2 octobre dans le calendrier palestino-géorgien, comme dans le *Synaxaire grec* de Constantinople, mais qu'un texte des Ménées, non muni de date, se lisait au monastère d'Iviron entre le 20 mai et le 1er juin (p. 237 : *S. patriarchae Cypriani*) et qu'une lecture à faire le 25 juillet avait pour titre : *Cypriani patr. Antiochiae et Iustinae encratitae et martyris* (p. 287-288).

2. DELEHAYE, *Synaxarium*, col. 100, 6-7 : ...ἐν τῷ αὐτῶν μαρτυρείῳ τῷ ὄντι πέραν ἐν τοῖς Σολομῶνος Cf. SOPHOKLES, *Lexicon*, p. 872, *s.v.* πέραν, 2 : Il faut présumer qu'il s'agit d'un martyrion situé sur les pentes nord de la Corne d'Or. A notre connaissance, ni

de cette tradition est sans doute d'environ cinq siècles plus récent que le ministère de Grégoire à Constantinople. On peut cependant présumer que l'orateur n'aurait pas cru nécessaire d'insister si fort sur la vénération des reliques de Cyprien si son auditoire n'avait pas eu l'occasion de s'y intéresser. Malheureusement, à notre connaissance, le lieu où on les vénérait n'a pas pu être identifié. J. Bernardi remarque qu'en tout état de cause, « en octobre 379, seul le clergé de Démophile pouvait y avoir accès » et qu'il « est donc probable que c'est dans l'Anastasia que cet éloge a vu le jour[1] ».

On doit se demander ici, avec J. Bernardi, si le *Discours* 24 fournit au lecteur d'autres indications relatives au milieu auquel l'œuvre s'adresse ou au sein duquel l'auteur exerce son ministère à Constantinople. Les rôles que jouent plusieurs figures féminines dans les développements sont sans doute importants, histoire de celle qu'on identifie comme Ste Justine et qui détermine la conversion de Cyprien (§ 9 à 13), indication relative au culte de la Sainte Vierge (§ 11), allusion à la conversion de Ste Thècle et à la Chaste Suzanne de l'Ancien Testament (§ 10) ; mais, ils ne prêteraient sans doute pas à conséquence, non plus d'ailleurs que l'intervention des deux dames pieuses associées à l'invention des reliques de S. Cyprien (§ 17), si l'exorde du sermon ne renfermait une mention très particulière d'une dame chrétienne : « Nous sommes revenu parmi vous », dit Grégoire, « en quittant la retraite pour la prédication, le domaine de celle qui vénère les martyrs pour venir auprès de martyrs, et la détente corporelle pour (prendre part) au banquet spirituel » (§ 1). Sachant que Grégoire et la communauté qu'il desser-

Mamboury, ni R. Janin n'ont identifié l'emplacement de ce martyrion. La tradition rapportée par le Synaxaire de la Grande Église remonte sans doute à une époque fort ancienne, mais rien ne permet de penser qu'elle se rapporte aux origines du culte de S. Cyprien ni au IVe siècle.
1. BERNARDI, *Prédication*, p. 162.

vait à Constantinople même étaient abrités, dans la
Capitale, dans des immeubles de l'Anastasia appartenant
à une famille amie, ou même chez des parents, on se pose
nécessairement la question : « S'agit-il de la même
famille[1] ? ». « On ne saurait le dire », note J. Bernardi,
qui ajoute cependant qu'on ne peut s'empêcher de faire
des rapprochements entre la personne chez qui Grégoire
signale qu'il a été chercher la retraite et le repos, et d'autres
figures féminines de son entourage.

On peut partager à ce sujet l'opinion — et les réserves —
de P. Gallay et de J. Bernardi. Nous citons ce dernier
in extenso. « Grégoire nous livre en effet ailleurs le nom
d'une de ses parentes à Constantinople. Il s'agit de Théodosia, la sœur d'Amphilochios d'Iconium, c'est-à-dire la
propre cousine germaine de Grégoire, qui était alors chargée
de l'éducation d'Olympias, la future correspondante de
Jean Chrysostome. Olympias, qui vit à Constantinople et
qui est née vers 368, a 11 ans environ à la date où nous
sommes : c'est donc bien le moment où Théodosia veille
sur son éducation. Si nous ne pouvons pas affirmer sur
des bases aussi fragiles que Théodosia, l'amie des martyrs,
et l'hôtesse de Grégoire à Constantinople ne sont qu'une
seule et même personne. il y a de fortes chances en tout
cas pour que nous ne sortions pas d'un cercle de femmes
pieuses, riches et influentes, le même peut-être qui accueille
et patronne Grégoire et qui plus tard soutiendra Jean
Chrysostome[1]. » Plusieurs historiens n'hésitent pas à identifier la protégée de Théodosie avec la diaconesse connue
par la *Lettre à Olympias* et célèbre par ses activités personnelles dans l'Église ainsi que par son mariage avec Nébridius, qui fut Préfet de la Ville de Constantinople en 386.
C'est notamment le cas de Mme Hauser-Meury et de la
Prosopographie d'A.H.M. Jones, qui admettent comme
sûr et certain que le poème de Grégoire de Nazianze

1. *Id.*, p. 164.

composé pour les noces d'Olympias, la pupille de Théodosia,
est un épithalame pour le mariage de Nébridius, le haut
fonctionnaire impérial, avec celle qui deviendrait la diaconesse célèbre[1].

Renouvelant le genre antique de l'épithalame, l'évêque
vieillissant en fait une longue monition où se mêlent
morale et psychologie conjugales (vers 1 à 94) ; le poème
se termine par un bref épilogue (v. 95-111) dans le style
classicisant des poètes postérieurs à l'alexandrinisme :

« Mais qu'est-ce qui m'arrive ? Exposer ainsi chaque chose, une
à une ! Je sais pourtant bien, moi, qu'il existe une manière d'expliquer
cela, et beaucoup meilleure que la mienne !

Tu as, charmante Olympias, Théodosis[2] : qu'elle soit pour toi, de
tout discours et de toute action un vivant modèle, comme un Chiron
en féminin[3], au pied des sommets conjugaux, elle, à qui ton père
te confia et qui te donna une formation soignée, propre sœur du
très irréprochable évêque Amphiloque[4], que j'ai conduit vers Dieu
(en compagnie, bien sûr, de la pieuse Thècle[5]), messager de foi qui
est ma fierté... (v. 95-104)[6]. »

1. Hauser-Meury, *Prosopographie*, *s.v.* Olympias, p. 136-137 ;
Jones, *Prosopography*, I, p. 620.

2. J. de Billy traduit Θεούδοσις « Theodosis » ; les Mauristes
« Theodosia » : *Carmina*, II, 2, 6 (*PG* 37, col. 1542-1550), cf. v. 97.

3. Réminiscence pédante : Chiron et l'éducation d'Achille (*Iliade*,
XI, v. 832) ; le centaure Chiron, chargé « en raison de sa droiture
de l'éducation des dieux et des héros », dont « chacun reçut en son
temps une marque d'honneur des dieux »... : Xénophon, *Traité de
la chasse*, I, 1 (éd. E. Delebecque, Paris 1970, p. 50) ; cf. aussi
H. I. Marrou, *Histoire de l'éducation dans l'antiquité*, Paris, 2e éd.,
1950, p. 32-33 ; P. Grimal, *Dictionnaire de la mythologie grecque et
romaine*, Paris 1958, p. 90 ; et E. Delebecque, *op. cit.*, p. 50, n. 1.

4. Évêque d'Iconium de 373 jusqu'après 394. Nous suivons ici
l'interprétation de ce passage par M.-M. Hauser-Meury, *Prosopographie*, p. 30-32.

5. La personne visée ne semble pas avoir été identifiée : Hauser-
Meury, *Prosopographie*, p. 158-160. « Thècle » peut être soit le
nom de sainte Thècle, auditrice convertie, selon la tradition pieuse,
par S. Paul, soit le pseudonyme donné métaphoriquement à une
religieuse ou à une autre personne connue.

6. *Carmina*, II, 2, 6, vers 95-104 (*PG* 37, col. 1549-1550).

Une lettre de Grégoire (*Lettre* 193, 1) mentionne « les noces d'Olympias, ce trésor, de ton Olympias »... ; et l'éditeur du texte note à ce propos qu'il semble qu'on puisse identifier Olympias, la jeune mariée mentionnée dans cette lettre, avec Olympias à qui Grégoire adresse le poème cité ci-dessus. « Certains ont pensé », ajoute le savant critique, « que cette Olympias est la même personne que l'illustre chrétienne qui joua un rôle important dans l'Église de Constantinople en ces années-là[1] ».

Répétons en concluant que tous ces rapprochements fondés sur des présomptions assez légères en ce qui concerne l'identité des personnes, orientent néanmoins l'attention vers un milieu assez homogène de chrétiens aisés et influents, le milieu que G. Dagron a analysé avec finesse à partir de la *Lettre à Olympias* et de passages de la *Vie de sainte Thècle*, dont il préparait l'édition[2]. Quoi qu'il en soit de la personnalité de la dame mentionnée dans l'exorde de notre texte (*Discours* 24, 1), comme vénératrice des martyrs et hôtesse de Grégoire, cette dame devait être bien connue et jouer un rôle dans la communauté pour que l'auditoire fût intéressé par sa personne et l'identifiât sous la formule discrète employée par Grégoire.

II. L'ÉDITION

Contrairement à ce qui a été constaté dans le cas des *Discours* 20 à 23, les témoins du *Discours* 24 utilisés pour

1. *Lettre* 193, 1 (éd. P. Gallay, II, Paris 1967, p. 84, et p. 163, n. 1 à la p. 84).
2. Dagron, *Naissance*, p. 496-509 ; cf. Dagron, *Thècle*, p. 55-56, indiquant que Grégoire a séjourné vers 376 à proximité du site d'Ayatekla (« Sainte-Thècle »), qui n'est pas éloigné d'Antioche de Pisidie ; la carte de Peutinger (section IX, 2-3, éd. E. Weber, Graz 1976) et Ramsay, *Historical Geography*, p. 43-44 et p. 495, signalent l'importance de l'itinéraire passant dans ces parages.

cette édition justifient un classement général des manuscrits en deux branches correspondant aux familles M et N de Th. Sinko. Avant d'en venir aux détails de classement et aux règles qui découleront de celui-ci en ce qui concerne l'établissement du texte, il est indispensable de signaler quelques particularités codicologiques propres aux manuscrits utilisés ici.

1. Particularités codicologiques

Les notes qui suivent se bornent aux traits spécifiques ou particuliers des parties portant le texte collationné. Les observations générales ont été déjà faites par J. Bernardi dans le volume de cette édition consacré aux *Discours* 1-3[1].

A = *Ambrosianus E 49-50 inf. (gr. 1014)* (IXe siècle)[2].

Le *Discours 24* se lit p. 342 a - 354 a. Une restauration nécessitée par le découpage de la miniature représentant la décapitation de S. Cyprien a entraîné la disparition d'un mot de la dernière ligne de la p. 351 b ; on peut conjecturer qu'il s'agit du mot πικροῦ (cf. *P G* 35, col. 1192 B 11 = § 18).

Le titre final est entre deux bandeaux minces. Outre cela et les lettrines fort sobres marquant le début de chaque alinéa, on relève trois miniatures qui semblent former une séquence dans le genre des bandes dessinées : p. 342, dans la marge supérieure, l'image de S. Cyprien, servant à illustrer le titre du Discours, et dans la marge inférieure, en bas de la colonne a), Grégoire faisant face à huit autres personnages, tous en pied, comme si l'auteur prononçait un discours ; p. 344, à hauteur du texte du § 5, une miniature analogue à celle de la p. 342, mais ici S. Cyprien est venu se joindre aux huit personnages debout devant Grégoire ; p. 346, marge inférieure, au bas de la colonne a), la vierge Justine, et p. 347, au bas de la colonne a), S. Cyprien. Les deux dernières images illustrent le § 9[3].

1. BERNARDI, *Discours 1-3*, p. 51-62.
2. MARTINI et BASSI, *Catalogue*, p. 1086.
3. GALAVARIS, *Liturgical Homilies*, p. 11-16, 30, 40-41, 103-109, etc.

$Q = Palmiacus$ *gr. 43* (xe siècle)[1].

Notre texte se lit entièrement aux f. 256^v-267. Le titre est surmonté d'un portique orné de bouquets ; il porte le n° 19 et l'indication 10 ff. Le titre final est séparé du texte par un bandeau mince. A part les signes marginaux, rares eux aussi, on ne voit qu'une seule note marginale à relever : elle est destinée à réparer l'omission d'un mot (f. 264^v).

$B = Parisinus$ *gr. 510*, en majuscules (ixe siècle).

Le texte du *Discours* 24 se trouve tout entier du f. 333 au f. 339^v. Le titre est orné mais peu lisible sur le microfilm, dans la partie droite de chacune des six lignes qu'il occupe : trois ou quatre lettres doivent être reconstituées par conjecture au bout de chaque ligne. En regard de la première page du texte, deux peintures décrites par H. Bordier, remplissent le f. 332^v et se rapportent à la vie de S. Cyprien[2]. Le texte se termine par un mince bandeau, sans titre final.

$W = Mosquensis$ *Synod. 64 (Vladimir 142)* (ixe siècle)[3].

On y trouve intégralement le *Discours* 24, aux f. 147-153. Les titres, initial et final, sont écrits dans la belle majuscule utilisée le plus souvent pour le titre dans ce manuscrit. Le titre initial est surmonté d'un bandeau ; les deux titres sont accompagnés du n° 19.

$V = Vindobonensis$ *theol. gr. 126* (xie siècle)[4].

Le *Discours* 24 est tout entier aux f. 126^v-131^v. Rien de spécial ne caractérise cette partie du manuscrit, à part l'abondance des notes marginales en minuscules ; on peut donc se reporter à la description générale qui a été faite.

$T = Mosquensis$ *Synod. 53 (Vladimir 147)* (xe siècle)[5].

Le texte, qui porte ici le n° 31, se lit aux f. 263^v-270^v. Deux particularités doivent compléter ce qui a été dit dans la description générale de ce témoin : l'abondance des gloses et scolies dans deux

---

1. Sakkelion, *Palmiaki...*, p. 33-34.
2. Bordier, *Description*, p. 79 ; der Nerssessian, *The Illustrations*, p. 79 ; Kondakoff, II, p. 71 : ... « miniatures fort curieuses du genre ascétique »..., Spatharakis, *The Portrait*, p. 96-99.
3. Vladimir, *Catalogue systématique*, p. 148.
4. De Nessel, *Breviarium*, p. 208-213.
5. Vladimir, *Catalogue systématique*, p. 152-153.

écritures minuscules différentes, et la foliotation indiquée en chiffres arabes dans le coin supérieur gauche de chaque feuillet et qui passe de 265 à 267, en oubliant 266.

S = *Mosquensis Synod. 57 (Vladimir 139)* (ixᵉ siècle selon selon toute vraisemblance)[1].

Le *Discours* 24 occupe les f. 281ᵛ-288ᵛ ; le nᵒ 38, noté dans la marge supérieure des rectos de tous les feuillets, correspond à la place de ce sermon dans le pinax de la description générale faite par l'archimandrite Vladimir[2] ; dans la marge latérale du f. 281ᵛ, on lit le nᵒ 13 à hauteur du titre initial. Ce dernier est bien lisible et correspond à celui que transcrit le catalogue ; le titre final, illisible ou presque, permet à peine de deviner une formule probablement identique à celle du titre initial. Ce titre initial est dans la même majuscule que celui du texte qui précède (= *Discours* 25). Dans l'ensemble, cette section du manuscrit répond aux traits généraux décrits plus haut ; on doit néanmoins noter les traits particuliers suivants : f. 281ᵛ, dans la marge supérieure, en minuscules cursives, se trouve : Κυπριανὸς παράκλησις ἀσύγκριτος εἰς μετάνοιαν « Cyprien, appel incomparable à la contrition » ; et cette inscription est précédée d'une croix, comme les titres ; du f. 281ᵛ au f. 288, des notes, très rares, très brèves, en petites majuscules, et quelques signes marginaux ; au f. 288ᵛ, à hauteur du titre final, dans la marge gauche, une annotation biffée et illisible, comme le titre final lui-même ; ce pourrait être une indication stichométrique (?).

D = *Marcianus gr. 70* (xᵉ siècle)[3].

Le texte est en entier aux f. 313ᵛ-320 ; il porte ici le nᵒ 41. Ce numéro est répété comme titre courant. Sans autre particularité notable, sauf peut-être la relative rareté des scolies (brèves, quand il y en a), cette partie du codex répond à la description déjà faite, de l'ensemble du témoin.

P = *Patmiacus gr. 33* (de 961)[4].

Le *Discours* 24, portant ici le nᵒ 38 (f. 129ᵛ-132ᵛ), appelle quelques observations destinées à compléter la description générale du témoin. Le titre est orné d'un large bandeau décoré de motifs stylisés, formé

---

1. Voir le tome I, p. 20-21.
2. Vladimir, *Catalogue systématique*, p. 146, nᵒ 38.
3. Morelli, *Bibliotheca*, p. 68-69.
4. Kominis, *Nouveau catalogue*, p. 22.

d'un rectangle allongé terminé à chaque bout par un triangle, et surmonté par deux félins couchés symétriquement de part et d'autre d'un bouquet stylisé, avec la queue en panache et la tête tournée vers le côté extérieur. Les annotations consistent dans des scolies et dans des signes marginaux traditionnels ou autres, quelquefois ornés ou prenant la forme de monogrammes[1].

C = *Parisinus Coislin. gr. 51* (x[e]-xie siècle)[2].

Le texte se lit tout entier aux f. 326-334 ; il porte ici le n° 38. Le titre initial écrit dans une majuscule de type penché vers la gauche et de style recherché : hastes allongées, courbures élégantes, apex, pleins et déliés prononcés, est surmonté d'une arabesque formant bandeau. Signes marginaux et annotations sont extrêmement rares. Le titre final précédé d'une ligne de petits motifs qui le sépare du texte a pris place dans la marge inférieure au bas de la colonne a) du f. 334 ; il est dans une petite majuscule du même type que celle qu'on rencontre dans le texte mêlée aux minuscules : type caractérisé par des ligatures (αν, τρ, πρ) et de style très négligé.

2. Principes de classement des témoins

Un classement général en deux branches se dégage massivement de l'examen de la tradition ; non sans contaminations évidentes. Les accidents significatifs se répartissent ici entre groupe n et groupe m d'une manière assez constante.

1. Au début du § 9 (= *PG* 35, col. 1177 C 16), quatre mots qui se lisent dans tous les témoins de m sont absents dans tous les témoins du groupe n et remplacés là par un texte de quatre lignes.

2. Si l'on considère les cas d'omission/addition (par rapport au texte de base, qui est celui des Mauristes), la moitié des cas retenus comme significatifs opposent n et m, groupe contre groupe ; notamment :

---

1. Les monogrammes suivants : ὡραῖον πάνυ « fort beau » (f. 130) ; ξένον « étrange » (f. 131[v]) ; θαυμαστόν « admirable » (f. 132) ; ἀναγνωστέον « à lire » (f. 132[v]).
2. Devreesse, *Fonds Coislin*, p. 47-48.

§ 2, 1 : τοῖς ἴσοις μέτροις m : > n ;
§ 2, 13 : μυστήριον εἴτ' οὖν m : > n ;
§ 3, 10 : ὁ m : > n ;
§ 6, 9 : τῶν m : > n ;
§ 10, 6 : τε καὶ m : > n ;
§ 12, 11 : καὶ m : > n ;
§ 17, 12 : οὐκ οἶδ' m : > n ;
§ 19, 15 : τῷ λόγῳ ἅμα δὲ m : > n ;
§ 19, 37 : τῶν αἰώνων n : > m.

Dans les autres cas, n fait bloc avec un ou deux représentants du groupe m dans presque tous les cas significatifs ; notamment :

§ 2, 8 : καὶ SPC : > n + D ;
§ 10, 25 : καὶ n + DP : > SC ;
§ 12, 23 : τε DPC : > n + S ;
        καὶ SPC : > n + D ;
§ 14, 4 : ἴσον SPC : > n + D ;
§ 14, 14 : τὴν SPC : > n + D ;
§ 15, 31 : γὰρ SPC : > n + D ;
§ 16, 10 : τὸ SC : > n + DP ;
§ 19, 6 : τῶν n + PC : > SD ;
§ 19, 38 : καί n + SD : > PC.

Une omission/addition peut opposer $B+P_1$ au reste de la tradition ; par ex. :

§ 1, 12 : εὐχαριστήσωμεν cett. : > BP_1.

Nous aurons à revenir sur le cas de V et T opposés ensemble au reste du groupe n et de la tradition ; par ex. :

§ 15, 31 : ταῦτα AQBW SDPC : > VT.

3. Les déplacements de mots (en tout, trois cas nettement significatifs) montrent deux fois sur trois le groupe n opposé en bloc au groupe m ; dans le dernier cas, n en bloc avec SD s'opposent à PC :

§ 15, 5 : ἐκεῖνος σχεδόν n : ∼ m ;
§ 18, 13 : γνησίως ἐκεῖνον n : ∼ m ;
§ 5, 9-10 : τοῖς κατά τι συναπτομένοις οὐχ ἧττον n + S : οὐχ ἧττον
        τοῖς — συναπτομένοις PC.

4. Les variantes prises en considération montrent souvent n opposé en bloc à m ; par ex. :

§ 6, 12 : πολυμαθίας m : φιλομαθείας n + P₂ ;
§ 8, 5 : καὶ n : γε m ;
§ 10, 25 : πυράν n : φλόγα m ;
§ 13, 10 : μᾶλλον n : πλέον m ;
§ 15, 6 : ποιεῖται QBWVTD₂P₂ (deficit A) : ποιεῖ m ;
§ 18, 17 : στρατηγίᾳ m : στρατ(ε)ίᾳ n ;
§ 19, 8-9 : ἐπηγγελμένην n : ἡτοιμασμένην m ;
§ 19, 22 : οὐδὲ n : οὔτε m.

Mais parfois, n est renforcé par un témoin du groupe m contre le reste de m ; par ex. :

§ 1, 7 : ἄν n + D : ἔαν SPC ;
§ 2, 7 : τε n + C : γε SDP ;
§ 2, 10 : συναγαγόντος n + D : συνάγοντος SPC ;
§ 9, 27 : -σοντος... -σοντος n + S : -σαντος... -σαντος DPC ;
§ 11, 15 : πόθων n + D : παθῶν SPC ;
§ 13, 18 : φιλόσοφον n + D : φιλότιμον SPC.

On trouve parfois n renforcé par deux témoins du groupe m, opposé aux deux autres témoins de ce groupe m ; par ex. :

§ 1, 17 : ἑστίασιν n + DP : ἑστίαν SC ;
§ 14, 8 : ἐκείνως n (= QBWVT) + S₂DP : ἐκεῖνος S₁C.

Une fois on voit T se séparer seul de son groupe n, pour suivre le groupe m :

§ 12, 21 : ὅτι κράτιστός τε καὶ δοκιμώτατος T + m : ὅ τι κράτιστόν
        τε καὶ δοκιμώτατον AQBWV.

Deux conclusions se dégagent de ces constatations : d'une part, les deux groupes n et m se comportent grosso modo comme deux familles, d'autre part, ce classement généalogique ne permet pas d'expliquer tous les accidents constatés. En effet, on doit se demander comment inter-préter les comportements particuliers relevés au sein des groupes. Dans le groupe n, le cas de T est le plus singulier : c'est lui qui fait défection lorsque se présente un cas où

un seul témoin du groupe n s'oppose au reste du groupe et
rejoint m. Si l'on suppose que cela résulte d'une contamination directe de T avec un modèle appartenant au
groupe m, ou d'un ascendant de T avec un modèle appartenant au groupe m ou à l'ascendance de ce groupe, il
reste néanmoins encore impossible de savoir, en se basant
sur cette hypothèse, quel représentant du groupe m
aurait pu contaminer T. Dans un cas significatif, T fait
cavalier seul dans son groupe et porte la leçon de SPC :

§ 17, 15 : ἐπεὶ δέ QBWV (= n-T, A n'étant pas pris en compte
ici) D : ἐπειδὴ δέ TSPC. Dans d'autres cas, T s'accorde avec V,
contre tous les autres témoins : § 15, 31 : ταῦτα cet. cod. : > VT ;
§ 1, 1 : κυπριανός cet. cod. : κυπριανόν VT.

Au sein du groupe m, un ou deux témoins rallient parfois
le groupe n en s'opposant au reste de leur propre groupe ;
mais on constate ici une grande fantaisie dans les asso-
ciations. Cela tient sûrement à des contaminations, dont
on n'a pas les moyens de préciser l'origine. Il serait même
inopportun de hasarder ici une hypothèse. Le principe des
contaminations est établi, mais on ne se risque pas à en
préciser la direction ni la source. L'enquête n'a pas pu
aller plus loin que la récolte des indices analysés ci-dessus,
qui établissent des signes de parenté caractérisés entre
nos témoins.

3. Schéma de classement

Pour le moment, on peut résumer les parentés constatées
et conclure les analyses faites ci-dessus par le schéma
suivant, qui tiendra lieu de stemma. Les points d'interrogation sur les lignes de contamination signifient, dans
le cas des contaminations de T, que l'on ignore l'origine
précise et la direction exacte de la contamination relevée ; dans les autres cas, c'est-à-dire ceux de S, de D, de
P et de C, on suppose que lorsque deux témoins ont,
ensemble, une variante qui les oppose au reste de leur

a (groupe N)   *b* (groupe M)

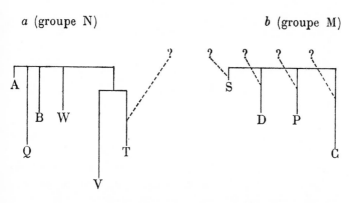

groupe (groupe m), celle-ci remonte plus haut. Quand un seul témoin varie par rapport à son groupe ou par rapport à l'ensemble de la tradition, il n'est pas possible de préciser s'il y a contamination, faute ou initiative particulière.

4. Règles suivies en établissant le texte

Pour établir le texte, on s'est fondé sur le principe qu'il existe un ancêtre principal commun au groupe n et un autre, commun au groupe m. Soit *a* et *b*. L'accord de *a* et *b* est la meilleure garantie à tirer de la collation des manuscrits.

Faute de cet accord, les leçons qui se rapprochent le plus de cette unanimité offrent les chances les plus sûres. Soit n+1 ou 2 témoins du groupe m, soit m+T.

Dans les cas où ceci ne se réalise pas, par exemple quand n et m s'opposent en bloc ou en partie (partie de n+ partie de m contre les autres parties de m et de n), des conjectures prudentes peuvent aider à établir quelle est la leçon préférable dans chaque cas particulier.

1169 A   **1.** Μικροῦ Κυπριανὸς διέφυγεν ἡμᾶς · ὦ τῆς ζημίας !
1172 A καὶ ὑμεῖς ἠνέσχεσθε, οἱ πάντων μᾶλλον τὸν ἄνδρα θαυμάζοντες
καὶ ταῖς δι' ἔτους τιμῶντες ἐκεῖνον τιμαῖς τε καὶ πανηγύρεσι
Κυπριανόν, οὗ, καὶ τοῖς τἄλλα ἐπιλήσμοσι, μεμνῆσθαι τῶν
5 ἀναγκαίων εἴπερ τῶν ἀρίστων μάλιστα μνημονευτέον καὶ
ὧν τὸ μεμνῆσθαι ὅσιόν τε ὁμοῦ καὶ ὠφέλιμον.

   Ἀλλ' ἀποδῶμεν σὺν τόκῳ τὸ χρέος, ἂν ἄρα τοσοῦτον
εὐποροῦντες φανῶμεν, ἀλλὰ μὴ πάντα ὦμεν ἐνδεεῖς τε καὶ
πένητες. Ἂν δὲ καὶ λίαν πένητες, οἶδ' ὅτι συγγνώσεται
10 ἡμῖν καὶ τῆς ὑπερημερίας καὶ τῆς πενίας, ἐπεὶ καὶ πάντα
μεγαλόψυχος ὁ ἀνὴρ καὶ φιλόσοφος · μόνον ἄν, ὅτι μὴ
διέφυγεν ἡμᾶς, εὐχαριστήσωμεν. Εὐχαριστήσωμεν δέ · καὶ

Titulus, εἰς AQBWVSDC : τοῦ αὐτοῦ εἰς P εἰς τὸν μάρτυρα
T ‖ κυπριανόν nm : + λεχθεὶς ἐν Κωνσταντινουπόλει Q ἐξ ἀγροῦ
ἐπανήκων μετὰ μίαν τῆς μνείας ἡμέραν (vel ἡμέραν τῆς μνείας B)
ABWVTD + μάρτυρα C + τὸν μάρτυρα S + τὸν μάρτυρα ἐξ ἀγροῦ
ἐπανηκότος μετὰ μίαν τῆς μνήμης ἡμέραν P. Maur. cum habent εἰς
τὸν ἅγιον ἱερομάρτυρα κυπριανόν, ἐξ ἀγροῦ μετὰ μίαν τῆς μνείας
ἡμέραν ἐπανήκοντος, tum notant varium in variis codicibus legi
huius orationis titulum ; quarum variarum lectionum plura
specimina vide in *PG* 35, col. 1169-1171, n. 48.

1, 1 κυπριανὸς VT Maur. ‖ 7 ἐὰν SPC ‖ 11 μὴ > W₁ (rest. W₂)
‖ 12 εὐχαριστήσωμεν² > BP₁ (sed rest. P₂)

---

1. Sur le personnage, la date de sa fête et le genre littéraire,
cf. l'introduction, p. 12-31. Les Mauristes signalent que le *cod.
Parisin. gr. 552 (olim 2302)* donne pour titre « Éloge funèbre de
S. Cyprien et de Sᵗᵉ Justine, ascètes et martyrs » (*PG* 35, col. 1169-
1171, n. 48).

DISCOURS 24

En l'honneur de Cyprien

1. Nous avons failli oublier Cyprien. Quel dommage !
Et vous l'avez toléré, vous qui admirez ce grand homme
plus que tous les autres et qui célébrez tous les ans les
fêtes et les assemblées solennelles en l'honneur du célèbre
Cyprien[1], dont même ceux qui oublient facilement tout
le reste doivent obligatoirement se souvenir puisqu'il
faut avant tout commémorer les meilleurs, c'est-à-dire
ceux dont le souvenir est sacré en même temps que bien-
faisant.

Mais, acquittons-nous de cette dette avec usure si du
moins il semble que nous serons en mesure de le faire,
mais que nous ne serons pas totalement indigents et
pauvres[2]. Et même si nous étions trop pauvre, ce grand
homme nous pardonnera, je le sais, puisqu'il est magna-
nime et « philosophe » en toutes choses, et notre retard
et notre pauvreté, à la seule condition que nous lui rendions
grâce de ne pas l'avoir oublié. Et rendons-lui grâces, car
cela s'impose ! Il faut commencer de cette façon, parce
que, par bonheur et juste au bon moment fixé par Dieu,

---

2. La « pauvreté » évoquée ici est-elle d'ordre économique et
matériel (P. GALLAY, *Vie*, p. 144) ? S'agit-il, au contraire, d'une
métaphore indiquant un manque de moyens littéraires de louer
Cyprien selon son mérite ? Grégoire semble conscient de son ignorance
relative au personnage historique dont il fait l'éloge ; ce qui explique
assez pourquoi « jamais l'auteur ne fit un tel abus des digressions
et des longueurs de tout genre » (GALLAY, *Vie*, p. 152). La formule
« avec usure », n'a de sens que si le « paiement » est différé (BERNARDI,
Prédication, p. 162) : elle indique que la fête est passée.

γὰρ ἄξιον. Ἀρκτέον δὲ οὕτως, ὡς εἰς καλὸν ὑμῖν ἐπανήκομεν, καὶ καλοῖς μέτροις Θεοῦ, τοῦ πάντα ἐν σταθμῷ καὶ μέτρῳ [a]
B διορίζοντός τε καὶ διευθύνοντος, ἐκ τῆς ἡσυχίας ἐπὶ τὸν
16 λόγον, ἐκ τῆς φιλομάρτυρος ἐπὶ μάρτυρας, ἐκ τῆς σωματικῆς ἀνέσεως ἐπὶ τὴν πνευματικὴν ἑστίασιν.

2. Ἐποθοῦμεν ὑμᾶς, ὦ τέκνα, καὶ ἀντεποθούμεθα · πείθομαι γάρ. Ὁρᾶτε πατρὸς εὐγνωμοσύνην · καὶ τὸ ἐμαυτοῦ λέγω καὶ τὸ ὑμέτερον μαρτυρῶ καὶ τοσοῦτον διαζευχθέντες ἀλλήλων, ὅσον τὸν πόθον γνωρίσαι καὶ δοκιμάσαι τῇ ἀπο-
5 στάσει, καθάπερ οἱ ζωγράφοι τοὺς πίνακας, πάλιν συνήλθομεν.
C Ὡς μέγα μνήμης ἐμπύρευμα, καὶ βραχεῖα συνήθεια τοῖς τε ἀγαπητικοῖς τὸν τρόπον καὶ Θεοῦ μιμουμένοις φιλανθρωπίαν [a] ! Πῶς δὲ οὐκ ἐμέλλομεν, οἱ Χριστοῦ μαθηταί, τοῦ κενωθέντος δι' ἡμᾶς μέχρι δούλου μορφῆς [b] καὶ ξένους ὄντας
10 τῶν οὐρανίων πρὸς ἑαυτὸν συναγαγόντος, ἀνθέξεσθαί τε καὶ περιέξεσθαι ἀλλήλων καὶ τηρήσειν τὴν ἑνότητα τοῦ πνεύματος ἐν τῷ συνδεσμῷ τῆς εἰρήνης[c], ἢ νόμου καὶ προφητῶν ἐστι μυστήριον εἴτ' οὖν κεφάλαιον ;

3. Ἓν μὲν δὴ τοῦτο τῆς εὐεργεσίας καὶ πρῶτον, τὸ ὡς τάχιστα προσδραμεῖν ἀλλήλοις καὶ περιπτύξασθαι. Οὐδὲ γὰρ
D φέρει τὴν ἀναβολὴν ὁ ζῆλος · καὶ βίος ὅλος ἡμέρα μία τοῖς

1, 13 δ' SDP ‖ ἡμῖν S₁ (corr. S₂) ‖ 17 ἑστίαν SC
2, 1 ἐποθοῦμεν : ἐπόθουν μὲν S ‖ ἀντεποθούμεθα + τοῖς ἴσοις μέτροις m Maur. ‖ 3 λέγω : λαλῶ C (mg. ἐν ἄλλῳ λέγω) ‖ 6 συνήθεια + φίλων Maur. sequentes cod. *Reg. a* (quod ni fallor est *cod. Paris. gr. nunc 512 olim 1914*) ‖ 7 τε : γε SDP ‖ 8 δὲ + καί SPC ‖ ἐμέλλομεν : ἔμελλον S ‖ 10 συνάγοντος SCP₁ (corr. P₂) ‖ 11 ἑνότητα S ‖ 13 μυστήριον εἴτ' οὖν m Maur. > n

---

1. a. *Sag.* 11, 21.
2. a. *Éphés.* 5, 1 ; I *Thess.* 1, 6 ; cf. *Phil.* 3, 17.   b. *Phil.* 2, 7 ;
Matth. 20, 28.   c. Cf. *Éphés.* 4, 3.

---

1. « Foyer de souvenirs » : métaphore familière à l'auteur ; cf.
KERTSCH, *Bildersprache*, p. 170, n. 1.
2. Grégoire appelle les fidèles à la concorde dans les *Discours*

qui règle et dirige toutes choses selon sa balance et sa
mesure[a], nous sommes revenu parmi vous en quittant
la retraite pour la prédication, le domaine de celle qui
vénère les martyrs pour venir auprès de martyrs, et la
détente corporelle pour prendre part au banquet spirituel.

2. Nous regrettions d'être loin de vous, mes enfants, et
de votre côté vous le regrettiez autant. C'est, en effet, ma
conviction! Voyez la bonté d'un cœur paternel : en
exprimant mon sentiment, j'atteste le vôtre. Après nous
être éloignés les uns des autres assez pour que la distance
nous permette de connaître et de mesurer le regret que
nous éprouvions, comme les peintres le font pour les
tableaux, nous nous sommes de nouveau retrouvés.

Quel vaste foyer de souvenirs[1] qu'une fréquentation,
même de courte durée, de personnes que leur naturel porte
à la sympathie et qui prennent exemple sur la bonté
divine envers les humains[a] ! Nous, les disciples du Christ
qui s'est abaissé pour nous jusqu'à prendre « la forme
d'un esclave[b] » et qui nous a rassemblés auprès de lui
quand nous étions étrangers aux réalités célestes, comment
n'éprouverions-nous pas les uns pour les autres un attachement fidèle et profond et ne garderions-nous pas l'unité
spirituelle grâce au ciment de la paix[c] en quoi consiste
soit le mystère soit donc le fondement de la Loi et des
Prophètes[2] ?

3. Voici précisément un effet de son action bienfaisante,
le premier : à savoir de nous être précipités en grande hâte
les uns vers les autres et de nous être donné l'accolade —
car notre empressement ne tolère pas les délais et, pour
ceux qui éprouvent le regret d'un absent[3], une seule

6, 22 et 23 ; ici les perspectives sont plus profondes : cf. *Discours*
43, 29 (*PG* 36, col. 536 B 1), où le Christ est appelé « le *Pacifique* »
ὁ εἰρηνικός.

3. On reconnaît dans ce passage plusieurs mots appartenant au
vocabulaire ascétique notamment ὑποταγή, πόθος, κόρος, etc., cf.
NEYT, *Barsanuphe*, p. 155-214 ; ID., *Un type*, p. 343-361.

1173 A πόθῳ κάμνουσιν. Δεύτερον δέ, ὃ καὶ μέγιστον, τὸ μὴ κατόπιν
ἑορτῆς δραμεῖν μηδὲ μαρτύρων μυσταγωγίας ἀπολειφθῆναι
6 καὶ τῆς ἐντεῦθεν ἐγγινομένης ἡμῖν τρυφῆς τε καὶ ἀναψύξεως.
Ἐγὼ γὰρ τἆλλα μὲν ὁμολογῶ παντὸς εἶναι νωθέστερος
καὶ πάντα πόθον ἀπεσεισάμην, ἀφ᾽ οὗ Χριστῷ συνεταξάμην,
καὶ οὐδὲν αἴρει με τῶν ὅσα τερπνὰ τοῖς ἄλλοις καὶ περισπού-
10 δαστα, οὐ πλοῦτος ὁ κάτω συρόμενος καὶ περιτρεπόμενος,
οὐ γαστρὸς ἡδοναὶ καὶ κόρος ὁ πατὴρ ὕβρεως, οὐκ ἐσθὴς
μαλακή τε καὶ περιρρέουσα, οὐ λίθων διαύγειαι καὶ χάριτες,
οὐκ ἀκοὴ γοητεύουσα, οὐκ ὄσφρησις ἐκθηλύνουσα, οὐ κρότοι
δήμων καὶ θεάτρων ἐκμαίνοντες, ὧν πάλαι τοῖς βουλομένοις
15 παρεχωρήσαμεν · οὐχ ὅσα τῆς πρώτης γεύσεως ἡμῶν, ἐξ
ἧς ἀπολώλαμεν, ἔκγονα ᵃ · ἀλλὰ καὶ πολλὴν εὐήθειαν κατα-
B γινώσκω τῶν κρατεῖσθαι τούτοις ἀνεχομένων καὶ τὸ τῆς
ψυχῆς εὐγενὲς διαφθείρειν τῇ περὶ ταῦτα μικροπρεπείᾳ καὶ
ὡς ἐστῶσι προστιθεμένων τοῖς φεύγουσιν. Ἐκείνου δὲ λίαν
20 ἀπλήστως ἔχω καὶ περιέχομαι καὶ τοῦ πάθους ἐμαυτὸν
ἀποδέχομαι · μαρτύρων τιμαῖς ἐπιτέρπομαι καὶ ἀθλητῶν

3, 4 κάμνουσι C ‖ **5** μυσταγωγίας : -γίαις S ‖ **6** ἐγγινομένης
ἡμῖν ∞ S ‖ **7** νοθέστερος BD ‖ **9** αἴρει PW₁ (corr. W₂) αἱρεῖ Q₂
post alterat. ‖ **10** ὁ > W ‖ **11** καὶ : οὐ SPC ‖ ὁ > n et Maur. ‖
16 ἔγγονα S ‖ **16-17** καταγιγνώσκω C

---

3. a. Cf. *Gen.* 3, 6-17 ; cf. *Sag.* 6, 2-3.

---

1. Le mot πόθος traduit plus haut par « regret d'un absent » est
à prendre ici au sens spirituel « attachement » ou « désir d'acquérir
ou de jouir » : LAMPE, *Lexicon*, p. 1107.

2. Dans les textes classiques, le mot signifie avec diverses nuances
une fougue démesurée ou insolente engendrant la violence (LIDDELL
et SCOTT, *Lexicon*, p. 1841, *s.v.*) ; dans le grec chrétien, il peut désigner
une tempête violente (*Act.* 27, 21 ; cf. BAUER, *Wörterbuch*, col. 1646)
ou une forme d'insolence ou de réprimande (LAMPE, *Lexicon*, p. 1422).
La présence de l'article devant l'apposé (cf. apparat critique : *lectio
difficilior* et témoignages positifs des sources) insiste sur une propriété
caractéristique, à savoir d'être *celle qui* engendre l'insolence ; dans

journée vaut une vie entière. Un second effet, et très important lui aussi, est le fait de n'être pas arrivés après la fête et de n'avoir manqué ni la célébration des mystères sacrés en l'honneur de martyrs, ni le plaisir et la détente que nous y prenons.

En effet, pour ce qui me concerne, je confesse que je suis plus détaché que quiconque de tout le reste ; depuis l'heure où j'ai suivi l'appel du Christ, j'ai rejeté tout attachement[1] et de tous les agréments si recherchés par les autres aucun ne m'attire plus, ni une fortune terre à terre et instable, ni des satisfactions et un assouvissement des appétits charnels, qui engendre l'insolence[2], ni un vêtement souple et ondoyant, ni la limpidité et la séduction de pierres (précieuses), ni des sons enchanteurs, ni des parfums voluptueux, ni des applaudissements exaltants des foules et des théâtres que nous avons depuis longtemps laissés à ceux qui en sont amateurs, ni rien de tout ce qui tire son origine de la « faute originelle de gourmandise[a] », qui a causé notre perte[3]. Au contraire, je condamne l'immense naïveté des gens qui supportent de subir la domination de ces choses-là et de pervertir la noblesse de leur âme par la grossièreté des préoccupations qu'elles engendrent, et qui s'attachent à ces réalités fugaces comme si elles étaient stables et permanentes. Par contre, de ceci je suis insatiable, avide et, je le reconnais, passionné : les honneurs rendus aux martyrs font ma joie ; les sacrifices

l'esprit de l'auteur il peut s'agir d'un rapport d'identité (HUMBERT, *Syntaxe*, p. 45, § 60 ; et SCHWYZER et DEBRUNNER, *Grammatik*, II, p. 26). Une nuance grammaticale permet ici à Grégoire d'ouvrir des perspectives sur une conception générale de l'ascèse et de la joie de vivre, fondée sur un certain dédain des biens matériels.

3. L'allusion biblique donne ici un fondement scripturaire à une conception de l'ascèse indiquée dans la note précédente. Grégoire laisse rarement passer une occasion de rappeler qu'il a tourné le dos à la carrière littéraire : cf. *Discours* 6, 3 ; 7, 9 ; 22, 6 ; etc. (KERTSCH, *Bildersprache*, p. 91, n. 2).

αἵμασιν ἐπαγάλλομαι καὶ ἄλλων μὲν οἱ ἆθλοι καὶ τὸ κρατεῖν,
ἐμοὶ δὲ οἱ στέφανοι. Τοσοῦτον προαρπάζω τὴν εὐδοξίαν καὶ
οὕτως οἰκειοῦμαι τὰ κατορθώματα.

C   **4.** Πᾶσι μὲν δὴ μάρτυσι πανηγυριστέον καὶ πᾶσιν ἀνοικτέον
ἑτοίμως καὶ γλῶσσαν καὶ ἀκοὴν καὶ διάνοιαν καὶ λέγοντάς
τι προθύμως περὶ αὐτῶν καὶ ἀκούοντας καὶ πάντα ἐλάττω
νομίζοντας τῆς ἐκείνων ἀθλήσεως [a]. Καὶ γὰρ οὕτως ἔχει,
5 πολλῶν ὄντων ἡμῖν εἰς ὁδηγίαν τοῦ κρείττονος καὶ πολλῶν
τῶν πρὸς ἀρετὴν παιδευμάτων, λόγου, νόμου, προφητῶν,
ἀποστόλων, αὐτῶν τῶν Χριστοῦ παθημάτων, τοῦ πρώτου
μάρτυρος ἐπὶ τὸν σταυρὸν ἀνελθόντος, κἀμὲ συναγαγόντος,
ἵνα προσηλώσῃ τὴν ἐμὴν ἁμαρτίαν [b] καὶ τὸν ὄφιν θριαμβεύσῃ [c]
10 καὶ τὸ ξύλον ἁγιάσῃ [d] καὶ τὴν ἡδονὴν νικήσῃ [e] καὶ τὸν
Ἀδάμ, ἀνασώσῃ [f] καὶ τὴν εἰκόνα πεσοῦσαν ἀνακαλέσηται [g] ·
D τοσούτων ὄντων ἡμῖν καὶ τοιούτων, οὐδὲν ἔλαττον ἡμῖν εἰς
παιδαγωγίαν οἱ μάρτυρες, ὁλοκαυτώματα λογικά, θύματα
τέλεια, προσφοραὶ δεκταί, τῆς ἀληθείας κηρύγματα, τοῦ
15 ψεύδους στηλιτεύματα, νόμου συμπλήρωσις τοῦ γε πνευματι-

3, 23 εὐδοξίαν : εὐκοσμίαν Maur.
4, 3 αὐτῶν nDPC : ἑαυτῶν S ‖ 3-4 αὐτῶν — νομίζοντας > W₁
(rest. W₂ mg.) ‖ 4 post νομίζοντας deficit S usque ad verbum
βουλομένῳ capitis VII¹ ‖ 7 τῶν + τοῦ WV (et ut videtur Q₁,
eras. Q₂) ‖ 9 ἐμὴν > P ‖ 10 καὶ ἁγιάσῃ > T₁ rest. T₂ ‖ 13 θύματα :
θυσία P corr. manus recentior mg.

---

4. a. Cf. *Hébr.* 10, 32.   b. Cf. *Col.* 2, 14.   c. Cf. II *Cor.* 11, 3.
d. Cf. I *Pierre* 2, 24.   e. Cf. II *Pierre* 2, 13 ; *Jac.* 4, 1-3.   f. *Rom.*
5, 12-21.   g. Cf. *Gen.* 1, 26-27 ; *Rom.* 1, 23 ; 8, 29 ; II *Cor.* 3, 18.

---

1. « Lutte », « combat », au sens de « martyre », métaphores
typiques du vocabulaire chrétien : Lampe, *Lexicon*, p. 46 ; Bauer,
Wörterbuch, col. 41.
2. « Vers le Tout-Puissant » ou « vers Celui qui est le plus fort » :
en dépit de sa coloration platonicienne et néo-platonicienne (cf. les

endurés par les athlètes (du Christ) font ma fierté : les
luttes et le triomphe ont été pour d'autres ; mais leurs
couronnes m'appartiennent ! Telle est la part que je
prélève sur leur gloire et la manière dont je m'approprie
leurs exploits !

4. Il faut assurément célébrer solennellement les fêtes
de tous les martyrs et leur offrir à tous l'hommage de
la voix, de l'attention et de l'intelligence en nous empres-
sant soit de prononcer soit d'écouter des sermons en leur
honneur et en nous disant que tout cela est inférieur à la
lutte qu'ils ont affrontée[a] [1]. Car il en est bien ainsi. Alors
que nous disposons de beaucoup de moyens pour nous
guider vers le Bien supérieur[2] et pour nous enseigner la
vertu : raison[3], loi, prophètes, apôtres, souffrances mêmes
du Christ, premier martyr monté sur la croix et m'ayant
entraîné avec lui afin d'y clouer mon péché[b], de triompher
du « serpent »[c], de sanctifier le bois[d], de vaincre le plaisir[e],
de relever et de sauver Adam[f] et de restaurer l'icône
écroulée[g], à tant de moyens de nous instruire dont nous
disposons, les martyrs ne sont nullement inférieurs :
holocaustes conscients, victimes parfaites du sacrifice,
offrandes agréables, messages de la vérité, affiches qui
dénoncent le mensonge, (ils) accomplissent la loi — je
veux dire la loi comprise spirituellement —, abolissent

chaînes d'êtres de plus en plus parfaits, dans PROCLOS, *Théologie
platonicienne*, III, 6 : éd. H. D. Saffrey et L. G. Westerink, Paris
1978, p. 21, 18), l'expression appartient au vocabulaire particulier
de la spiritualité chrétienne : cf. *Lettre* 85, 2 (éd. et trad. P. Gallay,
Paris, I, 1964, p. 106).
3. Le mot grec peut prendre plusieurs sens (« parole », « discours »,
« écrit », « raison », « verbe divin », ...), ce qui se prête aisément à
l'emploi de la polysémie, figure verbale déjà familière dans S. Paul :
MOSSAY, *La mort*, p. 14, n. 4 ; et NÉLIS, *L'antithèse*, p. 18-53.

κῶς νοουμένου, πλάνης κατάλυσις, κακίας διωγμός, ἁμαρτίας κατακλυσμός, κόσμου καθάρσιον.

5. Σὺ δέ μοι, Κυπριανέ, τὸ τιμιώτατόν μοι καὶ πρᾶγμα καὶ ὄνομα, πλέον ἢ κατὰ τοὺς ἄλλους μάρτυρας — φθόνος
1176 A γὰρ οὐδεὶς παρὰ μαρτύρων μάρτυσι — καὶ σοῦ διαφερόντως ἥττημαί τε τῆς ἀρετῆς καὶ τῇ μνήμῃ κουφίζομαι καὶ ὥσπερ
5 ἔνθους ὑφ' ἡδονῆς γίνομαι καί τινα τρόπον σύνειμί τε τῇ μαρτυρίᾳ καὶ κοινωνῶ τῆς ἀθλήσεως καὶ ὅλος πρὸς σὲ μετανίσταμαι · τάχα μὲν διὰ τὴν τῶν λόγων οἰκείωσιν, οἷς τοσοῦτον τῶν ἄλλων ἐκράτεις, ὅσον τὰ λογικὰ τῆς ἀλόγου φύσεως — συνεισέρχεται γάρ, οὐκ οἶδ' ὅπως, φίλτρον τοῖς
10 κατά τι συναπτομένοις οὐχ ἧττον τοῖς λοιποῖς πράγμασιν ἢ τοῖς περὶ ἀγχιστείαν αἵματος — τάχα δὲ διὰ τὸ τῆς μεταβολῆς ἀθρόον τε καὶ παράδοξον, ὃ κρεῖττον λόγου καὶ παραδείγματος. Ἐπεὶ γλυκὺ μὲν ἥλιος μετὰ νέφος, ᾧ τέως συνεκαλύπτετο, γλύκιον δὲ τὸ ἔαρ, ὅτι μετὰ χειμῶνος
15 κατήφειαν, ἡδίων δὲ μειδιῶσα γαλήνη καὶ θάλασσα ἡπλωμένη
B καὶ ταῖς ἀκταῖς προσπαίζουσα μετὰ πνευμάτων στάσιν καὶ ὠδίνοντα κύματα.

6. Οὗτος Κυπριανός, ὦ ἄνδρες — ἵνα οἱ μὲν εἰδότες ἡδίους γένησθε τῇ ὑπομνήσει, οἱ δ' ἀγνοοῦντες μάθητε τὸ κάλλιστον

5, 1 ἐμοί PC ‖ καὶ > P ‖ 6 κοινωνῶι D ‖ ὅλως WVP ‖ 9-10 τοῖς κατά τι συναπτομένοις post ἧττον PC ‖ 11 δὲ + καὶ V ‖ 12 ἀθρόον C ‖ 15 καὶ — ἡπλωμένη > Q ‖ 16 παίζουσα Q
6, 1 ἵν' DPC ‖ 2 δὲ QBWVT Maur.

---

1. « L'énumération est pour Grégoire l'occasion... de mettre en jeu sa virtuosité », écrit GUIGNET, *Rhétorique*, p. 111. Ce passage donne effectivement un échantillon de son « talent » littéraire : une telle démonstration trouve sa place dans l'exorde plein de rhétorique. Il ne faudrait cependant pas s'arrêter à l'aspect littéraire du développement. Si ce § 5 est un feu d'artifice verbal, il situe néanmoins la fête de S. Cyprien dans une perspective de rédemption par la souffrance, qui va au fond des choses et que S. Paul expose notamment dans *Rom.* 5, 14-21, et *passim*.

l'erreur, pourchassent le mal, anéantissent le péché, purifient le monde[1].

5. Et toi, Cyprien, être et nom[2] que je vénère le plus, de préférence à ceux des autres martyrs — car il n'y a aucune jalousie des martyrs entre eux ! —, tu me dépasses particulièrement par la vertu ; ta fête me rend léger ; de plaisir, je suis pénétré d'une sorte d'enthousiasme, j'assiste d'une certaine manière à ton martyre, je prends part à ta lutte et je me trouve tout entier transporté à tes côtés. C'est sans doute parce que j'ai fait miens tes discours par lesquels tu l'emportais sur les autres autant que les êtres raisonnables sur la nature privée de raison[3]. En effet, entre ceux que rapproche un intérêt commun, se développe je ne sais comment un attachement réciproque qui n'est pas moins fort dans tous les autres domaines que dans celui de l'affinité familiale. Peut-être est-ce à cause de ta conversion subite et surprenante, qui est une chose inouïe et sans précédent, puisque le soleil est agréable après le brouillard dans lequel il restait caché, le printemps plus agréabble parce qu'il vient après les grisailles de l'hiver, et plus délicieux encore le sourire de la bonace et la mer étale jouant sur la grève après le soulèvement des vents et le gros temps[4].

6. Voilà Cyprien, Messieurs ! Vous qui le savez déjà, prenez un plaisir renouvelé à vous en souvenir ! Vous qui l'ignorez encore, apprenez la plus belle de nos histoires et

2. Cf. *Discours* 22, 1 : formule analogue.

3. Cf. Proclos, *Théologie platonicienne*, III, 6 (*op. cit.*, p. 23, 16-21), où référence est faite explicitement à Platon, *République*, I, 353 D 3-5 ; *Phèdre*, 245 C 5 ; et *Timée*, 41 D 1-3 ; c'est le thème du « roseau pensant » de Pascal (*Pensées*, I, 1, 3). Au sujet des œuvres de Cyprien connues à Constantinople par le recueil de Novatien : cf. plus haut, p. 15-16.

4. Kertsch, *Bildersprache*, p. 111, n. 1 : références à Pindare, Homère, Alcée, etc.

50 DISCOURS

τῶν ἡμετέρων διηγημάτων καὶ τὴν κοινὴν Χριστιανῶν φιλοτιμίαν —, οὗτος ἐκεῖνος, τὸ μέγα ποτὲ Καρχηδονίων ὄνομα,
5 νῦν δὲ τῆς οἰκουμένης ἁπάσης, ὁ πλούτῳ περιφανὴς καὶ
δυναστείᾳ περίβλεπτος καὶ γένει γνώριμος — εἴ γε μέγιστον
εἰς εὐγενείας ἀπόδειξιν, συγκλήτου βουλῆς μετουσία καὶ
προεδρία —, τὸ τῆς νεότητος ἄνθος, τὸ τῆς φύσεως ἄγαλμα,
τὸ λόγων κράτος τῶν τε κατὰ φιλοσοφίαν καὶ ὅσοι τῆς
10 ἄλλης παιδεύσεως καὶ τούτων ὃ βούλει μέρος · ὡς μᾶλλον
μὲν τὸ ποικίλον ἢ τὸ ἄκρον ἐν ἑκάστῳ θαυμάζεσθαι, μᾶλλον
δὲ τὸ εὐδόκιμον ἐν ἑκάστῳ τῆς περὶ πάντα φιλομαθείας ·
C ἤ, ἵνα διέλω σαφέστερον, τῶν μὲν τῷ ποικίλῳ, τῶν δὲ τῷ
ἄκρῳ, ἔστι δὲ ὧν ἀμφοτέροις, πᾶσι δὲ πάντων ἐκράτει.

7. Τῶν μὲν οὖν λόγων καὶ οἱ λόγοι μάρτυρες, οὓς πολλοὺς
καὶ λαμπροὺς ἐκεῖνος ὑπὲρ ἡμῶν κατεβάλετο, ἐπειδή γε

6, 4 καρχηδωνίων B ‖ 9 post τὸ + τῶν DPC Maur. ‖ 11 ἐν
ἑκάστῳ > T₁ rest. T₂ mg. ‖ 12 φιλομαθ(ε)ίας nP₂ : πολυμαθ(ε)ίας
DCP₁ et Maur. ‖ 13 τῷ > B ‖ 14 δὲ¹ : δ᾽ DC
7, 2 κατεβάλλετο W

1. Le terme technique διήγημα « narration » indique un récit
historique ou imaginaire : NICOLAS LE SOPHISTE, Progymnasmata
(éd. L. Spengel, III, p. 455-458) ; et MARTIN, Rhetorik, p. 76-77.
Dans le Discours 21, 1, Grégoire désigne la Vie d'Antoine écrite par
S. Athanase, comme une διήγησις (« narration », « récit »). L'allusion
à une source littéraire déjà populaire et connue de l'auditoire confirme
dans une certaine mesure l'hypothèse du P. H. Delehaye au sujet
d'une biographie ancienne de Cyprien, dans laquelle Grégoire et
Prudence auraient pu puiser une partie de leurs informations :
DELEHAYE, Cyprien, p. 331-332.
2. « Chef-d'œuvre de la nature » : cette formule est en note dans
l'éd. des Mauristes, Paris 1778, I, p. 440 (= PG 35, col. 1175, n. 69) ;
littéralement « une statue de la nature ». L'allusion faite ici à la
haute dignité des sénateurs romains reflète sans doute une mentalité
typique des milieux fortunés de l'Orient et particulièrement de la
Cappadoce du ivᵉ siècle : cf. S. GIET, « Basile était-il sénateur ? »,
dans R.H.E., 60 (1965), p. 429-444 ; et DAGRON, Naissance, p. 167-

le sujet de fierté de la communauté chrétienne[1] ! Voilà
cet homme fameux : nom naguère important à Carthage
et maintenant dans l'ensemble de l'univers, personnage
illustre à cause de sa fortune, homme en vue à cause de
l'autorité des fonctions qu'il exerçait, et considéré à cause
de son ascendance, si, bien sûr, le titre de noblesse par
excellence est de faire partie du sénat et d'en présider les
assemblées ; il était la fleur de la jeunesse, le « chef-d'œuvre
de la nature[2] », le prince des sciences philosophiques et de
n'importe lequel des autres domaines d'études. Ainsi, on
voue une plus grande admiration tantôt à la diversité
(des connaissances) plutôt qu'au niveau élevé atteint dans
chaque branche (du savoir), tantôt à sa réputation dans
chaque branche particulière de son savoir encyclopédique ;
ou — pour distinguer plus clairement[3] — il surpassait les
uns par la variété et les autres par le haut niveau de sa
science, il y en avait d'autres encore sur qui il l'emportait
des deux manières simultanément, et il était supérieur
en toutes choses à tout le monde[4].

7. Ses œuvres littéraires témoignent donc de ses connaissances scientifiques[5]. Il en consacra beaucoup et de

---

169 ; et plus loin *Discours* 25, 3. La place de la haute bourgeoisie
municipale dans la vie provinciale au iv⁰ s. est mise en lumière dans
Petit, *Libanius*, p. 27-43 et 321-358.

3. Incise inattendue ! Le contexte développe un thème obligatoire
du style laudatif et spécialement du genre littéraire des panégyriques :
Payr, *Enkomion*, col. 333 et 336. Le même type d'hyperbole dans
Discours 21, 6.

4. Sur le caractère hyperbolique approprié au genre littéraire :
Alexandre le Rhéteur, *Fragmenta rhetorica* (éd. L. Spengel,
Rhet. gr., III, p. 2-3).

5. Jeux de mots et antithèse fondés sur la polysémie du terme
λόγος (οἱ λόγοι « ses œuvres littéraires » ... τῶν λόγων « de ses
connaissances scientifiques ») et prolongés par le contexte (τὴν
ἀλογίαν — τῷ λόγῳ — ὁ λόγος). J. de Billy traduit *eruditionem*
(τῶν λόγων) *quidem libri ipsi* (οἱ λόγοι) *testantur*.

μετήνεγκε Θεοῦ φιλανθρωπίᾳ τὴν παίδευσιν, τοῦ ποιοῦντος
τὰ πάντα καὶ μετασκευάζοντος πρὸς τὸ βέλτιον ᵃ, καὶ τῷ
5 λόγῳ τὴν ἀλογίαν ὑπέκλινεν.

Τὸ δὲ ἐντεῦθεν, οὐκ οἶδ' ὅπως χρήσωμαι τῷ λόγῳ καὶ
τίς γένωμαι · πῶς μὲν μὴ μακρὸν ἀποτείνω λόγον καὶ
παντελῶς ἔξω τοῦ καιροῦ, πάντων τῶν Κυπριανοῦ μεμνημένος · πῶς δὲ μὴ τὰ μέγιστα ζημιώσω τοὺς παρόντας τοῖς
10 σιωπωμένοις. Ἵν' οὖν μέσην βαδίσω τοῦ καιροῦ καὶ τοῦ
D πόθου τῶν ἀκουόντων, οὕτω μοι δοκεῖ ποιητέον εἶναι · τὰ
1177 A μὲν ἄλλα παρεῖναι τοῖς εἰδόσιν, ἐκδιδάσκειν τοὺς ἀγνοοῦντας,
εἴπερ εἰσί τινες, ἵν' ἀμφότεροι εὐεργετῶνται ὁμοίως καὶ οἱ
διδάσκοντες τὰ ἐκείνου καὶ οἱ μανθάνοντες — ἐπειδὴ καὶ τὸ
15 μεμνῆσθαι τοῦ ἀνδρός, ἁγιασμὸς καὶ μέγιστον εἰς παράκλησιν
ἀρετῆς ὁ λόγος — · ἑνὸς δὲ ἢ δύο τῶν ἐκείνου διὰ βραχέων
ἐπιμνησθῆναι καὶ τούτων ὅσα μηδὲ βουλομένῳ παρελθεῖν
δυνατόν.

8. Μνησθήσομαι δὲ τοῦ προτέρου βίου καὶ ἥτις αὐτῷ
γέγονε σωτηρίας ὁδὸς καὶ τίς ἡ κλῆσις καὶ ἡ πρὸς τὸ κρεῖττον
μετάθεσις. Ἐκεῖνο μέν γε λίαν ἀγεννὲς καὶ μικρόψυχον,

7, 6 δ' PC ‖ χρήσομαι Q₂ TP ‖ 10 ἵνα C ‖ 17 βουλομένῳ abhinc
iterum habet textum S
8, 1 εἴ τις S ‖ 2 καὶ ἡ ∾ D ‖ 3 λίαν : καὶ m

---

7. a. *Amos* 5, 8.

---

1. « Il consacre... à notre cause », cf. LIDDELL et SCOTT, *Lexicon*,
p. 884, *s.v.* καταβάλλομαι, II, 7 ; p. 1858, *s.v.* ὑπέρ, III. En 379,
l'opposition au christianisme était encore soutenue à Constantinople
par des personnalités dont un intellectuel de l'envergure de Grégoire de
Nazianze ne pouvait dédaigner la séduction, notamment Libanius,
Thémistius, et d'autres : cf. DAGRON, *Naissance*, p. 377-382 ; HUNGER,
Literatur, p. 42-43 ; et DAGRON, *Thècle*, p. 80-94, sur la situation en
Pisidie au vᵉ s.
2. Cf. note 5, ci-dessus.

brillantes à notre cause[1] après être, grâce à la bonté de
Dieu qui fait et accommode toutes choses pour le mieux[a],
passé d'une culture à l'autre et soumis à la raison ce qui
lui échappe[2].

Quant à la suite, je ne sais ni comment m'y prendre
pour en parler[3], ni ce qui m'arrive. D'une part, comment
rappeler tout ce qui concerne Cyprien et éviter d'allonger
le discours tout à fait au-delà des limites imposées par
les circonstances ? D'autre part, comment éviter de
frustrer gravement l'assistance si les choses qu'elle attend
sont passées sous silence ? Donc, pour adopter la voie
moyenne conciliant ce qui convient aux circonstances
avec l'attente de l'auditoire, il faut, me semble-t-il, faire
comme ceci : résumer brièvement un ou deux souvenirs
du héros et s'en tenir à tout ce qu'on ne pourrait pas
laisser de côté même si on le voulait ; mais, laisser à ceux
qui savent le reste le soin d'en informer ceux qui l'ignorent
— s'il y en a, bien sûr. Cela permettra aux uns et aux autres
de faire également le bien, les uns en apprenant aux autres
l'histoire du héros[4], les autres en s'en instruisant. Après
tout, se souvenir de lui est un acte de piété envers le
grand homme, et en parler est le plus grand encouragement
à la vertu.

8. Je rappellerai les souvenirs de la première période de
sa vie, (disant) quelle voie devint pour lui celle du salut,
quelle fut sa vocation et sa conversion à une vie meilleure.
C'est assurément une marque de bassesse et d'étroitesse

---

3. Encore les jeux et figures de mots sur le terme λόγος. Question
oratoire et figure de rhétorique dite « aporie » ou « hésitation oratoire »,
qui consiste à feindre l'embarras ; procédé particulièrement recom-
mandé lorsqu'il s'agit pour l'orateur ou l'écrivain d'escamoter
certains topiques d'un développement ou de masquer l'insuffisance
des données positives dont il dispose : Volkmann, *Rhetorik*, p. 496-497
et 501-503.

4. A partir d'ici, on s'engage dans une biographie romanesque de
Cyprien le magicien et de Ste Justine : Delehaye, *Cyprien*, p. 325-332.

54 DISCOURS

B οἴεσθαι καθυβρίζεσθαι τὸν ἀθλητὴν τῇ μνήμῃ τῶν σκαιοτέρων.
5 Ἐπεὶ οὕτω καὶ Παῦλος ἡμῖν οὐκ ἐπαινετὸς ὁ μέγας καὶ
Ματθαῖος ὁ τελώνης ἐν τοῖς κακίστοις καὶ Κυπριανὸς αὐτός ·
ὁ μὲν τῶν προτέρων ἑαυτοῦ διωγμῶν μεμνημένος καὶ τῆς
τοῦ ζήλου μεταθέσεως, ἵν' ἐκ τοῦ παραλλήλου μᾶλλον δοξάσῃ
τὸν εὐεργέτην[a] · ὁ δὲ τὸν Τελώνην ἑαυτῷ προστιθεὶς ἐν
10 τῇ τῶν μαθητῶν ἀπαριθμήσει, ὥσπερ ἄλλο τι τῶν τιμίων
ἐπίσημον[b] · ὁ δὲ καὶ μακρῷ λόγῳ στηλιτεύων τὴν προτέραν
ἑαυτοῦ κακίαν, ἵνα καὶ τοῦτο Θεῷ καρποφορήσῃ, τὴν
ἐξαγόρευσιν, καὶ πολλοῖς ὁδὸς γένηται τῆς χρηστοτέρας
ἐλπίδος τῶν ἀπὸ κακίας ἐπιστρεφόντων.
15 Τίς οὖν ἡ κακία καὶ σκοπεῖτε ὅση καὶ ἡλίκη τὸ μέγεθος.
Δαιμόνων ἦν θεραπευτής, ὁ Χριστοῦ μαθητὴς ὕστερον · καὶ
C διώκτης πικρότατος ὁ μέγας τῆς ἀληθείας ἀγωνιστὴς καὶ
λόγῳ καὶ ἔργῳ ταράσσων τὴν ἡμετέραν ὁδὸν διὰ τὸ ἐν
ἀμφοτέροις κράτος, ὁ κράτιστος ἀμφότερα μετὰ τοῦτο
20 χριστιανοῖς. Ὅσον κακὸν καὶ γοητεία τούτοις προστιθεμένη,
τῶν ἐκείνου τὸ γνωριμώτατον, ὅσῳ δεινότερον, καὶ ἀπληστία
σώματος, ἢ καὶ τοὺς τἆλλα σοφοὺς ἐκμαίνειν δύναται καὶ
χεῖρον φρονεῖν βιάζεται, καθάπερ ὑβριστὴς πῶλος τὸν
λογισμὸν συναρπάζουσα.
9. Ἥκει δ' ἡμῖν ἐπ' αὐτὸ τὸ κεφάλαιον ὁ λόγος. Καὶ μὴ
πρὸς τὰ πρῶτά τις ὁρῶν Κυπριανοῦ, ταῖς ἡδοναῖς ἐφιέτω ·
τοῖς δὲ τελευταίοις σωφρονιζέσθω.

8, 4 οἴεσθε S (quod videtur menda inadvertentiae) ‖ 5 καὶ[1] :
γε m ‖ 7 αὐτοῦ S ‖ 8 διαθέσεως S ‖ μᾶλλον > Q₁ (rest. Q₂) ‖
10 μαθητῶν : μαθημάτων A ‖ 17 πικρότερος P₁ (corr. P₂ mg.)
9, 1 δέ nS ‖ ἐπ' αὐτῷ S

8. a. Cf. I Tim. 1, 13.   b. Matth. 10, 3.

1. Cf. § 4, n. 1.
2. Cf. Eudocie-Athenaïs, l'Impératrice, Confessio Cypriani, PG 85,
col. 831-864.

d'esprit caractérisée d'imaginer qu'on discrédite l'athlète chrétien[1] en rappelant les bévues qu'il a commises. En effet, s'il en était ainsi, même le grand Paul ne serait pas digne de nos louanges, ni Matthieu, le publicain de la pire espèce, ni Cyprien lui-même. Et pourtant, le premier rappelle les persécutions qu'il organisait au prime début de sa carrière ainsi que sa conversion du pharisaïsme (au christianisme) pour tirer du parallèle plus de gloire pour son Bienfaiteur[a] ; le deuxième ajoute à son nom celui de « Publicain » dans l'énumération des disciples, comme s'il s'agissait de n'importe quelle distinction honorifique[b] ; et le dernier stigmatise sa mauvaise vie antérieure dans un long récit pour que ceci aussi soit offert à Dieu comme sa confession publique, et devienne pour beaucoup de ceux qui se détournent du mal la voie de l'espérance meilleure[2].

Remarquez donc quelle était la nature, l'étendue et la grandeur de sa malice. Il était au service de démons, lui, qui allait devenir dans la suite disciple du Christ ; il persécutait sans merci la vérité, lui, qui allait devenir le grand défenseur de celle-ci ; par son éloquence et par son action, il multipliait les obstacles sur notre route grâce à la supériorité qu'il possédait dans ces deux domaines, lui, qui allait ensuite acquérir une très grande supériorité dans ces deux domaines parmi les chrétiens. Et un mal aussi grand s'ajoutait à ceux-là, la sorcellerie — celle de ses particularités qui est d'autant plus notoire qu'elle est plus terrible —, ainsi qu'une débauche insatiable, capable de faire perdre la tête à des personnes même sages au demeurant, et de les forcer au pire malgré elles en entraînant la raison à sa suite, comme un cheval emballé.

9. Nous arrivons au point principal de notre exposé. Qu'on ne se livre pas aux plaisirs (des sens) en tournant les regards vers les débuts de Cyprien[3] ; mais, qu'on soit encouragé à la maîtrise de soi par la fin de l'histoire.

3. La tournure grecque peut rappeler PLATON, *Timée* 59 C.

Παρθένος τις ἦν κάλλει περίβλεπτος τῶν εὐπατρίδων καὶ
5 κοσμίων εὐπρεπὴς μὲν ὥραν τοῦ σώματος ζηλωτὴ δὲ τρόπον ·
τήν τε γὰρ μορφὴν ἀξιέραστος ἦν καὶ ψυχῆς ἀρετὴν ἀξιάγα-
στος. Ταῦτα γὰρ ἡ φήμη διήγγελλεν καὶ τὸν νεανίαν
ἐξέπληττεν ὁρῶντα μὲν κάλλος ἐξαίσιον ἀκούοντα δὲ τρόπον
1180 A ἐφάμιλλον. Ἀκούετε, παρθένοι, καὶ συναγάλλεσθε, μᾶλλον
10 δὲ καὶ τῶν ὑπὸ ζυγὸν ὅσαι σώφρονές τε καὶ φιλοσώφρονες ·
κοινὸν γὰρ ἀμφοτέραις καλλώπισμα τὸ διήγημα. Καὶ ἡ
παρθένος καλὴ τῷ εἴδει σφόδρα · προσαδέτω ταύτῃ μεθ᾽ ἡμῶν
ὁ θεῖος Δαβίδ, Πᾶσα ἡ δόξα, λέγων, τῆς θυγατρὸς τοῦ
βασιλέως ἔσωθεν ᵃ, νύμφη Χριστοῦ γνησία ᵇ, κάλλος ἀπό-
15 θετον, ἄγαλμα ἔμψυχον, ἀνάθημα ἄσυλον, τέμενος ἀνεπίβατον,
κῆπος κεκλεισμένος, πηγὴ ἐσφραγισμένη ᶜ — προσαδέτω γάρ
τι καὶ Σολομῶν —, μόνῳ Χριστῷ τηρουμένη ᵈ.
Ταύτης ὁ μέγας ἤλω Κυπριανός, οὐκ οἶδ᾽ ὅθεν καὶ ὅπως,
τῆς πάντα ἀσφαλοῦς καὶ κοσμίας. Ψαύουσι γὰρ ὀφθαλμοὶ
20 λίχνοι καὶ τῶν ἀψαύστων, τὸ προχειρότατον ὀργάνων καὶ
ἀπληστότατον. Καὶ οὐχ ἤλω μόνον, ἀλλὰ καὶ ἐπείρα. Ὦ
B τῆς εὐηθείας, εἰ ταύτην συλήσειν ἤλπιζε, μᾶλλον δὲ τῆς
ἀναισχυντίας τοῦ τὰ τοιαῦτα τολμῶντός τε καὶ τολμᾶν
πείθοντος ! Ἐκεῖνος καὶ εἰς τὸν παράδεισον ἀπ᾽ ἀρχῆς
25 παρέδυ κατὰ τοῦ πρώτου πλάσματος ᵉ καὶ μέσος ἀγγέλων
ἵσταται τὸν Ἰὼβ ἐξαιτήσων ᶠ καὶ τὸ τελευταῖον, κατ᾽ αὐτοῦ
τολμᾷ τοῦ Δεσπότου καταλύσοντος αὐτὸν καὶ θανατώσοντος
καὶ πεῖραν προσάγει τῷ ἀπειράστῳ ᵍ ἐπειδὴ δεύτερον Ἀδὰμ

9, 4-9 παρθένος — ἐφάμιλλον m et editio vetustior Hervagii,
ut notant Maur. in *PG* 35, col. 1177-1178, n. 75 : τῶν εὐπατρίδων
καὶ κοσμίων n et Maur. ‖ 4 εὐπατριδῶν AD ‖ 5 εὐπρεπῶς DP ‖
9 συναγάλλεσθαι B ‖ 11 κοινὸν γὰρ ἀμφοτέραις nDPC > S ‖ 17 Σολομών
T et Maur. ‖ μόνη QB ‖ 20 ὀργάνων nP et Maur. : τῶν ὀργάνων
D ὄργανον SC ‖ καὶ > Q₁ (rest. Q₂) ‖ 27 δεσπότου + τοῦ n et Maur. ‖
καταλύσοντος DCP₁ (sed corr. P₂) ‖ θανατώσαντος DCP₁ (sed corr. P₂)

---

9. a. *Ps.* 45, 14.   b. Cf. *Is.* 61, 10 ; *Apoc.* 21, 2-9.   c. *Cant.* 4,
12 ; cf. 4, 8 - 5, 1.   d. Cf. *Sag.* 8, 2.   e. Cf. *Gen.* 3, 4.   f. Cf.
Job 1, 6-12.   g. Cf. *Jac.* 1, 13 ᾽ et *Matth.* 4, 1-11.

---

1. Le mot grec ἄγαλμα a des connotations religieuses analysées

Il y avait une jeune fille d'une remarquable beauté, patricienne et vertueuse, (qui était) dans la fleur de sa jeunesse et d'une conduite exemplaire. Son physique était séduisant et ses vertus morales attiraient la sympathie. Tout le monde en parlait et cela bouleversait le jeune homme qui avait sous les yeux sa beauté exceptionnelle et, dans les oreilles, l'éloge de sa conduite qu'on vantait à l'envi. Écoutez, jeunes filles, et partagez notre joie, et vous toutes, plus encore, femmes mariées, qui êtes vertueuses et prudes ! En effet, le récit vous met les unes et les autres également en valeur. Cette jeune fille était fort jolie. Que le divin David chante avec nous en son honneur, disant : « Toute la gloire de la fille du Roi est intérieure[a]. » Véritable fiancée du Christ[b]. Beauté discrète. Statue animée[1]. Offrande inviolable. Sanctuaire inaccessible. Jardin clos. Fontaine scellée[c] [2]. — Oui, que Salomon aussi chante quelque chose en son honneur ! —. Réservée exclusivement au Christ[d].

D'où vient-il et comment se fait-il ? Je l'ignore. Le grand Cyprien s'éprit de cette personne tout à fait prudente et vertueuse ; car des yeux se posent, pleins de convoitises, même sur les objets interdits : c'est le plus primesautier et le plus insatiable des organes ! Et Cyprien ne se contenta pas d'être épris ; mais, il entreprit même de la séduire. Quelle folie c'était d'espérer en faire la conquête ! Disons plus, quelle impudence de la part de celui qui ose des choses pareilles et qui inspire de telles audaces ! C'est celui-là qui s'introduisit aussi dans le paradis, dès l'origine pour s'attaquer à la première créature[e]. C'est lui qui se tient entouré d'anges pour réclamer Job (comme victime)[f]. C'est lui qui a finalement l'audace de s'attaquer au Maître en personne qui allait l'anéantir et le faire mourir[g], et qui,

---

par Estienne, *Thesaurus*, I, col. 163-173 ; le contexte appelle cette nuance que le français *« statue »* a perdue.

2. La métaphore de la « fontaine » : Kertsch, *Bildersprache*, p. 114-150, spécialement p. 150.

εἶδε τοῦ Θεοῦ τὸ φαινόμενον, ὡς καὶ τοῦτον καταπαλαίσων.
30 Ἠγνόει γὰρ ὅτι περιπεσεῖται θεότητι προσδραμὼν ἀνθρω-
πότητι. Τί οὖν θαυμαστὸν εἰ καὶ διὰ Κυπριανοῦ πειρᾶται
τῆς ἁγίας ψυχῆς καὶ τοῦ ἀνεπάφου σώματος ;

C   **10.** Πλὴν ὁ μὲν ἐπείρα καὶ προαγωγῷ χρῆται, οὐ γυναίῳ
τινὶ παλαιῷ τῶν πρὸς ταῦτα ἐπιτηδείων, ἀλλὰ δαιμόνων
τινὶ τῶν φιλοσωμάτων καὶ φιληδόνων · ἐπειδὴ ταχεῖαι πρὸς
τὴν τῶν τοιούτων ὑπηρεσίαν αἱ ἀποστατικαὶ δυνάμεις καὶ
5 φθονεραί, πολλοὺς κοινωνοὺς ζητοῦσαι τοῦ πτώματος. Καὶ
ὁ μισθὸς τῆς προαγωγίας, θυσίαι τε καὶ σπονδαὶ καὶ ἡ
δι᾽ αἱμάτων καὶ κνίσης οἰκείωσις · τοιούτους γὰρ ἔδει
μισθοὺς εἶναι τοῖς τὰ τοιαῦτα χαριζομένοις.

Ἡ δὲ ὡς ᾔσθετο τοῦ κακοῦ καὶ τὴν ἐπιβουλὴν ἔγνω
10 — ταχύτεραι γὰρ αἱ καθαραὶ ψυχαὶ καὶ θεοειδεῖς πρὸς θήραν
τοῦ ἐνεργοῦντος [a], κἂν ὅτι μάλιστα σοφιστικὸς ᾖ καὶ ποικίλος
τὴν ἐπιχείρησιν —, τί ποιεῖ καὶ τί ἀντιτεχνᾶται τῷ δημιουργῷ
τῆς κακίας ; Πάντων ἀπογνοῦσα τῶν ἄλλων ἐπὶ τὸν Θεὸν
D   καταφεύγει, καὶ προστάτην ποιεῖται κατὰ τοῦ μισητοῦ
15 πόθου τὸν ἑαυτῆς νυμφίον, ὃς καὶ Σωσάνναν ἐρρύσατο καὶ
Θέκλαν διέσωσεν · τὴν μὲν ἀπὸ πικρῶν πρεσβυτέρων [b], τὴν
1181 A δὲ ἀπὸ τυράννου μνηστῆρος καὶ τυραννικωτέρου πατρός.

9, 29 εἶδε VT et Maur. : εἶδεν QP ἴδεν ABWS₂D οἶδεν S₁C
10, 2-3 παλαιῷ — τινὶ > W₁ (ab eodem ad idem salt. rest. mg.
W₂) ‖ 3 τῶν > S ‖ 6 τε καὶ m et Maur. : > n ‖ 7 κνίσσης W₂ et Maur. ‖
15 Σωσάνναν : Σουσ- CP₁ corr. P₂‖ 16 διέσωσε P₂‖ πικρῶν : τυραννικῶν
P₁ corr. mg. P₂ ‖ 17 τυραννικῶν P₁ corr. P₂ ‖ τυραννικωτέρου
nSDP₂C : τυραννικωτάτου P₁ τυραννικωτέρας Maur. ‖ μητρός Maur.

---

10. a. Cf. *Gal.* 3, 5 ; *Éphés.* 1, 20 ; *Phil.* 2, 13.   b. Cf. *Dan.* 13, 1-64.

---

1. Sᵗᵉ Thècle de Séleucie, martyre (en Isaurie), cf. HALKIN, *BHG*,
II, p. 267-269, nᵒˢ 1710-1722, et *BHG, Auct.*, p. 178 ; convertie
par S. Paul, elle aurait suivi celui-ci en Asie Mineure. La tradition
manuscrite collationnée est unanime pour mettre Thècle aux prises
avec un *père* et un *beau-père* « tyranniques ». Par contre, la *Vie et les
miracles de Sainte Thècle d'Iconium* (éd. P. Pantin du Tillet, Anvers
1608, p. 16-30 et p. 56-58, notamment) ne connaissent d'autre
hostilité manifestée contre la sainte, que celle de sa mère Théoclée

après avoir vu Dieu sous l'apparence du second Adam, présente la tentation à Celui qui est inacessible aux tentations *(apeirastos)*, en se disant qu'il allait aussi le vaincre de haute lutte : il ignorait, en effet, qu'en dirigeant son assaut contre l'humanité, il tournerait son attaque contre la divinité ! Qu'y a-t-il de surprenant si, par l'intermédiaire de Cyprien, il cherche à tenter aussi la sainte âme et le corps pur ?

10. Mais lui cherchait à provoquer des tentations, sans faire intervenir comme entremetteuse quelque femme mûre du genre qui convient particulièrement à cet office, et en recourant, au contraire, à l'entremise d'un des démons sensuel et voluptueux. Les Puissances rebelles et qui nous en veulent sont, en effet, promptes à s'acquitter de tels services et ne demandent qu'à faire partager leur disgrâce par beaucoup d'autres. Le prix de leur entremise consistait en des sacrifices et des libations, ainsi que dans la possession, scellée au moyen du sang et de la fumée des sacrifices ; car tel était le salaire qu'il devait payer aux êtres qui le gratifiaient de telles faveurs.

Quant à elle, que fait-elle dès qu'elle reconnut le Mauvais et comprit le piège ? Les âmes pures et faites à l'image de Dieu sont, en effet, promptes à dépister l'auteur (d'un sortilège)[a], même et surtout s'il se montre insidieux et astucieux dans son offensive. Comment va-t-elle riposter à l'artisan de la malice ? Ayant renoncé à tous les autres moyens, elle cherche refuge auprès de Dieu et trouve un protecteur contre l'abominable désir, en Celui qui est son Époux (mystique), celui qui arracha aussi Suzanne au danger et qui sauvegarda Thècle, en soustrayant la première aux odieux vieillards[b] et la seconde à un beau-père tyrannique et à un père plus tyrannique encore[1].

---

et celle de son mari Thamyris. De même, les sources que Syméon le Métaphraste résumait au x[e] siècle : *Mensis Sept.*, *Martyrium sanctae Theclae*, 2 et 6 (*P G* 115, col. 824 A 5 - 825 D 1 ; et col. 829 C 10 - D 6) ; cf. G. Dagron, *Thècle, passim*, spécialement, ch. 3-5, p. 178-188, et ch. 10, p. 208, 28 - 210, 48.

Τίνα τοῦτον ; Χριστόν, ὃς καὶ πνεύμασιν ἐπιτιμᾷ[c] καὶ
κουφίζει βαπτιζομένους[d] καὶ πεζεύει πέλαγος[e] καὶ λεγεῶνα
20 πνευμάτων τῷ βυθῷ δίδωσι[f] καὶ ῥύεται μὲν ἐκ λάκκου
δίκαιον λέουσι προτεθέντα βορὰν καὶ χειρῶν ἐκτάσει τοὺς
θῆρας νικήσαντα[g] · ῥύεται δὲ ὑπὸ κήτους καταποθέντα
φυγάδα προφήτην, κἄν τοῖς σπλάγχνοις τὴν πίστιν διασωσά-
μενον[h] · σώζει δὲ Ἀσσυρίους ἐν φλογὶ παῖδας, ἀγγέλῳ
25 τὴν φλόγα καταψύξας καὶ τοῖς τρισὶ παραζεύξας τὸν
τέταρτον[i].

11. Ταῦτα καὶ πλείω τούτων ἐπιφημίζουσα καὶ τὴν
Παρθένον Μαρίαν ἱκετεύουσα βοηθῆσαι παρθένῳ κινδυνευ-
ούσῃ, τὸ τῆς νηστείας καὶ χαμευνίας προβάλλεται φάρμακον,
B ὁμοῦ μὲν τὸ κάλλος μαραίνουσα ὡς ἐπίβουλον, ἵν' ὑποσπάσῃ
5 τῆς φλογὸς τὴν ὕλην καὶ δαπανήσῃ τὸ τῶν παθῶν ὑπέκκαυμα,

10, 19 πεζεύει : παιζεύει Q₁ corr. Q₂ ‖ 22 δ' SDC ‖ 23 σπλάγχνοις :
πλάχνοις S ‖ 24 δ' SDC ‖ Ἀσσυρίους : Coniiciunt Maur. in *PG*
35, col. 1182, n. 87, hic legendum esse potius Ἑβραίους ‖ ἐν
φλογί : ἐκ φλογός SC ‖ 25 φλόγα : πυρὰν n et Maur. ‖ καὶ > SC
11, 1 καὶ¹ + τά P₁ (expunx. P₂)

---

10. c. Cf. *Lc* 4, 1-12 ; *Matth.* 4, 1-11 ; et 10, 8.   d. Cf. *Matth.*
17, 17 ; *Lc* 8, 24.   e. Cf. *Matth.* 14, 25.   f. Cf. *Mc* 5, 13.   g. Cf.
Dan. 14, 30-42 ; ou 6, 17-23.   h. Cf. *Jonas* 2, 2-11.   i. Cf. *Dan.* 3,
33-97.

---

1. Le même thème de l'extension des mains et de Daniel dans
la fosse aux lions se trouve dans *Discours* 15, 11 (*PG* 35, col. 932 A 6) ;
cf. aussi *Discours* 2, 88 ; et 18, 14 ; ainsi que 4, 71 ; 15, 6 ; etc. ;
KERTSCH, *Bildersprache*, p. 90. La collation des sources de cette
édition n'a pas permis de relever la variante θηρῶν ἐκστάσει « par
suite du saisissement des fauves », que les Mauristes trouvent plus
conforme au récit biblique et qu'ils mentionnent comme leçon du
cod. Parisin. 524 (*PG* 35, col. 1181, n. 86).

2. DELEHAYE, *Cyprien*, p. 330 : « Il est un passage célèbre auquel
nous devons nous arrêter un instant... Dans la légende de Cyprien

Qui est ce protecteur ? Le Christ, qui réprimande même les esprits^c, rend légers ceux qui s'enfoncent dans les eaux^d, marche sur la mer^e et précipite dans l'abîme une légion d'esprits^f ; tantôt il fait sortir d'une fosse un juste offert en pâture à des lions et qui réduit les fauves à sa merci en étendant les mains^g[1] ; tantôt il ramène au jour le prophète fugitif qui s'est fait avaler par un monstre marin et qui, jusque dans les entrailles de celui-ci, a gardé confiance^h ; tantôt encore, il sauve des enfants assyriens dans le brasier en rafraîchissant l'atmosphère de ce brasier par l'intermédiaire d'un ange qu'il adjoint comme compagnon aux trois (enfants)[1].

11. Mise en confiance par ces exemples et par plusieurs autres, après avoir prié la Vierge Marie d'assister une vierge en péril[2], elle recourt au remède du jeûne et du sommeil sur la dure. En même temps, afin de supprimer la matière qui nourrit la flamme et d'éliminer ce qui alimente le feu des passions, elle laisse se faner l'éclat de sa beauté, dans laquelle elle voyait un danger, tandis

---

et Justine, telle que nous la lisons, il n'est pas fait mention d'un recours à la Vierge Marie. Ce serait un trait ajouté par l'orateur. M. Sinko n'est pas de cet avis... quoi qu'il en soit, alors même qu'une distraction serait à son origine, le texte de S. Grégoire conserve toute son importance comme attestation formelle du culte de Marie dans le dernier quart du ive siècle. » Et, en commentant ce passage, J. Le Clercq note que lorsque Justine « prie la sainte Vierge », on voit que « l'invocation des Saints commençoit à se mettre en usage, en ce temps-là » (p. 121). Puis il ajoute (p. 122-123) que, si on a remarqué plus d'une fois l'abus que Grégoire fait des figures de rhétorique, « il n'y a aucune figure dans l'action de Justine que Grégoire approuvoit sans doute, comme on peut le voir par la manière dont il la raconte » (J. Le Clercq, *Bibliothèque universelle et historique*, XVIII, Amsterdam 1690, p. 121-123 : passage relevé par les Mauristes dans les archives contenues dans le *cod. Parisin. Suppl. gr. 284*, f. 188-199^v, et sans doute évoqué par eux dans le *Monitum in Orationem XXIV* , n° 5 : *PG* 35, col. 1169-1170 = « *Clericus ipse...* »).

ὁμοῦ δὲ τὸν Θεὸν ἱλεουμένη διὰ τῆς πίστεως καὶ διὰ τῆς
ταπεινώσεως · οὐδενὶ γὰρ οὕτω τῶν πάντων, ὡς κακοπα-
θείᾳ ᵃ, Θεὸς θεραπεύεται καὶ δάκρυσι τὸ φιλάνθρωπον
ἀντιδίδοται.

10 Ποθεῖτε τὰ ἑξῆς, οἶδ' ὅτι, τοῦ διηγήματος. Ἀγωνιᾶτε
γὰρ ὑπὲρ τῆς παρθένου καὶ τοῦ ἐραστοῦ δὲ οὐχ ἧττον,
μὴ εἰς κακὸν ἀμφοτέροις ὁ πόθος ἔληξεν. Ἀλλὰ θαρσεῖτε.
Πίστεως γὰρ ὁ πόθος πρόξενος γίνεται καὶ παρθένον ἑαυτῷ
μνηστεύων ὁ ἐραστής, ὑπὸ Χριστοῦ μνηστεύεται καὶ ἡ μὲν
15 τῶν πόθων φλὸξ ἀποσβέννυται, ἡ δὲ τῆς ἀληθείας ἀνάπτεται.
Πῶς καὶ τίνα τρόπον ; Ἐνταῦθά μοι τὸ τοῦ διηγήματος
ἥδιστον. Νικᾷ ἡ παρθένος, νικᾶται ὁ δαίμων. Ὁ πειραστὴς
C πρόσεισι τῷ ἐραστῇ, καταμηνύει τὴν ἧτταν · περιφρονεῖται.
Δυσχεραίνει τῆς ὑπεροψίας · ἀμύνεται τὸν ὑπερόπτην. Ἡ
20 ἄμυνα δὲ τίς ; Εἰς αὐτὸν εἰσοικίζεται τὸν τέως θεραπευτήν,
ἵνα κακῷ τὸ κακὸν ἐκκρουσθῇ καὶ λύσσα λύσσης ἴαμα

11, 6 ἱλεουμένη + διὰ τῆς πίστεως καὶ Maur. sequentes cod.
quos « Colbertinos » nomine in genere signant ‖ 8 θεραπεύεται
θεός Maur. ‖ 11 δ' SDC ‖ 14 μνηστέων S₁ (corr. S₂) ‖ 15 παθῶλ
SPC ‖ 19 ὑπεροψίας : ὑποψίας S ‖ 20 αὐτὸν : ἑαυτὸν WQ₁ corr.
Q₂

11. a. Cf. Jac. 5, 10.

1. Mortification κακοπάθεια ou κακοπαθία : BAUER, Wörterbuch,
p. 785, s.v., avec référence à Jac. 5, 10 (cf. app. bibl. ad locum) ;
le mot est diversement compris par les auteurs : la Bible de
Crampon traduit générosité dans l'épreuve ; E. Osty et la Bible de
Jérusalem, souffrance ; la Vulgate porte exitus mali laboris ; et
J. de Billy (PG 35, col. 1182 B 5-6) voluntaria corporis afflictione.
Le terme appartient déjà au vocabulaire ascétique des Cappadociens : BASILE, Ascetica, 2, 2 (PG 31, col. 884 C 4 = éd. Bibliothèque
des Pères, 53, Athènes 1976, p. 134, 16) ; etc. : LAMPE, Lexicon, p.
695, s.v. Cf. Discours 2, 53 (éd. J. Bernardi, Paris 1978, p. 160, 2) :
τὰς ἐν λίμῳ καὶ δίψει κακοπαθείας « les épreuves de la faim et de
la soif ».
2. Jeux de mots et parisa, figures gorgiaques, sur le terme grec
πόθος : « désir » ou « regret d'une personne ou d'une chose absentes ».

quelle obtient aussi la miséricorde de Dieu par la foi et par l'humilité, car on n'honore Dieu par aucun autre moyen autant que par la mortification[a][1], et la bonté divine envers les humains est la contrepartie des larmes versées.

Vous êtes impatients d'entendre la suite de l'histoire, je le sais. Car vous êtes anxieux au sujet de la jeune fille et non moins au sujet de l'amant, craignant que leur désir[2] n'ait mal fini pour l'un et l'autre. Rassurez-vous pourtant[3]. Le désir se met au service des intérêts de la foi : l'amoureux prétendant de la jeune fille est l'objet des avances du Christ. Tandis que la flamme des désirs s'éteint, celle de la foi s'allume. Comment et de quelle manière ? Voici le passage de l'histoire qui me plaît le plus. La jeune fille remporte la victoire, le démon est battu. Le tentateur vient trouver l'amant ; il lui révèle son échec ; il est ridiculisé. Il ne supporte pas l'affront et riposte contre celui qui le lui inflige. Quelle est sa riposte ? Il s'installe comme chez lui dans celui qui jusque là avait été son serviteur : il fallait que le mal fût extirpé par un autre mal et qu'une frénésie devînt le remède contre une (autre) frénésie[4] ! D'une

---

3. Transition pleine de rhétorique : procédé littéraire de l'ecphrase, qui consiste à faire de l'auditeur un spectateur grâce au pittoresque des tableaux (descriptifs ou narratifs) qui lui sont présentés : Mossay, *La mort*, p. 25 (référence aux rhéteurs anciens) ; et Id., « Note sur Or. VIII, 21-22 », p. 113-115. Gallay, *Vie*, p. 152, trouve ici un indice du fait que, selon certaines hypothèses, le *Discours* 24 nous a été transmis tel qu'il fut pris par les tachygraphes... Ce qui pose une fois de plus la question de l'existence d'un corpus mis au point par l'auteur à l'origine de la tradition manuscrite des *Discours* de Grégoire.

4. « Frénésie » (sous-entendre « amoureuse ») : on lit le même mot pris dans le même sens dans Théocrite, *La visite galante*, v. 47 : « Adonis, le pâtre des montagnes, l'a-t-il mise en tel excès *de frénésie* qu'elle ne peut, même mort, l'arracher de son sein ? » (éd. et trad. Ph.-E. Legrand, Paris 1946, p. 34). De même, dans la *Vie de sainte Thècle*, ch. 10, *op. cit.*, p. 210, 4-6) : « la frénésie amoureuse »... du prétendant évincé et jaloux.

γένηται. Τῆς παρθένου μὲν ἀποκρούεται, καθάπερ τι μηχά-
νημα τείχους ὀχυροῦ καὶ γενναίου, λόγου φυγὰς καὶ δεήσεως ·
τῷ πέμψαντι δὲ προσπαλαίει, — ὦ τοῦ θαύματος ! — πρὸς
25 τὸν βαλόντα πάλιν ἀναστραφεὶς καὶ συμπνίγων, ὥσπερ τινὰ
Σαοὺλ δεύτερον [b].

12. Τί οὖν ὁ ἄφρων ἐραστὴς καὶ σώφρων ἐπίληπτος ;
1184 A Ζητεῖ τοῦ κακοῦ τὴν λύσιν, εὑρίσκει · εὐμήχανον γὰρ ἅπαν
τὸ πιεζόμενον. Τίς ἡ λύσις ; Ἐπὶ τὸν τῆς παρθένου καταφεύγει
Θεόν, ὥσπερ Σαοὺλ ἐπὶ τὴν κινύραν τοῦ Δαβὶδ [a] καὶ τὰ
5 κρούματα πρόσεισι τῷ ταύτης Ποιμένι, καθαίρεται, ὥσπερ
τοῦ πόθου διὰ τῆς πληγῆς, οὕτω τοῦ πονηροῦ πνεύματος διὰ
τῆς εἰς Χριστὸν πίστεως · μετατίθεται τὸν πόθον ἐπὶ πολὺ
μὲν ἀπιστούμενος καὶ ἀποπεμπόμενος · καὶ γὰρ ἐδόκει τὸ

11, 25 βάλλοντα S Q₁ corr. Q₂
12, 1 τί : τί τί Q ‖ 4 κινύραν SC ‖ τοῦ > C ‖ 5 κρούσματα B₂SDP₁
Maur.

---

11. b. Cf. I *Sam.* 16, 14.
12. a. I *Sam.* 16, 12-23 ; cf. id. 10, 5 ; et I *Macc.* 3, 46 ; etc.

1. Figures de style et de mots, accumulées ici comme garnitures
du discours, répondent à des goûts littéraires d'un autre âge. Il faut
s'y faire ou s'en accommoder. L'image biblique (Saül : Cyprien)
revient un peu plus loin : § 12.

2. Échantillon de style où les « grâces » et « charmes » s'accumulent
conformément aux recommandations littéraires de la *Lettre* 51, 5
(A Nicobule) : ... « sentences, proverbes, traits, plaisanteries,
énigmes... » (éd. et trad. P. Gallay, I, Paris 1964, p. 67). Ici l'antithèse « sensé/insensé » est suivie d'une sentence et d'une question
oratoire. Cf. LA FONTAINE, *Fables,* IX, *Discours à Mᵐᵉ de la Sablière:*
Les deux rats, le renard et l'œuf, v. 12-13 :

> « Nécessité l'ingénieuse
> leur fournit une invention... »

3. Cinyre, harpe à dix cordes de David : cf. FLAV. JOSÈPHE, *Ant.
jud.,* 7, 12, (306).

4. Anthime, évêque d'Antioche de Pisidie, selon la *Conversion de
Cyprien* : DELEHAYE, *Cyprien,* p. 316.

part, mis en déroute par la raison et la prière, il voit ses avances repoussées par la jeune fille exactement comme une manœuvre (qui échoue) devant des fortifications solides et inébranlables ; d'autre part, il s'en prend à celui qui l'a poussé dans l'aventure. Ô merveille ! Après un revirement complet, il se retourne contre celui qui, comme un second Saül[b], l'a lancé et il cherche à l'écraser[1].

12. Amant insensé et possédé sensé, que fait-il donc ? Il cherche un moyen de se libérer de son mal, et le trouve. Car toute détresse est ingénieuse[2]. Quel est le moyen de se libérer ? Il se réfugie auprès du Dieu de la jeune fille, comme Saül le fit auprès de la harpe de David et de sa musique[a] [3]. Il se présente au pasteur[4] de la jeune fille ; il se purifie du désir (malsain)[5] grâce au coup qui l'a frappé, aussi bien que de l'esprit malin, grâce à la foi dans le Christ. Il se convertit à un autre désir malgré la méfiance et l'aversion dont il est assez longtemps l'objet : le fait que

---

5. « Désir malsain »... « autre désir » : encore les jeux de mots sur le terme πόθος : cf. plus haut, § 11, n. 2. Comme telle, l'antithèse est traditionnelle : cf. La Fontaine, *Fables*, XII, 1, *A Mgr le Duc de Bourgogne. Les compagnons d'Ulysse*, v. 45-46 :

> « Il fit tant que l'enchanteresse (= Circé)
> Prit un autre poison peu différent du sien... »

En notant ici que le pécheur « se purifie du désir » (malsain)... aussi bien que « de l'esprit malin », l'écrivain juxtapose deux façons de parler et traduit en termes rationnels (« désir malsain ») l'imagerie des légendes populaires dont il s'inspire (« esprit malin »). Faute de moyens d'expression adéquats le milieu populaire parle en termes imagés des mouvements obscurs de l'âme et des impulsions qu'il éprouve sans les analyser ni les expliquer, note E. R. Dodds, *The Greeks and the Irrational* (*Sather Classical Lectures*, 25), Berkeley et Los Angeles 1951, p. 4-9, et 14. Cette manière de transposer l'expérience spirituelle en termes rationnels illustre le développement d'un vocabulaire ascétique, et, d'une manière générale, le rôle joué par Grégoire dans l'évolution du christianisme « se haussant au niveau d'une culture » à la fin du ive siècle : Mossay, *La mort*, p. ix-x ; Klauser, *Märtyrerkult*, p. 27 ; cf. Mossay, *Question homérique*, p. 160-161.

66 DISCOURS

πρᾶγμα τῶν ἀπίστων εἶναι καὶ θαυμασίων, Κυπριανὸν ἐν
10 Χριστιανοῖς ἀριθμηθῆναί ποτε, εἰ καὶ πάντες ἄνθρωποι.
Μετατίθεται δ' οὖν, καὶ ἀπόδειξις τῆς μεταβολῆς ἐναργής.
Προτίθησι δημοσίᾳ τὰς γοητικὰς βίβλους, θριαμβεύει τοῦ
πονηροῦ θησαυροῦ τὴν ἀσθένειαν, κηρύσσει τὴν ἄνοιαν,
λαμπρὰν ἐξ αὐτῶν αἴρει τὴν φλόγα, πυρὶ δαπανᾷ τὴν
B 15 μακρὰν ἀπάτην, ἢ μιᾷ φλογὶ σαρκὸς οὐκ ἐπήμυνεν, ἀφίσταται
τῶν δαιμόνων, οἰκειοῦται Θεῷ.
Ὦ τῆς χάριτος, ὅση · Θεὸν εὑρίσκει πονηρῷ πόθῳ καὶ
πνεύματι, πρόβατον ἱερὸν τῆς ἱερᾶς γίνεται ποίμνης, ὡς δὲ
ἐγώ τινος ἤκουσα, καὶ νεωκόρος, πολλὰ δεηθείς, ἵνα φιλοσο-
20 φήσῃ τὸ ταπεινὸν εἰς κάθαρσιν τῆς προτέρας ἀλαζονείας,
εἶτα ποιμὴν καὶ ποιμένων ὅ τι κράτιστόν τε καὶ δοκιμώτατον.
Οὐ γὰρ τῆς Καρχηδονίων προκαθέζεται μόνον Ἐκκλησίας
οὐδὲ τῆς ἐξ ἐκείνου καὶ δι' ἐκεῖνον περιβοήτου μέχρι νῦν
Ἀφρικῆς, ἀλλὰ καὶ πάσης τῆς ἑσπερίου, σχεδὸν δὲ καὶ τῆς
25 ἑῴας αὐτῆς, νοτίου τε καὶ βορείου λήξεως, ἐφ' ὅσα ἐκεῖνος
ἦλθε τῷ θαύματι. Οὕτω Κυπριανὸς ἡμέτερος γίνεται.

C   13. Ταῦτα ὁ τῶν σημείων καὶ τῶν τεράτων Θεός · ταῦτα,
ὁ τὸν Ἰωσὴφ ἀγαγὼν εἰς Αἴγυπτον ὤνιον διὰ ἀδελφῶν
ἐπηρείας [a] καὶ ἐν γυναικὶ δοκιμάσας [b] καὶ ἐν σιτοδοσίᾳ
δοξάσας καὶ ἐν ἐνυπνίοις σοφίσας [c] ἵν' ἐπὶ ξένης πιστευθῇ

12, 11 καὶ > n ‖ 12 προστίθησι S ‖ 15 ἢ : ἤ QSDC ‖ 17 χάριτος ! Ὅση Maur. ‖ 21 ὅ τι nm : ὁ Maur. ‖κράτιστον AQBWV et
P₂ tamquam varia lectio sup. lin. : -τιστος TSDP₁C Maur. ‖ δοκιμώτατον AQBWV et P₂ tamquam varia lectio sup. lin. : -τατος
TSDP₁C Maur. ‖ 23 ἐκείνου + τε DPC ‖ μέχρι + καί SPC ‖ 25
βορίου W
    13, 1 τῶν² > Q₁ rest. Q₂ ‖ 2 ἄγων S ‖ δι' DPC‖3 σιτοδείᾳ VT et
Q mg.

13. a. Cf. Gen. 37, 18-28. b. Cf. Gen. 39, 7-20.   c. Cf. Gen. 40
passim.

Cyprien fût compté un jour au nombre des chrétiens
paraissait une chose à ce point incroyable et prodigieuse,
bien que pourtant tous les hommes puissent en être !

Il se convertit donc et la démonstration qu'il donne de
sa conversion est éclatante : il fait un exposé public des
livres de magie et réfute brillamment la futilité de ce
recueil de malice ; il en proclame la folie ; il en fait un
bûcher ardent et détruit par le feu la grande imposture,
qui n'avait été d'aucun secours pour refouler une seule
flamme charnelle ; il renonce aux démons et se donne à
Dieu.

Quelle grande grâce que celle-ci : il trouve Dieu grâce à
une passion malsaine et à un esprit malin ! Il devient une
brebis sainte du saint troupeau, et, comme je l'ai moi-même
entendu dire, il entre, à la suite de nombreuses demandes,
au service d'un sanctuaire afin de méditer sur sa bassesse
pour se purifier de son insolence passée. Et il devient
pasteur et même ce qu'il y a de mieux et de plus considéré
parmi les pasteurs. En effet, il ne se trouve pas seulement
à la tête de l'Église de Carthage, ou même de celle d'Afrique,
qui est restée illustre jusqu'à nos jours à cause de lui et
grâce à lui, mais même de la totalité de l'Église occidentale
et pour ainsi dire de l'Église orientale elle-même et de celles
qui se trouvent dans les régions, méridionale et septentrio-
nale, jusqu'où il était connu par sa prodigieuse aventure.
C'est ainsi que Cyprien devient l'un des nôtres.

13. Voilà l'œuvre du Dieu des signes et des miracles,
l'œuvre de celui qui amena en Égypte Joseph vendu à
la suite d'un complot tramé entre frères[a], qui le mit à
l'épreuve dans une affaire galante[b], le rendit célèbre dans
une affaire de ravitaillement et lui apprit le sens des
rêves[c] [1] afin qu'on lui fît confiance en terre étrangère,

---

1. Les Mauristes ont corrigé sur ce point la traduction de
J. de Billy : *PG* 35, col. 1184, n. 7.

5 καὶ ὑπὸ Φαραὼ τιμηθῇ καὶ πατὴρ γένηται πολλῶν μυριάδων ᵈ
   δι' ἃς Αἴγυπτος βασανίζεται ᵉ, θάλασσα τέμνεται ᶠ, ἄρτος
   ὕεται ᵍ, ἥλιος ἵσταται ʰ, γῇ τῆς ἐπαγγελίας κληροδοτεῖται ⁱ.
   Οἵδε γὰρ πόρρωθεν καταβάλλεσθαι τῶν μεγάλων πραγμάτων
   ἡ σοφία τὰς ὑποθέσεις καὶ διὰ τῶν ἐναντίων τὰ ἐναντία
10 οἰκονομεῖσθαι, ἵνα καὶ μᾶλλον θαυμάζηται.
   Ἀπόχρη καὶ ταῦτα τῶν Κυπριανοῦ καλῶν εἰς μέτρον
   εὐφημίας τελεωτάτης. Νῦν δὲ τοσαῦτά ἐστι τὰ λειπόμενα
1185 A καὶ τοιαῦτα, ὥστε εἰ καὶ μηδὲν αὐτῷ τῶν προειρημένων
   ὑπῆρχεν εἰς ἔπαινον, ἐξαρκεῖν τοῖς ἑξῆς νικᾶν ἅπαντας. Ἵνα
15 γὰρ τὰ ἐν μέσῳ συντέμω, τὴν τῶν χρημάτων περιφρόνησιν,
   τὴν τοῦ τύφου κατάλυσιν, τὴν τοῦ σώματος παιδαγωγίαν
   καὶ καθαρότητα τῶν προτέρων ὁρμῶν ἀντίπαλον, τὸ περὶ
   τὴν ἐσθῆτα φιλόσοφον, τὸ περὶ τὰς ἐντεύξεις ὑψηλόν τε
   ὁμοῦ καὶ φιλάνθρωπον, ὡς ἴσον ἀπέχειν εὐτελείας καὶ αὐθα-
20 δείας · τὰς χαμευνίας, τὰς ἀγρυπνίας, ὅς, καίτοι τῶν τοιούτων
   ὀψιμαθὴς ὤν, κατὰ πολὺ τῶν προειληφότων ἐκράτει · τὴν
   περὶ λόγους φιλοτιμίαν, ἐξ ὧν ἦθος ἅπαν ἐπαίδευσε καὶ
   δογμάτων ἀπαιδευσίαν ἐκάθηρε καὶ ἀνδρῶν βίους ἐκόσμησε
   καὶ τῆς ἀρχικῆς καὶ βασιλικῆς Τριάδος τὴν θεότητα τεμνο-
25 μένην, ἔστι δὲ ὑφ' ὧν καὶ συναλειφομένην, εἰς τὸ ἀρχαῖον

13, 5 Φαραῶ S ‖ 10 οἰκοδομεῖσθαι D₁ corr. D₂ ‖ μᾶλλον nD₂ :
πλέον SD₁PC ‖ 11 τῶν + τοῦ Maur. ‖ 12 τελειωτάτης Maur. ‖ 13
προειρημένων : προκειμένων W ‖ 18 φιλότιμον SPC ‖ 22 ἐπαίδευσεν
P₁ (eras. ν P₂) ‖ 23 ἐκάθηρεν P₁ (eras. ν P₂) ‖ 24 ἀρχῆς S₁ corr.
S₂ ‖ 25 ἀρχαῖον : usque ad verbum ὁπλίζων (capitis XVI¹) lacu-
nosus est A defectu unius folii (fol. 350 v. inter et 351 r.)

---

13. d. Cf. Gen. 41, 1-41.   e. Cf. Ex. 7, 14 - 11, 10.   f. Cf. Ex.
14, 21.   g. Ex. 16, 4.   h. Cf. Jos. 10, 12-14.   i. Cf. Jos. 13,
1 ; et 14, 1.

---

1. Cf. J. de Billy : contraria per contraria procurare. « La nature
procède par contrastes. C'est par les oppositions qu'elle fait saillir
les objets. C'est par leurs contraires qu'elle fait sentir les choses »
(V. Hugo, Post-scriptum de ma vie). Ce lieu commun de la littérature
et de la philosophie de toujours est notamment développé par

qu'il fût honoré par Pharaon et qu'il devînt le père de multitudes innombrables[d] pour lesquelles l'Égypte subit les plaies[e], la mer s'entr'ouvre[f], il pleut du pain[g], le soleil arrête sa course[h] et la Terre Promise est réservée en patrimoine[i]. Car la Sagesse sait que les bases des grandes choses sont posées longtemps à l'avance et que les choses se construisent au moyen de leurs contraires, afin qu'on l'admire encore davantage[1].

Ce qui précède suffit au sujet des mérites de Cyprien pour respecter la mesure d'un éloge parfaitement composé[2]. Mais maintenant, les choses qui restent encore à dire sont si nombreuses et de telle nature que si même rien de ce qui a été dit jusqu'ici à sa louange n'existait, il lui suffirait de ce qui suit pour surpasser tout le monde. Car il faut abréger en laissant de côté le dédain des richesses, le renoncement au luxe, la domination et la pureté des corps, qui contrastaient avec les impulsions instinctives de la période antérieure, la réserve en matière vestimentaire, l'élévation mêlée de bonté humanitaire qu'il manifestait dans ses relations et qui lui permettait d'éviter la vulgarité aussi bien que l'affectation, les nuits passées sur la dure et les veillées, exercices dont il fut un adepte tardif, sans doute, mais dans lesquels il dépassait néanmoins de beaucoup ceux qui en avaient une plus longue expérience, le goût des études, qui lui permirent d'enseigner la morale sous tous ses aspects, de remédier au manque d'instruction théologique, de composer des chefs-d'œuvre hagiographiques, de remettre à l'honneur la doctrine ancienne de la divinité de la Trinité, principe et souveraine, que l'on

---

EURIPIDE, *Andromaque*, v. 1285-1288 ; *Bacchantes*, v. 1389-1392 ; *Alceste*, v. 1160-1163 ; *Médée*, v. 1416-1419 ; *Hélène*, v. 1689-1692 : ... « ce qu'on attend n'arrive pas ; à l'inattendu, les dieux trouvent une voie. Ainsi finit le drame. »

2. « L'éloge » εὐφημία : indication technique du genre littéraire : cf. *Discours* 21, 4 et introd. du *Discours* 21, t. 1, p. 95-99.

B ἐπανήγαγεν, ἐν ὅροις μείνας εὐσεβοῦς ἐνώσεώς τε καὶ
συναριθμήσεως · ἵνα ταῦτα συνέλω διὰ τὴν ἀμετρίαν, τῇ
τοῦ βίου καταλύσει συγκαταλύσω τὸν λόγον.

14. Ἐμαίνετο καθ' ἡμῶν Δέκιος καὶ πάσας ἰδέας κολάσεων
ἐπενόει καὶ τὰ μὲν ἤδη παρῆν τῶν δεινῶν, τὰ δὲ ἔμελλεν ·
ἴσον δὲ ἀγώνισμα ποιεῖται καὶ Χριστιανοὺς ἑλεῖν καὶ τοὺς
πρὸ αὐτοῦ διώκτας ὑπερβαλεῖν, μᾶλλον δέ, ἢ Χριστιανοὺς
5 πάντας ἢ Κυπριανὸν μόνον ἑλεῖν τε καὶ παραστήσασθαι.
Ὅσῳ γὰρ εὐσεβείᾳ τε καὶ δόξῃ διαφέρειν τὸν ἄνδρα ἐγίνωσκε,
τοσούτῳ καὶ τὴν νίκην ἑαυτῷ περιφανεστέραν ἑώρα καὶ
C λαμπροτέραν, εἰ τούτου κρατήσειεν. Ἐκείνως μὲν γὰρ
Χριστιανῶν μόνον ὑπάρχειν κρατεῖν, οὕτω δὲ καὶ φιλοσοφίας
10 αὐτῆς καὶ λόγων, καὶ τὴν γλῶσσαν περιελεῖν πρότερον,
εἶτα ἀφώνους ἀπαγαγεῖν καὶ ἀλόγους τοὺς ὑπ' ἐκείνης
ἐρειδομένους, ἀρίστης εἶναι στρατηγίας ἐνόμιζεν · οὐκ ὀρθῶς
μὲν οὐδὲ εὐσεβῶς ταῦτα διανοούμενος, οὐ μὴν παντάπασιν
ἀλογίστως, πρός γε τὴν ἑαυτοῦ βούλησιν καὶ ἐπιχείρησιν ·
15 ἔδειξε δὲ τὸ ἔργον.

13. 26 ἐνόροις SD ‖ 27 συνελών P₁C (P₂ restit.)
14, 2 δ' DPC ‖ 4 δὲ + ἴσον SPC expunx. P₂ C₂ ‖ 5 παραστήσε-
σθαι Q₁ corr. Q₂ ‖ 8 ἐκεῖνος S₁C ‖ 9 μόνον QBWV₁T₁S₂DPC : > S₁
μόνων V₂T₂ ‖ 11 ἐπαγαγεῖν D ‖ ὑπ' : ἐπ' C ‖ 13 οὐδ' C ‖ 14 καὶ +
τὴν SPC ‖ 15 ἔδειξε : ἔδοξε S ‖ δὲ > S

1. Le panégyriste pris de court doit procéder ainsi pour éluder
les topiques du genre littéraire au sujet desquels il manque de données
positives ou ne trouve rien à dire, sans avoir l'air de diminuer le
sujet dont il fait l'éloge : NICOLAS LE SOPHISTE, Progymnasmata
(éd. L. Spengel, Rhet. gr., III, p. 478, 5 - 482, 9). Les thèmes énumérés
ici sont donc à mettre en rapport avec ce que l'auditoire attend ou
désire entendre, non avec des données positives hypothétiques
fournies par les sources. En mentionnant l'orthodoxie trinitaire
parmi les bonnes œuvres prêtées ici au héros de son panégyrique et
surtout en y mêlant la lutte contre les hérésies du ivᵉ siècle, l'écrivain commet un anachronisme que les commentateurs ont remarqué et
qu'ils ont cherché à expliquer par diverses supputations : DELEHAYE,
Cyprien, p. 326-328 ; TILLEMONT, Mémoires, IX, p. 438.

découpait en parties et que certains même allaient jusqu'à
réduire à l'unicité, et de rester dans les limites définies
de l'unité chrétiennement comprise et de l'union dans la
distinction ; il faut récapituler ces matières, en raison de
leur surabondance[1] et, dans ce but, avec la fin de sa vie,
je mettrai fin à mon discours[2].

14. Dèce déchaînait sa fureur contre nous[3], il imaginait
toutes sortes de tortures ; certains de ces terribles supplices
étaient déjà appliqués, d'autres allaient l'être. Pour lui,
l'enjeu est tout autant d'arrêter des chrétiens que de
surpasser les persécuteurs qui avaient été ses devanciers,
et plus encore, d'arrêter et de faire céder soit tous les
chrétiens soit uniquement Cyprien. En effet, il savait que
cet homme se distinguait par sa piété et par l'estime dont
il jouissait ; et il voyait que le succès serait d'autant plus
flatteur pour sa personne et d'autant plus brillant, s'il
venait à bout de lui. Il pensait que c'était là l'unique
moyen dont il disposait d'avoir raison des chrétiens[4] aussi
bien que de leur sagesse et de leur doctrine, et que c'était
une tactique excellente de commencer par amputer la
langue et de détourner ensuite ceux qui sont soutenus
par celle-ci après les avoir privés de la voix et des moyens
de s'exprimer. C'était une erreur et une impiété d'imaginer
cela, mais pas tout à fait sot, compte tenu de ses intentions
et de l'action entreprise. La réalité le démontra.

---

2. « Avec la fin »... « je mettrai fin »... : chiasme combiné avec la
paronomasie : figures de mots dans le goût d'une rhétorique dérivée
du sophiste Gorgias : GUIGNET, *Rhétorique*, p. 117-121, et p. 97.

3. Dèce (septembre 249 - juin 251) : cf. GALLAY, *Vie*, p. 152 :
Cyprien de Carthage, martyr sous Valérien (253 — capturé par
les Perses en 260).

4. Cf. *Discours* 21, 32 : développement analogue, relatif à la
persécution de l'empereur Julien contre S. Athanase.

Ἐπειδὴ γὰρ ἅπασαν προσβολήν τε καὶ πεῖραν ἀνδρικῶς
τε καὶ γενναίως ἀποσεισάμενος, ὥσπερ τις πέτρα παράλιος
κυμάτων ἐπιδρομάς, τέλος ἐξορίαν ὑπ' αὐτοῦ κατακρίνεται ·
οὐ τὸ καθ' ἑαυτὸν ἔστερξεν ὁ γεννάδας οὐδὲ ἠγάπα σωζόμενος
20 οὐδὲ ἀσφάλειαν τῷ σώματι μᾶλλον τὴν ἀτιμίαν ἐνόμιζεν ἢ
D ψυχῆς κίνδυνον τὴν ἡσυχίαν, καὶ τὸ περιορᾶν τοὺς ἄλλους
τῷ καιρῷ κινδυνεύοντας, οὐκ ὄντος τοῦ παιδοτριβοῦντος καὶ
πρὸς τὸν ἀγῶνα θαρρύνοντος. Οὐ γὰρ μικρὸν δύνασθαι καὶ
λόγον εἰς ἀνδρείας προσθήκην τοῖς ἀποδυομένοις πρὸς τὸ τῆς
25 ἀρετῆς στάδιον.

1188 A   **15.** Διὰ τοῦτο τῷ σώματι μὲν ἀπῆν, τῷ πνεύματι δὲ
παρῆν καὶ τοῖς ἀθλοῦσι συνηγωνίζετο καὶ τῇ γλώσσῃ μὲν
βοηθεῖν οὐκ εἶχεν, βοηθεῖ δὲ τῷ γράμματι. Πῶς ; Ἀλείπτης
ὑπερόριος γίνεται, τοὺς προτρεπτικοὺς συγγράφων καὶ
5 λογογραφῶν τὴν εὐσέβειαν καὶ πλείους σχεδὸν ἐξ ἐπιστολῶν
ποιεῖται μάρτυρας μόνος ἢ πάντες δι' ἑαυτῶν οἱ παρόντες
τοῖς τότε κάμνουσι. Πείθει γὰρ μὴ πατρίδα, μὴ γένος, μὴ
περιουσίαν, μὴ δυναστείαν, μὴ ἄλλο τι τῶν χαμαὶ κειμένων
ἔμπροσθεν ἄγειν τῆς ἀληθείας καὶ τῶν ἐκεῖθεν ἀποκειμένων
10 ἄθλων τῆς ἀρετῆς, τοῖς ὑπὲρ τοῦ καλοῦ κινδυνεύουσι, καὶ
ταύτην εἶναι πραγματειῶν ἀρίστην, αἵματος ὀλίγου βασιλείαν
οὐρανῶν ὠνήσασθαι καὶ δόξης ἀϊδιότητα τῶν προσκαίρων
B ἀντιλαβεῖν ἀγαθῶν · μίαν μὲν γὰρ εἶναι πατρίδα τοῖς ὑψηλοῖς,
τὴν νοουμένην Ἱερουσαλήμ, οὐ τὰς μικροῖς ὁρίοις ἐνταῦθα

14, 18 ἐπιδρομάς : -μαῖς C -μᾶς S ‖ 19 ἑαυτοῦ C ‖ οὐδὲ : οὐδ' m ‖
20 οὐδὲ : οὐδ' SDC ‖ μᾶλλον : μόνον S
15, 5 σχεδὸν nos et *cod. Paris. gr.* 524, ut notant Maur. *PG* 35,
col. 1187, n. 22 : ἐκεῖνος σχεδόν QBWVT et Maur. σχεδὸν ἐκεῖνος
m ‖ 6 ποιεῖται QBWVTD₂P₂ et Maur. : ποιεῖ SD₁P₁C ‖ 10 κινδυνεύουσι C mg. add. « ἐν ἄλλῳ κινδυνεύσασι » ‖ 11 ὀλίγου S ‖ πραγμα-
τίων P₁ corr. P₂ ‖ πραγματειῶν + τὴν Maur. ‖ 14 μικροῖς : μικρὰς
S ‖ ὅροις C

1. Cf. notre introduction au *Discours* 24 ; et CYPRIEN DE CARTHAGE,
Lettre 20, où il expose lui-même ces principes : QUASTEN, *Initiation*,
II, p. 405.

En effet, après avoir d'abord résisté à toute attaque et à toute tentative avec la mâle vigueur d'un roc contre lequel les vagues déferlent sur le rivage de la mer, il (Cyprien) est finalement proscrit par lui (Dèce) ; l'homme généreux ne se replia pas sur son cas personnel, il ne préférait pas son salut et ne pensait pas que l'humiliation subie lui assurait la sécurité physique, plus qu'il ne considérait comme un péril spirituel sa retraite et le fait de rester indifférent au sort des autres exposés au danger par la situation et n'ayant plus personne pour les instruire et les encourager à tenir bon dans la lutte. Car le pouvoir d'une parole n'est pas un appoint négligeable pour l'encouragement de ceux qui se préparent à entrer dans l'arène pour la vertu[1].

15. Pour cette raison, absent de corps, mais présent en esprit, il partageait la lutte des athlètes (chrétiens) ; et, s'il n'avait pas le moyen de les aider de vive voix, il les aide néanmoins par écrit. Comment ? De son lieu d'exil, il devient leur entraîneur en rédigeant les livres d'exhortation, en composant les traités de piété, et, par correspondance, il engage tout seul presque plus de monde au martyre que ne le firent tous ensemble par leur action directe ceux qui se trouvaient aux côtés des victimes souffrant à ce moment-là. Il persuade, en effet, de ne pas faire passer patrie, parenté, ressources, pouvoir, ni aucun autre des biens d'ici-bas avant la vérité et (avant) les récompenses de la vertu réservées dans l'au-delà à ceux qui sont persécutés pour la bonne cause[2] ; ajoutant qu'acheter le royaume des cieux au prix d'un peu de sang et échanger une éternité de gloire contre des biens passagers, voilà la plus avantageuse des opérations ; car, pour les êtres supérieurs, il n'y a qu'une seule patrie, la Jérusalem intelligible, et non celles d'ici-bas séparées entre elles par

---

2. Cf. *Discours* 2, 48 ; et 28, 12 ; 26, 19 ; etc. : Kertsch, *Bildersprache*, p. 147, n. 4 ; Mossay, *La mort*, p. 83-109.

15 διειλημμένας καὶ πολλοὺς ἀμειβούσας οἰκήτορας · μίαν δὲ
γένους λαμπρότητα, τὴν τῆς εἰκόνος τήρησιν καὶ πρὸς τὸ
ἀρχέτυπον ἐξομοίωσιν, ὅσον ἐφικτὸν τοῖς σαρκὸς δεσμίοις
καὶ βραχεῖαν ἀπορροὴν τοῦ καλοῦ δέχεσθαι δυναμένοις ·
μίαν δὲ δυναστείαν, τὸ κατὰ τοῦ πονηροῦ κράτος καὶ τὸ
20 τῆς ψυχῆς ἀνάλωτον καὶ ἀήττητον ἐν τοῖς ὑπὲρ εὐσεβείας
ἀγῶσιν, ἡνίκα κακία πρὸς ἀρετὴν ἀγωνίζεται καὶ κόσμος
πρὸς κόσμον, ὁ λυόμενος πρὸς τὸν ἑστῶτα καὶ πικρὸς
ἀγωνοθέτης πρὸς γενναίους ἀγωνιστὰς καὶ Βελίαρ πρὸς
Χριστὸν παρατάσσεται [a].

C 25 Διὰ ταῦτα καταφρονεῖν μὲν ξιφῶν ἀνέπειθε, ψυχρὸν δὲ
νομίζειν τὸ πῦρ, ἡμέρους δὲ οἴεσθαι θηρῶν τοὺς ἀγριωτάτους,
λιμὸν δὲ ὑπολαμβάνειν τὴν ἀνωτάτω τρυφήν, δάκρυα δὲ τῶν
οἰκείων καὶ θρήνους καὶ οἰμωγὰς παρατρέχειν ὡς τοῦ
πονηροῦ δελεάσματα καὶ κωλύματα τῆς θείας ὁδοιπορίας ·
30 ταῦτα γὰρ εἶναι ἀνδρικῶν ψυχῶν καὶ γενναίων καὶ λογισμοῦ
σώφρονος. Καὶ τὸ παράδειγμα ἐγγύθεν αὐτὸς ὁ ταῦτα λέγων
καὶ γράφων, πάντα ἡγησάμενος σκύβαλα, ἵνα Χριστὸν
κερδήσῃ [b].

D   **16.** Οὕτω διανοούμενος Κυπριανὸς καὶ οὕτως ὁπλίζων
τοῖς λόγοις πρὸς τὸν ἀγῶνα, πολλοὺς ἀθλητὰς ἀπειργάζετο.

---

15. 21 ἀγωνίζηται QBVDC ‖ 22 ἐνεστῶτα C P₁ corr. P₂ ‖ 24
παρατάσσηται QBV ‖ 25 ἀνέπειθε : ἔπειθε Q₁ corr. Q₂ ‖ 26 δέ
QBWVT : δ' SPC > D ‖ οἴεσθαι + τῶν VTQ₂ ‖ 27 λιμῶν B ‖ δ' SDC ‖
29 δελεάσματος S₁ corr. S₂ ‖ 31 αὐτὸς + γάρ SPC ‖ ταῦτα > VT
16, 2 τοῖς abhinc adest textus in A ‖ ἀπειργάσατο C

---

15. a. Cf. II *Cor.* 6, 15.   **b.** *Phil.* 3, 8.

---

1. Au mot « archétype », ROBERT, *Dictionnaire*, I, p. 222, cite
Malebranche écrivant que « Sa substance (de Dieu) en est vraiment
représentative (des créatures) parce qu'elle en renferme l'archétype
ou le modèle éternel » ; et Littré, qui note au sujet des « idées arché-
types de Platon » : « modèles qui, étant de toute éternité dans le sein
de Dieu, ont déterminé toutes les conditions de l'univers ». Le mot
grec ne figure pas dans le lexique de Platon (DES PLACES, *Lexique*) ;
mais, les dictionnaires relèvent son emploi par des écrivains tardifs,

des frontières exiguës et où des foules d'habitants se
succèdent à tour de rôle ; une seule chose donne de l'éclat
à la race, c'est de garder intacte l'image et de ressembler à
l'archétype[1] dans la mesure où la chose est à la portée de
ceux qui, dans leurs entraves charnelles, peuvent recueillir
une brève émanation du Bien[2] ; il n'y a qu'une seule manière
d'exercer le pouvoir, la force dans la lutte contre le Malin,
l'intégrité et l'invincibilité de l'âme dans les luttes pour la
religion, quand la malice est aux prises avec la vertu, un
monde avec un monde, celui qui passe avec celui qui
dure, un cruel arbitre avec de valeureux champions et
Bélial avec le Christ[a].

Ce sont les raisons pour lesquelles (Cyprien) recomman-
dait de mépriser des glaives, de penser que le feu était
frais, de se dire que les plus féroces des bêtes sauvages
étaient inoffensives, de subir la faim comme la plus haute
jouissance, de laisser de côté larmes, lamentations et
gémissements de ses proches comme pièges du Malin et
obstacles entravant la marche vers Dieu[3]. Tout ceci est
le propre d'âmes viriles et valeureuses, et du bon sens
pénétré de sagesse. Et il en était un exemple tout proche,
lui qui disait et écrivait cela : il avait considéré tout
comme ordures en vue de gagner le Christ[b].

16. En raisonnant ainsi et en armant ainsi les athlètes
pour le combat par ses propos, Cyprien en portait beau-

---

dits néo-platoniciens : LIDDELL et SCOTT, *Lexicon*, p. 251, *s.v.* réf.
à Plotin, Philon, Proclus, Lucien, etc.

2. « Émanation du Bien » : le thème appartient à divers courants
de métaphysique anciens ; associé à l'image du rayon de la lumière
éternelle et au thème de « l'image » de la bonté divine, il est développé
dans la Bible (*Sag.* 7, 25-26) ; cf. PLOTIN, *Ennéades*, III, 2, 2 ; III,
4, 3 ; VI, 7, 22 (éd. E. Bréhier, Paris 1925, p. 26, 17 ; p. 66, 26 ; et
Paris 1938, p. 94, 8-15).

3. « L'attente des compensations réservées à l'autre monde
constitue un pilier de la morale de Grégoire... » ; cf. *Carmina*, I, 2, 2,
v. 362 (*PG* 37, col. 607) : « voilà les sentiers de la vie : en toutes
choses, considérer la fin ! » (MOSSAY, *La mort*, p. 84-86).

1189 A Καὶ τίνα μισθὸν τούτων κομίζεται ; Ὡς δαψιλῆ καὶ φιλότιμον ! Μάρτυς ἐπὶ πᾶσιν οἷς προέπεμψε γίνεται ξίφει τὴν
5 κεφαλὴν τμηθεὶς καὶ ταῖς πολλαῖς βασάνοις ταύτην ἐπιτίθησι
τὴν κορωνίδα. Οὕτω Χριστῷ προσάγεται, οὕτω πρὸς Χριστὸν
μετατίθεται ὁ πολὺς ἐν ἀσεβείᾳ καὶ πλείων ἐν εὐσεβείᾳ
Κυπριανός, ὁ μέγας καὶ διώκτης καὶ στεφανίτης, ὁ τὴν
μεταβολὴν οὐχ ἧττον ἢ τὴν ἀρετὴν θαυμάσιος. Οὐ γὰρ οὕτω
10 μέγα τύπον ἀγαθοῦ διασώσασθαι ὡς τὸ καινοτομῆσαι θεοσέ-
βειαν. Τὸ μὲν γὰρ τῆς συνηθείας, τὸ δὲ τῆς εὐβουλίας · καὶ
τὸ μὲν τῶν πολλοῖς ὑπαρχόντων, τοῦ δὲ ὀλίγα τὰ παρα-
δείγματα.

B   17. Ἀλλ’ οἷον δὴ κἀκεῖνο τῶν ἐκείνου θαυμάτων ; Μικρὸν
ἔτι τῷ λόγῳ προσκαρτερήσωμεν ἵνα τῷ ἀθλητῇ χαρισώμεθα.
Τοιαύτη μὲν ἡ τοῦ ἀνδρὸς πολιτεία τοιοῦτος δὲ ὁ τῆς
ἀθλήσεως τρόπος. Ἐπεὶ δὲ καταλύει τὸν βίον — εἰ θέμις
5 τοῦτο εἰπεῖν, ἀλλὰ μὴ πρὸς Θεὸν ἐκδημίαν ὀνομάσαι τὸ
ἐκείνου πρᾶγμα ἢ πόθου πλήρωσιν ἢ δεσμῶν λύσιν ἢ βάρους
διάζευξιν —, θαυματουργεῖταί τι κἀνταῦθα τῶν προειληφότων
ἄξιον. Τὸ μὲν ὄνομα πολὺ παρὰ πᾶσι Κυπριανοῦ καὶ οὐ
Χριστιανοῖς μόνον, ἀλλὰ καὶ τοῖς τὴν ἐναντίαν ἡμῖν τεταγμέ-
10 νοις · πᾶσι γὰρ τὸ καλὸν ὁμοίως αἰδέσιμον · τὸ σῶμα δὲ
ἀφανὲς ἦν καὶ ὁ θησαυρὸς παρά τινι γυναίῳ τῶν θερμῶν
εἰς εὐσέβειαν, καὶ τοῦτο ἐπὶ μακρόν, οὐκ οἶδ’ εἴτε τιμῶντος

16, 3 τούτων : τοῦτον C ‖ 4-5 οἷς — τμηθεὶς καὶ > W₁ restit. W₂
mg. ‖ 5 τμηθεὶς : ἀποτμηθείς TW₂ mg. ‖ 6 τὴν > DPC ‖ 8 διώκτης
+ καὶ ὑβριστὴς S ‖ 9 ἧττον : ἥττων C ‖ 10 μέγα > S ‖ τὸ > SC ‖
11 εὐβουλίας + ἐστὶν S
17, 2 χαρισώμεθα : χρισώμεθα S₁ corr. S₂ ‖ 3 δέ nD : δ’ SC > P
‖ 5 τούτω S ‖ 9 μόνον : μόνοις C ‖ 10 ὁμοίως nSDP : > C ante τὸ
καλόν Maur. ‖ δ’ m ‖ 12 οὐκ οἶδ’ > n

1. Grégoire affectionne les métaphores empruntées à l’athlétisme ;
le style théâtral peut aller jusqu’à des bizarreries qui paraîtraient
choquantes aujourd’hui : Guignet, Rhétorique, p. 141-143, et 148-149.
2. Le « modèle du bien » : sur ce thème voir ch. 15, n. 2 et 1.
3. Une cheville de rhétorique assez artificielle sert ici de transition
entre le topique des « actions accomplies » et celui des « acta post

coup à aller jusqu'au bout. Quel salaire cela lui rapporte-t-
il ? Ah, combien somptueux et superbe ! Décapité par le
glaive, il devient martyr au milieu de tous ceux qu'il
avait envoyés devant lui et ajoute cette couronne à
(celle de) ses nombreux supplices[1]. Ainsi se présente
devant le Christ, ainsi est transporté auprès du Christ,
Cyprien, l'homme remarquable dans l'impiété et plus
encore dans la piété, le grand persécuteur et triom-
phateur, qui ne fut pas moins admirable par sa
conversion que par sa vertu ; car, il n'y a pas tant de
grandeur à garder intact en soi le modèle du bien[2] qu'à
se convertir à la divine religion : une chose est affaire
d'habitude, l'autre relève de l'intention délibérée, la
première est à la portée de la masse, mais on a peu
d'exemples de la seconde.

17. Mais quel miracle vraiment que celui-ci parmi ceux
de cet illustre personnage ! Attardons-nous encore un peu
à en parler pour être agréable à l'athlète[3].

Telle avait été la carrière du grand homme et telle fut
sa conduite dans la lutte. Or après sa mort — si l'on peut
légitimement employer cette expression plutôt que de
nommer cela, dans son cas, « transfert auprès de Dieu »,
« accomplissement d'un désir », « rupture d'attaches », ou
« séparation d'un poids qui alourdit » — ici encore, un
miracle digne des précédents se produit en sa faveur. Le
nom de Cyprien était populaire[4] partout, non seulement
parmi les chrétiens, mais même parmi nos adversaires,
car tout le monde accorde au mérite la même estime.
Mais, son corps avait disparu ; le trésor se trouvait et
depuis longtemps, chez une dame, une fervente chrétienne.

mortem ». L'écrivain en tire parti pour insister sur sa volonté d'honorer
le saint en se défendant contre le soupçon d'avoir négligé la fête :
cf. § 1.

4. « Populaire » : le même mot πολύς exprime aussi la célébrité
dans la *Lettre* 195, 5 (éd. et trad. P. Gallay, Paris, II, 1967, p. 86) :
« l'illustre » Nicobule.

C τοῦ Θεοῦ τὴν φιλόθεον καὶ διὰ τοῦτο περιεχομένην τοῦ
μάρτυρος, εἴτε τὸν πόθον ἡμῶν γυμνάζοντος εἰ μὴ φέροιμεν
15 ζημιούμενοι καὶ τῶν ἁγίων λειψάνων ἀποστερούμενοι. Ἐπεὶ
δὲ οὐκ ἠνέσχετο τὸ πάντων ἀγαθὸν ἴδιον ποιῆσαί τινος ὁ
τῶν μαρτύρων Θεὸς οὐδὲ τὸ κοινὸν ζημιῶσαι τῇ πρὸς
ἐκείνην χάριτι, δημοσιεύει τὸ σῶμα δι' ἀποκαλύψεως, καὶ
ταύτην γυναίῳ τινὶ τῶν ἀξίων τὴν τιμὴν καταθέμενος
20 ἵν' ἁγιασθῶσι καὶ γυναῖκες, ὥσπερ Χριστὸν καὶ τεκοῦσαι
πρότερον καὶ τοῖς μαθηταῖς ἀπαγγείλασαι μετὰ τὴν ἐκ
νεκρῶν ἀνάστασιν οὕτω καὶ νῦν Κυπριανόν, ἡ μὲν παρα-
δείξασα, ἡ δὲ παραδοῦσα τὸ κοινὸν ὄφελος. Τοῦτο τῶν
D ἐκείνου καλῶν τὸ τελευταῖον. Ὄντως εἰς μέσον ἔρχεται ὁ τοῦ
25 μὴ λαθεῖν ἄξιος καὶ οὐ συγχωρεῖται φιλοσοφῆσαι τὴν
ἑαυτοῦ κλοπήν, ἐπειδὴ καὶ τῶν ἐπὶ τοῖς σώμασι τιμῶν
κρείσσων ἐκεῖνος καὶ ὑψηλότερος.
1192 A   **18.** Τὰ μὲν οὖν παρ' ἡμῶν τοσαῦτα, καὶ οὐκ οἶδ' ὅτι
δεῖ πλείονα λέγειν. Οὐδὲ γάρ, εἰ μακρὸν ἀποτείναιμεν λόγον,
εἴποιμεν ἄν τι τῶν ἐκείνῳ προσόντων ἄξιον καὶ ὧν ἕκαστος
περὶ τοῦ ἀνδρὸς ὑπείληφεν. Καὶ ταῦτα, ὅσον ἀφοσιώσασθαι
5 τὴν ὀφειλομένην ἐκείνῳ τιμήν, διήλθομεν.

Τὰ δὲ λοιπὰ παρ' ὑμῶν αὐτῶν προσθετέον ἵνα τι καὶ
αὐτοὶ τῷ μάρτυρι προσενέγκητε, τὴν τῶν δαιμόνων καθαίρε-
σιν, τὴν τῶν νόσων κατάλυσιν, τὴν τοῦ μέλλοντος πρόγνωσιν,

17, 15 ἐπεὶ : ἐπειδή TSPC ‖ 16 δὲ > C₁ add. supra lin. C₂ ‖ 16
ἀγαθὸν ABS ‖ 20 ὥσπερ + τόν Maur. ‖ 21 καταγγείλασαι T ‖ 24 καλὸν
P ‖ 26 τῶν : τὴν C ‖ 27 κρεῖσσον SD
18, 2 δεῖ > D₁ rest. D₂ ‖ 3 ἀξίων S ‖ 5 διεξῆλθομεν W ‖ 7 προσε-
νέγκηται S₁ -τε S₂

---

1. Grégoire encourage volontiers la piété féminine : cf. DAGRON,
Thècle, p. 32-39 et 56.
2. H. ESTIENNE, *Thesaurus*, VIII, col. 881-882, *s.v.* φιλοσοφέω
examine divers sens que le mot peut prendre dans notre *Discours* 24,
sans relever ce passage. Littéralement : « qui n'excuse pas de faire

Était-ce que Dieu honorât pour cette raison la pieuse
personne qui entourait le martyr de sa dévotion ? Ou
qu'il nous dévoilât au grand jour notre regret vu que nous
ne supportions pas le préjudice que nous subissions en
restant privés des saintes reliques ? Je ne sais. Comme le
Dieu des martyrs ne pouvait tolérer de faire du bien de
tous la propriété d'une personne particulière, ni de causer
un préjudice général par la faveur accordée à cette personne,
il met le corps à la disposition du public grâce à une révélation ; et il accorde cette faveur à une dame méritante
afin que des femmes aussi fussent sanctifiées[1] : comme elles
ont d'abord mis le Christ au monde, puis annoncé ensuite
aux disciples sa résurrection d'entre les morts, de même
maintenant encore l'une d'elle montra où était Cyprien et
une autre offrit à tous l'objet d'utilité générale. C'est la
dernière de ses bonnes œuvres. Ainsi arrive au grand jour
celui qui mérite de ne pas rester dans l'oubli et qui n'excuse
pas une dévotion furtive[2], puisque cet illustre personnage
dépasse même, et de très haut, le culte des reliques.

18. Pour notre part, voilà tout ce que nous avons à dire
et je ne sais pas s'il faut ajouter quelque chose, car, même
si nous prolongions longtemps un discours, nous ne dirions
sans doute rien qui fût digne de ce qui reste à dire et de
l'idée que chacun se fait de ce grand homme. Nous avons
parcouru ces souvenirs dans la mesure où nous avions à
le vénérer en l'honorant comme il se doit[3].

Mais c'est à vous d'ajouter le reste afin d'apporter,
vous aussi, quelque chose au martyr : l'élimination des
démons, l'évacuation des maladies, la prévision de l'avenir ;
avec la foi, même la cendre de Cyprien a tous les pouvoirs,
comme le savent ceux qui en ont fait l'expérience, qui ont

du vol de sa personne une philosophie ». J. de Billy traduit : *nec sui
furtum tolerare sinitur* (*PG* 35, col. 1192 A 1).
   3. Cf. ch. 17, et n. 3.

ἃ πάντα δύναται Κυπριανοῦ καὶ ἡ κόνις μετὰ τῆς πίστεως,
10 ὡς ἴσασιν οἱ πεπειραμένοι καὶ τὸ θαῦμα μέχρις ἡμῶν
παραπέμψαντες καὶ τῷ μέλλοντι παραδώσοντες χρόνῳ.
Μᾶλλον δὲ τὰ μείζω τούτων προεισενέγκατε καὶ οἷα τοὺς
γνησίως ἐκεῖνον τιμῶντας εἰκός, σώματος κένωσιν, ψυχῆς
B ἀνάβασιν, κακίας ἀποφυγήν, ἀρετῆς ἐπίδοσιν · αἱ παρθένοι
15 τὴν ἀσαρκίαν, αἱ γυναῖκες τὴν εὐκοσμίαν ἀρετῆς μᾶλλον ἢ
σώματος, οἱ νέοι τὴν κατὰ τῶν παθῶν ἀνδρίαν, οἱ πρεσβῦται
τὴν εὐβουλίαν, οἱ ἐν δυναστείᾳ τὴν εὐνομίαν, οἱ ἐν στρατηγίᾳ
τὴν ἡμερότητα, οἱ ἐν λόγοις τὸ εὔλογον · εἴπω τι καὶ τῶν
ἡμετέρων, οἱ ἱερεῖς τὴν μυσταγωγίαν, οἱ τοῦ λαοῦ τὴν
20 εὐπείθειαν, οἱ ἐν πένθει τὴν παράκλησιν, οἱ ἐν εὐημερίᾳ τὸν
φόβον, οἱ πλούσιοι τὴν μετάδοσιν, οἱ πένητες τὴν εὐχαριστίαν,
πάντες τὴν κατὰ τοῦ πονηροῦ καὶ πικροῦ διώκτου παράταξιν,
ἵνα μὴ φαινόμενος βάλλῃ, μὴ τοξεύῃ κρυπτόμενος, μὴ ὡς
σκότος πολεμῇ, μὴ ὡς ἄγγελος φωτὸς παίζῃ καὶ κλέπτῃ
25 πρὸς τὸ τῆς ἀπωλείας βάραθρον [a].
C 19. Δεινὸν ὀφθαλμοῖς ἁλῶναι καὶ γλώσσῃ τρωθῆναι καὶ
ἀκοῇ δελεασθῆναι καὶ διὰ θυμοῦ ζέσαντος ἐμπρησθῆναι καὶ
γεύσει κατενεχθῆναι καὶ ἁφῇ μαλακισθῆναι καὶ τοῖς ὅπλοις
τῆς σωτηρίας, ὅπλοις θανάτου χρήσασθαι · δέον τῷ θυρεῷ

18, 12 προσενέγκατε SC ‖ 13 ἐκεῖνον γνησίως n et Maur. ‖ 14
ἀνάβασιν : ἀναβίωσιν W ‖ 17 στρατηγίᾳ m : στρατίᾳ A στρατείᾳ
QBWVT ‖ 18 τὸ : τὸν S ‖ τι : τί S ‖ 24 κλέπτει S ‖ 25 ἀπωλείας :
ἀσεβείας P₁ corr. P₂
19, 1 ὀφθαλμοῖς S ‖ 1-2 καὶ — δελεασθῆναι > S

---

18. a. II *Pierre* 3, 7 ; II *Cor.* 11, 14 ; *Matth.*, 13, 49 ; 25, 31-32.

---

1. Cf. LAMPE, *Lexicon*, p. 242, *s.v.*, 1 (qui renvoie à ce passage).
J. de Billy traduisait *carnis maciem* « maigreur physique » (peut-être
pour *carnis maceriem* ? cf. *Thesaurus linguae Latinae*, VIII, 1, col.
8-9) : *PG* 35, col. 1192, n. 50.
2. « Fonctionnaires » : MOSSAY et YANNOPOULOS, « L'Article XVI,
2 », p. 50-51 ; et aussi *Lettre* 104, 1 (éd. et trad. P. Gallay, Paris, II,
1967, p. 2).

transmis le souvenir du miracle jusqu'à nous et conti-
nueront la tradition dans l'avenir. De plus, vous avez
apporté les offrandes qui valent mieux que celles-ci et
telles qu'il convient à ceux qui honorent vraiment cet
illustre personnage d'en offrir, mortification corporelle,
ascension spirituelle, fuite du mal, progrès de la vertu ;
les jeunes filles, la chasteté[1] ; les dames mariées, la parure
de vertu de préférence à celle du corps ; les jeunes gens,
l'énergie à réprimer les passions ; les hommes d'âge, la
prudence ; les serviteurs du Pouvoir, l'ordre public, ceux
de l'Armée, la mansuétude[2], ceux de la science, la raison ;
et, pour dire encore quelque chose de ce qui nous concerne,
les prêtres, l'initiation religieuse ; les laïques[3], la docilité ;
les affligés, la consolation ; les gens heureux, la crainte (de
Dieu) ; les riches, la libéralité ; les pauvres, la reconnaissance[4] ; tous, la résistance opposée au persécuteur méchant
et acharné, pour éviter qu'il ne porte des coups au grand
jour, qu'il ne décoche des traits en cachette, qu'il ne fasse
la guerre comme (ange des) ténèbres, qu'il ne se joue de vous
comme ange de Lumière et ne vous entraîne à votre insu
vers l'abîme de la perdition[a].

19. Il est redoutable de se faire prendre par les yeux,
blesser par la langue, appâter par l'ouïe, enflammer par
une bouillante irritation, abattre par le sens du goût,
amollir par le toucher, et d'employer les armes du salut
comme armes de mort. Il faut se cuirasser de l'armure de

---

3. Cf. Lampe, *Lexicon*, p. 793, *s.v.* λαός, 6. J. de Billy traduisait
plebs (« le petit peuple »).

4. Le parallélisme des constructions donne à cette énumération
un rythme typique du style dit « asianique » ; une sorte de balan-
cement recherché oppose par paires jeunes filles et dames mariées,
jeunes gens et hommes d'âge, fonctionnaires et intellectuels, prêtres
et laïques, affligés et gens heureux, riches et pauvres. Les figures
gorgiaques servent ici à rehausser l'éclat de la prédication épiscopale :
Guignet, *Rhétorique*, p. 106-130 ; Norden, *Antike Kunstprosa*, p. 565.

5 φραξαμένους τῆς πίστεως ᵃ στῆναι πρὸς τὰς μεθοδείας τοῦ
Πονηροῦ καὶ μετὰ Χριστοῦ νικήσαντας καὶ μετὰ τῶν μαρτύρων ἀθλήσαντας τῆς μεγάλης ἐκείνης ἀκοῦσαι φωνῆς · Δεῦτε,
οἱ εὐλογημένοι τοῦ Πατρός μου, κληρονομήσατε τὴν ἡτοιμασμένην ὑμῖν βασιλείαν ᵇ ἔνθα εὐφραινομένων πάντων ἡ
10 κατοικία καὶ χορευόντων χορείαν τὴν ἀκατάλυτον · ἔνθα
1193 A ἦχος ἑορταζόντων καὶ φωνὴ ἀγαλλιάσεωςᶜ καὶ θεότητος
ἔλλαμψις τελεωτέρα τε καὶ καθαρωτέρα, ἧς νῦν ἐν αἰνίγμασι
καὶ σκιαῖς ἡ ἀπόλαυσις ᵈ.

Τούτοις Κυπριανὸς χαίρει μᾶλλον τιμώμενος ἢ πᾶσιν ὁμοῦ
15 τοῖς ἄλλοις · ταῦτα καὶ παρὼν ἐφιλοσόφει τῷ λόγῳ ἅμα
δὲ τῷ βίῳ καὶ ἀπὼν πᾶσι διακελεύεται διὰ τῆς ἡμετέρας
φωνῆς · ἣν μηδαμῶς ἀτιμάσητε, εἴπερ τι μέλει τῆς ἐκείνου
καρτερίας ὑμῖν καὶ τῶν ἐκείνου περὶ τῆς ἀληθείας ἀγωνισμάτων κἀμοῦ τοῦ ταῦτα πρεσβεύοντος.

20 Αὗταί σοι τῶν ἐμῶν λόγων αἱ ἀπαρχαί, ὦ θεία καὶ ἱερὰ
κεφαλή · τοῦτό σοι καὶ τῶν λόγων γέρας καὶ τῆς ἀθλήσεως
οὐ κότινος ὀλυμπικός, οὔτε μῆλα δελφικὰ παίγνια, οὐδὲ
ἰσθμικὴ πίτυς, οὐδὲ Νεμέας σέλινα, δι' ὧν ἔφηβοι δυστυχεῖς

19, 6 Χριστὸν S ‖ τῶν > SD Q₁ rest. Q₂ ‖ 8-9 ἡτοιμασμένην : ἐπηγγελμένην AQBWV et Maur. ‖ 12 τε > Maur. ‖ 15-16 τῷ λόγῳ ἅμα δέ >
n et Maur. + καί C ‖ 20 σοι : σου S ‖ 22 οὐ κότινος nDPC : οὐχ ὅτι S ‖
22 ὀλυμπιακός S et Maur. ‖ οὐδέ : οὔτε m ‖ 23 ἰσομικὴ S ‖ Νεμέας
VTPC : Νεμέα QD Νεμαίας ABW et Maur. Νεμαία S

---

19. a. Éphés. 6, 16 ; cf. 6, 13-18.   b. Matth. 25, 34.   c. Ps. 86,
7 ; 41, 5.   d. Cf. I Cor. 13, 12.

---

1. KERTSCH, Bildersprache, p. 198-216 : « le soleil reflété dans le
miroir » ; GOTTWALD, De Gregorio platonico, 39-41 ; cf. Discours 21, 1,
et PLATON, République, VI, 19 : 508, a-e ; VI, 1 : 514 a - 515 a (la
célèbre allégorie de la caverne) (éd. et trad. E. Chambry, Paris 1933,
p. 137-138, et 145).

2. Les jeux olympiques (à Olympie), pythiques ou delphiques
(à Delphes), isthmiques (à Corinthe) ou néméens (à Némée) étaient
des occasions de rencontres sportives et culturelles internationales
dans la Grèce antique. Les poèmes de Pindare ont assuré leur célébrité

la foi[a], faire face aux manœuvres du Malin, vaincre avec
le Christ, soutenir le combat avec les martyrs et entendre
cette grande et fameuse voix, (disant) : « Allons, les bénis
de mon Père, recevez en héritage le royaume qui vous a
été réservé[b], là où séjournent tous ceux qui goûtent la
béatitude et participent au chœur éternel ; là résonnent
le bruit de ceux qui célèbrent la fête[c] et la voix de l'allé-
gresse ; là brille d'une manière plus parfaite et plus nette
l'éclat de la divinité, dont on jouit maintenant dans des
énigmes et des ombres[d] [1].

Ces façons d'honorer Cyprien lui plaisent davantage que
toutes les autres réunies : ce sont les choses qu'il s'appli-
quait à méditer et à vivre quand il était parmi nous, et
qu'il recommande à tous par notre voix, maintenant
qu'il n'est plus. Ne la sous-estimez pas, (cette voix), si
vous portez vraiment quelque intérêt à la vaillance de
ce héros, aux combats qu'il a affrontés pour la vérité,
et à moi-même, qui suis l'émissaire accrédité de ces
(recommandations).

Voilà, tête chère et sacrée, les prémices de mon éloquence, c'est ce qui est offert en hommage à tes écrits et
ton martyre. Pas un rameau d'olivier olympique, ni des
pommes delphiques, sujet de plaisanterie, ni du pin
isthmique ou des brins de céleri de Némée, dont furent
honorés des éphèbes infortunés[2] ! Non, mais c'est un

littéraire : cf. J. Toutain, art. *Ludi publici*, dans *Dictionnaire des
Antiquités grecques et romaines*, III, p. 1365-1366. « Les récompenses
décernées aux athlètes vainqueurs étaient très variées : les unes avaient
une valeur intrinsèque parfois considérable ; les autres étaient purement honorifiques » (id., p. 1366). Ces prix étaient notamment des
couronnes d'olivier, de pin, ou de céleri des marais (ache), selon les
époques ; cf. Plutarque, *Propos de table*, 5, 3, 2 : 676 C-D (éd.
F. Fuhrmann, Paris, IX, 2, 1978, p. 66) ; et A. Puech, *Pindare
(Olympiques, Pythiques, Isthmiques et Néméennes)*, I, Paris 1970,
p. 3-8 ; II, 1961, p. 7-12 ; III, 1967, p. 7-10, spécialement p. 9 ;
IV, 1952, p. 7-11 : les introductions. Le caractère funéraire des jeux
panhelléniques permet ici à Grégoire d'opposer les pratiques chré-

ἐτιμήθησαν · ἀλλὰ λόγος, τὸ πάντων οἰκειότατον τοῖς Λόγου
B θεραπευταῖς · εἰ δὲ καὶ τῶν σῶν ἄθλων καὶ λόγων ἄξιον,
26 τοῦ Λόγου τὸ δῶρον.

Σὺ δὲ ἡμᾶς ἐποπτεύοις ἄνωθεν ἵλεως καὶ τὸν ἡμέτερον
διεξάγοις λόγον καὶ βίον, καὶ τὸ ἱερὸν τοῦτο ποίμνιον
ποιμαίνοις ἢ συμποιμαίνοις τά τε ἄλλα εὐθύνων ὡς οἷόν τε
30 πρὸς τὸ βέλτιστον καὶ τοὺς βαρεῖς λύκους⁰ ἀποπεμπόμενος,
τοὺς θηρευτὰς τῶν συλλαβῶν καὶ τῶν λέξεων, καὶ τὴν τῆς
ἁγίας Τριάδος ἔλλαμψιν, ἧς σὺ νῦν παραστάτης, τελεωτέραν
τε καὶ λαμπροτέραν ἡμῖν χαριζόμενος, ἣν προσκυνοῦμεν,
ἣν δοξάζομεν, ᾗ συμπολιτευόμεθα προσκυνοῦντες Πατέρα ἐν
35 Υἱῷ, Υἱὸν ἐν ἁγίῳ Πνεύματι, ᾗ καὶ παρασταίημεν ὕστερον
εἰλικρινεῖς καὶ ἀπρόσκοποι, ἧς καὶ μεταλάβοιμεν τέλειοι
τελείως, ἐν αὐτῷ Χριστῷ τῷ Κυρίῳ ἡμῶν, ᾧ πᾶσα δόξα,
C τιμὴ καὶ κράτος εἰς τοὺς αἰῶνας. Ἀμήν.

19, 25 λόγον WS ‖ ἄξιον nSD et Maur. : οὐκ ἄξιον C et verisi-
millime P₁ ‖ 26 τοῦ — τὸ nDPC et Maur. : τὸ τοῦ θεοῦ S ‖ 27 δ' m ‖
29 ἢ συμποιμαίνοις > T₁ rest. T₂ mg. ‖ 30 βέλτιον S ‖ 33 τε > C ‖ 36
καὶ² > PC ‖ 37 πᾶσα ἡ T ‖ 38 καί : AQBWD et Maur. : > VSPC + τὸ
T ‖ αἰῶνας + τῶν αἰώνων n et Maur. Titulus additicius Εἰς κυπριανόν AQWm : + μάρτυρα DPC (S legi non potuit) + ἐξ ἀγροῦ ἐπανήκοντα μετὰ μίαν τῆς μνείας ἡμέραν W. Stichometria 49. (fortasse
495) P.

19. e. Cf. Éz. 22, 27 ; Matth. 10, 16 ; 23, 32 ; Jn 10, 11 ; etc.

tiennes aux traditions païennes. Cette forme de contestation des
traditions helléniques est un aspect du mouvement culturel de la fin
du ive siècle qui aboutira à la suppression des jeux païens par décret
impérial de Théodose en 393 : JONES, The Later Roman Empire,
p. 977. — Suivant une tradition tenace, divers talismans chrétiens

hommage verbal, de tous le plus naturel aux ministres du Verbe, et, s'il est digne de tes luttes et de tes écrits, c'est le don du Verbe[1].

De ton côté, veille sur nous de là-haut avec bienveillance! Guide notre éloquence et notre vie ! Sois le pasteur ou plutôt partage avec nous la fonction de pasteur de ce troupeau sacré en le conduisant tout droit vers le plus grand bien possible dans tous les domaines et spécialement en expulsant les loups[e] cruels, attentifs aux syllabes et aux mots, et en nous accordant la grâce de l'illumination plus parfaite et plus éclatante de la sainte Trinité[2], dont tu es maintenant l'assesseur, que nous adorons, que nous glorifions, à qui nous consacrons ensemble notre vie, en adorant le Père dans le Fils, le Fils dans le Saint Esprit. Puissions-nous aussi trouver place auprès d'elle en toute pureté et innocence et y participer parfaitement dans la perfection finale, dans le Christ lui-même, Notre Seigneur, à qui toute gloire, honneur et pouvoir, pour les siècles. Amen !

---

et païens auraient été placés dans le pied de la colonne, dite aujour-d'hui Çemberlitaş, érigée sur le forum de Constantin, tout près de l'emplacement présumé de l'Anastasia : cf. R. Janin, *Églises et monastères*, p. 24-25 ; et *Constantinople byzantine. Développement urbain et répertoire topographique* (Archives de l'Orient chrétien, 4), Paris, 2ᵉ éd., 1964, p. 77-80.

1. « Hommage verbal »... « Verbe »... « écrits »... (et plus loin « éloquence ») : jeux de mots sur le terme λόγος.

2. Cf. *Discours* 20, 12 : le thème de l'illumination parfaite dans l'au-delà : Mossay, *La mort*, p. 110-168.

DISCOURS 25 et 26

INTRODUCTION LITTÉRAIRE ET HISTORIQUE

L'objet des *Discours* 25 et 26 est la philosophie ; mais, les manuscrits désignent la personne visée dans les deux pièces soit sous le nom de Héron soit sous celui de Maxime. En parlant de Héron-Maxime, nous identifions ce personnage comme une seule et même personne, celle du clerc intrigant, mi-aventurier mi-tartuffe de grand chemin, que notre Grégoire démasque avec verve et parfois avec une animosité bien compréhensible dans les vers les plus satiriques du poème sur sa propre vie[1]. Après J. Bernardi, nous adoptons sur ce point les conclusions de M. le Chanoine P. Gallay et celles de Mme M.-M. Hauser-Meury, confirmées par le Professeur B. Wyss, de l'université de Bâle. Mais il y a plus. Sur le plan purement littéraire, les deux discours appartiennent au même genre oratoire et répondent avec la même habileté aux préceptes donnés par Ménandre le Rhéteur, au sujet de la dissertation[2]. Si l'on ajoute à cela que les deux œuvres sont marquées par un climat et des circonstances historiques identiques, il paraît indispensable de donner aux deux discours une introduction littéraire et historique commune. Mais, les introductions critiques à l'édition de chacun des deux textes doivent rester distinctes. Ils ont été recueillis dans les témoins collationnés pour cette édition, après avoir suivi dans la tradition des voies dont nous aurons l'occasion

---

1. *Carmina*, II, I, 11, *De vita sua*.
2. *De genere demonstrativo* (ed. L. Spengel, *Rhet. gr.*, III, p. 388, 17 - 394, 31).

de faire voir les particularités. Cette manière de présenter
les choses, pour empirique qu'elle soit, paraît plus simple
et plus appropriée à la matière que la méthode suivie
jusqu'ici. « La dernière chose qu'on trouve en faisant un
ouvrage est de savoir celle qu'il faut mettre la première[1]. »

I. Contenu et doctrine

1. Analyses sommaires

Discours 25

Indiquant le genre littéraire et l'objet de l'œuvre,
l'auteur annonce « un panégyrique de la philosophie » et
un éloge du philosophe, qu'il ne nomme pas (§ 1). Il
s'adresse ensuite au personnage visé, qui est en instance
de départ, et le met à l'honneur, à ses côtés, au rang des
gens d'Église, puis il le félicite de sa conduite au service de
l'orthodoxie (§ 2) ; il s'est laissé martyriser et, à de tels
mérites, s'ajoutent encore ceux de la philosophie : il est
un philosophe cynique, descendant des martyrs, originaire
d'Alexandrie (§ 3). Dès sa prime jeunesse, il a opté pour
la carrière de philosophe chrétien (§ 4) ; il a marié les
traditions païennes avec les valeurs chrétiennes en prenant
aux unes les signes distinctifs extérieurs de sa profession, la
barbe et le costume, et aux autres le fond de sa sagesse
(§ 5) : il a épuré et christianisé la philosophie cynique
(§ 6) et s'est donné pour mission un engagement social et
moral positif ; comparé à l'exemple donné par les philosophes antiques les plus réputés, il les éclipse tous (§ 7).
Ses activités se sont déroulées dans une Église agitée
par l'hérésie arienne, qui avait justement pris naissance
à Alexandrie (§ 8) et avait dégénéré en persécution sous

---

1. B. Pascal, *Pensées*, VII, 29.

les règnes des empereurs Julien et Valens (§ 9, 10 et 11) ;
S. Athanase eut à souffrir de cette persécution (§ 12) ;
le philosophe aussi fut cruellement maltraité (§ 13) puis
déporté dans l'Oasis, loin de ses « sœurs », consacrées
comme lui au Seigneur, et loin de sa mère (§ 14).

Maintenant il est de retour dans la communauté
chrétienne et il a repris ses activités publiques : qu'il
confonde les païens et les hérétiques et qu'il définisse les
fondements doctrinaux du mystère de la Trinité (§ 15) :
un seul Dieu, qui est Père, Fils et Saint Esprit ; qu'il
s'abstienne de sonder les profondeurs insondables, qui
dépassent l'entendement des humains, du moins en ce
monde (terrestre) (§ 16). La philosophie connaît des
limites, qu'il faut préciser sans dissoudre la foi dans les
sophismes (§ 17 et 18).

Le philosophe verra clair dans l'autre monde ; d'ici là,
qu'il prenne en charge les intérêts de la communauté qui
l'entoure, « troupeau modeste par le nombre, non par la
piété, dont j'admire la modestie, plus que l'ampleur de
l'autre parti », avoue l'auteur ; que le philosophe tienne
tête à cet « autre parti », celui des « bêtes sauvages » et
qu'il parte en voyage accompagné par les vœux de l'auteur
(§ 19).

Discours 26

De retour au sein de sa communauté après une absence,
l'auteur exprime son contentement d'être revenu chez lui,
malgré les inconvénients de la vie citadine à Constantinople (§ 1) : l'éloignement permet de mesurer l'attachement
aux personnes auxquelles on tient, et la distance renforce
l'affection, comme le montrent les thèmes bucoliques
traditionnels (§ 2). Pourtant l'absence du pasteur expose
le troupeau aux dangers : loups, pillards, voleurs ou faux
pasteurs (§ 3). L'auteur malgré sa timidité est un « bon
pasteur » : il propose à l'auditoire de dresser avec lui un

bilan des bonnes choses accomplies par lui-même et par ceux qui l'écoutent pendant la période de séparation qui a précédé les retrouvailles (§ 4).

D'abord, que les fidèles disent s'ils ont été fidèles à la foi orthodoxe et à la pratique des vertus chrétiennes (§ 5). L'auteur revendique une part de mérite dans les bonnes œuvres accomplies par les fidèles de sa communauté (§ 6).

Ensuite Grégoire va dire comment il a profité de sa retraite à l'écart (§ 7) : seul à seul avec lui-même, il a philosophé notamment au spectacle de la nature pendant ses promenades (§ 8) ; la mer agitée était alors l'image des vicissitudes de la vie, au centre desquelles il faut garder la fermeté d'un récif battu par les flots tumultueux (§ 9). Une leçon de philosophie analogue est enseignée par l'exemple de l'arbre qui repousse quand on le taille : les misères que nous subissons doivent nous faire progresser dans la philosophie chrétienne ; elles sont une marque de véritable noblesse (§ 10). Cette philosophie est le véritable art de vivre adapté aux jeunes, aux gens âgés ou dans la fleur de l'âge, aux riches et aux pauvres, malades ou bien portants (§ 11) ; il faut dédaigner les contingences et les servitudes que créent les besoins matériels, faim, soif, froid, et aussi le goût des satisfactions morales, et suivre l'exemple de Jésus subissant toutes sortes d'affronts (§ 12). Voilà le portrait du véritable philosophe.

Après avoir brossé ce tableau théorique des qualités du philosophe et de la philosophie, l'auteur va faire l'application à son cas personnel des qualités qu'il vient de proposer comme modèles (§ 13). Quels reproches lui adresse-t-on ? Son ignorance ? Son indigence ? Son origine provinciale ? Son âge (§ 14) ? Quel mal veut-on lui faire ? Le détrôner ? Le priver des honneurs (§ 15) ? L'écarter des autels ? L'exiler de Constantinople ? Le dépouiller de ses biens (§ 16) ? Le priver de ses relations ? L'isoler de ses amis (§ 17) ? Grégoire plaint ceux qui lui veulent du mal, il voudrait les guérir de leurs mauvaises dispositions, car on les a tournés contre lui après qu'ils ont été d'accord avec lui (§ 18).

Le principe de toute réconciliation entre l'auteur et les fidèles qui se sont momentanément tournés contre lui est la foi dans la Trinité, qui rassemble la communauté divisée (§ 19).

2. Doctrine générale. Le rôle de la philosophie

Le caractère occasionnel des *Discours* 25 et 26 a souvent été mis en lumière ; ils appartiennent à la catégorie des « discours de circonstance » (QUASTEN, *Initiation*, III, p. 350) : « Les *Discours* 25 et 26 se rattachent l'un et l'autre à une « mésaventure dont Grégoire fut la victime à Constantinople », écrit J. Bernardi[1]. Le détail des circonstances historiques précises auxquelles la composition des deux œuvres est immédiatement liée devra être exposé plus loin. Mais auparavant, il convient de souligner tout de suite que ces circonstances mêmes s'inscrivent dans un contexte culturel ; par certains côtés essentiels, elles font partie d'un courant plus large dépassant le cadre des milieux ecclésiastiques et débordent les controverses dogmatiques évoquées dans les deux textes.

Discours 25

I. Par-delà le cas personnel du philosophe visé ici et au-delà des circonstances ou des faits divers évoqués, le *Discours* 25 traite du rôle de *la philosophie* dans la pensée et la doctrine chrétiennes : relation de la philosophie profane avec l'hérésie trinitaire, place à faire à la pensée

---

1. BERNARDI, *Prédication*, p. 168, renvoyant (note 154) à GALLAY, SAJDAK et SINKO ; SZYMUSIAK, *Chronologie*, p. 184 ; MOSSAY, *Gregor*, p. 231-232 ; etc.

philosophique dans une formulation de la foi orthodoxe. Deux questions qui reviennent souvent, et comme des points forts, dans les préoccupations de Grégoire, et dans l'ensemble de son œuvre. Plusieurs ouvrages savants ont mis cela en évidence, notamment la thèse du Chanoine J. Plagnieux, dont deux chapitres sont particulièrement attentifs aux nuances de la pensée de Grégoire de Théologien : *Hellénisme et christianisme dans l'œuvre de Grégoire*, § *1. Hellénisme et hérésie* ; § *2. Hellénisme et orthodoxie*[1]. Pour ajouter quelque chose à cette magistrale synthèse, il faudra attendre l'*editio maior critica* du *De virtute* (*Carmen* I, 2, 10) actuellement en préparation sous les auspices de la Görres-Gesellschaft et sous la direction du Professeur M. Sicherl, à l'Institut für Altertumskunde de l'université de Munster en Westphalie, ainsi que les commentaires du même texte auxquels travaille, à Graz, le Dr. Manfred Kertsch. Pour l'heure, on ne peut mieux faire que renvoyer au livre de M. Plagnieux. On y trouve le commentaire des principaux passages significatifs du *Discours* 25.

Signalons pourtant que notre Grégoire lui-même est assez explicite au sujet de la fonction générale exercée par le philosophe, comme tel, dans la vie et la culture chrétiennes. Au § 1, on lit que le philosophe est « un ami de la sagesse », tandis que le prédicateur sacré en est seulement le « serviteur » ; sa fonction de philosophe est une forme d'engagement, car la « philosophie » « a pour fonction et pour objet de faire quelque bien à notre vie ».

Elle est aussi une profession, puisqu'on lit au § 4 qu'elle est une vocation remontant à la prime jeunesse du spécialiste, soit au moment où « il se range derrière la philosophie »... et « s'élance avec le dynamisme de la jeunesse sur le chemin du bien » ; et encore que « le premier objet de la philosophie est celui-ci : reconnaître parmi les voies qui

---

1. PLAGNIEUX, *Grégoire théologien*, p. 11-28.

s'offrent à nous celle qui est préférable et plus profitable
pour lui-même (le philosophe) et pour tous les chrétiens ».

La fonction première de la philosophie sera par conséquent de fournir une synthèse : « Il suit donc une voie
moyenne, à mi-chemin entre l'illusion de ceux-là (les
« hellènes ») et notre sagesse... » (§ 5) ; en clair, il réconcilie
la pensée païenne et la pensée chrétienne. Sur le plan plus
strictement religieux, son action est d'abord apologétique
et négative : il « surpasse » et « dépasse » — en un mot,
il répudie — la philosophie antique (§ 7) ; il prend « fait
et cause pour le Verbe », qu'il défend contre les théories
ariennes (§ 13) ; il confond aussi bien le « polythéisme athée
des hellènes » que les « doctrines subversives des hérésies »
(§ 15). D'une façon plus positive, on compte sur lui pour
apprendre « à connaître un seul Dieu non engendré, le
Père, un seul Seigneur engendré, le Fils — à qui on donne
le nom de « Dieu » lorsqu'on le considère à part, et qu'on
déclare être « Seigneur », lorsqu'on le cite après le Père :
dans le premier cas, en raison de sa nature, dans l'autre,
à cause de l'unité de principe —, et un seul Esprit Saint,
qui, pour ceux qui saisissent correctement la portée des
distinctions à faire, procéda ou même procède présentement de Dieu, combattu par les impies, mais compris par
ceux qui les dépassent, et affirmé par ceux qui sont plus
avancés dans la vie spirituelle ». (Enseigne) « à ne pas
mettre le Père sous la dépendance d'un principe, pour
éviter d'introduire quelque chose d'antérieur au premier
être, ce qui aura pour résultat de renverser l'existence de
ce premier être »... (§ 15 ; et aussi § 16).

Voilà un programme dont le côté pratique s'appuie sur
des principes abstraits et doctrinaux. Programme équili-
bré, qui reflète le sens de la mesure caractéristique de la
pensée et de l'action de Grégoire lui-même ; se référant
notamment aux § 5 et 6 du *Discours* 20, D. G. Tsami y voit
une tendance fondamentale non seulement de la personnalité de notre auteur, mais de l'ensemble de la pensée théolo-

gique des Pères cappadociens[1]. Programme qui dépasse assurément la portée d'un cas particulier.

II. En ce qui concerne l'apologétique orthodoxe, on vient de constater le double rôle que le *Discours* 25 confie à un spécialiste — double rôle que l'auteur a maintes fois joué lui-même —. « Sur plus d'un point », note J. Plagnieux, « la théologie du Nazianzène s'est exprimée en fonction de l'hellénisme[2] » ; lui-même, déplore néanmoins « le triomphe insolent de la glossalgie sur le pieux respect dû au mystère[3] ». C'est le premier volet d'une apologétique à deux directions. Le second est lié de près au premier : « L'obstination de l'hérésie à schématiser au moyen de raisonnements humains la vérité révélée, anéantit le christianisme », note encore J. Plagnieux, faisant ici écho à la déclaration de Grégoire à propos des « syllogismes tels que les tiens, destruction de la foi et anéantissement du mystère[4] »...

Il est remarquable que le *Discours* 25 met particulièrement en cause l'arianisme comme tel (§ 8) ainsi que ses succédanés alexandrins contemporains de l'épiscopat de saint Pierre, successeur d'Athanase (§ 12). C'est généralement à Eunomios que les docteurs cappadociens reprochent un enseignement abusivement rationaliste et fondé sur le seul critère de la raison : « à leurs yeux, Eunomios constituait la pointe avancée de la contre-offensive de

---

1. D. G. Tsami, « L'enseignement de Grégoire de Nazianze sur le juste milieu » (en grec), dans *Klironomia*, 1 (1969), p. 275-284 ; après Plagnieux, *Grégoire théologien*, p. 213-260. Spanneut, *Stoïcisme*, p. 75, note que la tradition scolaire considère comme stoïciennes des idées qui se trouvent aussi dans Platon, Aristote ou la Bible, mais dont les écoles dérivées du stoïcisme « ont pris le brevet » après les avoir empruntées.

2. Plagnieux, *op. cit.*, p. 11.

3. *Discours* 20, 1 ; 9-11 ; 27, 1 ; 32, 17-20 et 26 ; 22, 12.

4. *Discours* 21, 23, (éd. et trad. P. Gallay, Paris 1978, p. 320, 22-23) ; cf. aussi *Discours* 21, 21. Cf. Plagnieux, *op. cit.*, p. 15.

l'hellénisme : il sapait par la base l'enseignement central et le mystère vital de la révélation chrétienne. Ils se rendaient compte qu'avant d'être doctrinal, le conflit était d'abord méthodologique[1] ».

Il semble donc que la recherche d'une explication rationnelle des mystères était devenue un danger pour la foi premièrement parce qu'une certaine forme de rationalisme risque de réduire la pensée religieuse à une « technologie » mentale : Grégoire reproche maintes fois aux eunomiens et à l'arianisme en général de « technifier » la théologie[2].

Mais, il y a plus. Au-delà des murs de l'école et du cercle des théologiens qualifiés, le goût pour la philosophie a gagné le grand public. Grégoire dénonce plusieurs fois le danger qui en résulte. « Ils ont supprimé toute voie de piété... : il faut que toute place publique résonne du bourdonnement de leurs discours, que tout banquet devienne fatigant par un bavardage ennuyeux, que dans toute fête et tout deuil on n'ait plus une fête et qu'on soit plein de tristesse et, inversement, qu'on ait comme conso-lation un malheur plus grand : leurs arguties, que le trouble se glisse dans les gynécées, accoutumés à la simplicité, que la pudeur se fane et disparaisse dans la précipitation pour discuter...[3] ». Grégoire de Nysse et S. Athanase, eux aussi, et la chose vaut la peine d'être soulignée ici, ont signalé le danger que présente cette manie : « Toute la Ville, ruelles, marchés, places publiques et grandes avenues regorgent de ces gens ; il s'en trouve parmi les tailleurs, les changeurs, les épiciers. Vous vous enquérez d'une monnaie : on vous répond par une dissertation sur

---

1. Plagnieux, *op. cit.*, p. 19-20.
2. Cf. *Discours* 31, 18, 20 et 27 (éd. et trad. P. Gallay, Paris 1978, p. 310, 17-19 ; 314, 12-16 ; 328, 1-5) ; 21, 13 et 22 ; etc.
3. *Discours* 27, 2 (éd. et trad. P. Gallay, Paris 1978, p. 73-75, 1-14) ; cf. aussi *Discours* 27, 9 ; 20, *passim* ; 32, 4-5 ; etc.

l'engendré et l'inengendré...[1] ». Ces abus ou ces travers,
souvent reprochés aux hérétiques, semblent manifester que
le mal était plus profond et assez répandu dans tous les
milieux..

III. A ces déformations résultant d'un amateurisme
flagrant Grégoire aime à opposer les services positifs que
la philosophie et le philosophe sont appelés à rendre à la
théologie orthodoxe. C'est l'autre face d'une attitude
nuancée adoptée par Grégoire à l'égard des valeurs classiques de l'hellénisme[2]. Vers 380, le christianisme se trouvait forcé, comme on l'a écrit[3], de se hausser « au niveau
d'une culture » ; on avait à concilier la foi avec le rationalisme. Cela n'allait pas sans problèmes. Il fallait notamment
transposer dans le langage « d'Aristote » (ἀριστοτελικῶς)
les formules révélées dans « la langue des pêcheurs »
galiléens (ἁλιευτικῶς)[4]. L'éternel problème de la philosophie « servante » ou « maîtresse » de la théologie ! L'aspect
philosophique de ces questions était parallèle au problème
littéraire posé dans le domaine de la pastorale, qui avait
à adapter les méthodes et le style des sophistes et rhéteurs
païens aux besoins spécifiques du ministère chrétien[5].

Aujourd'hui nul n'ignore plus à quel point notre siècle
est redevable à l'hellénisme antique de la plupart de ses
modes de pensées fondamentaux. Dans leurs profondeurs,

1. Références dans Plagnieux, *op. cit.*, p. 14, n. 9 (= *PG* 46,
col. 557 B).
2. Cf. Pinault, *Platonisme, passim* ; Gottwald, *De Gregorio
platonico* ; et Gronau, *De Platonis imitatoribus.*
3. Cf. Mossay, *La mort*, p. ix-x.
4. *Discours* 23, 12 ; cf. 27, 10. Cf. G. Boissier, *La fin du paganisme.
Études sur les dernières luttes religieuses en Occident au IVe siècle*
(Bibliothèque d'histoire), Paris, s.d., 2 vol., I, p. 130-131 ; II, p. 127.
5. Gallay, *Vie*, p. 77 ; Guignet, *Rhétorique, passim* ; Mossay,
La mort ; et Kertsch, *Bildersprache.* Cf. *Épitaphe de Prohaeresios* =
Epit. 5, 1-8 (*PG* 38, col. 13), et L. Petit de Julleville, *L'école,
d'Athènes au IVe siècle après Jésus-Christ*, thèse, Paris 1868, p. 65.

les âmes et les pensées de notre temps restent plus proches d'Aristote que de je ne sais quel « Orient » ingénûment dogmatique. L'éloge du philosophe et de la philosophie ne permet pas de déceler dans les relations entre l'hellénisme et le christianisme, et moins encore entre la raison et le foi, une forme de lutte qui se puisse exprimer par des formules candidement « marxistes » en termes de « lutte » ou de « thèse et antithèse ». Il est même difficile de suivre J. Plagnieux sur ce terrain, lorsqu'il présente le conflit d'âme existant dans les esprits contemporains de Grégoire ou une situation conflictuelle reflétée dans le *Discours* 25, où il s'agirait de « battre l'adversaire », de le « frapper » et d'en triompher... (p. 26)[1]. Cette présentation des choses nous paraît superficielle et pourrait sûrement être jugée par d'aucuns comme entachée de sectarisme. Le *Discours* 25 baigne dans un climat de spéculations plus sereines et moins polémiques.

Le texte laisse aux suppôts du diable, du « Vilain », comme il dit, et de l'empereur Valens — ces « bêtes sauvages » — le sectarisme hérétique, le fanatisme persécuteur et l'arrogance des gens qui croient qu'ils ont raison avant de se demander de quoi il s'agit (§ 8-14). Il expose en recourant à tous les procédés de la rhétorique sophistique la malfaisance de telles attitudes : la première fonction du philosophe consiste à réfuter les conclusions de ces dangereux partenaires et à en discuter les principes (§ 15). Il n'y a ici aucun mépris de la philosophie comme telle ; selon le paradoxe des *Pensées* de Pascal, « se moquer de

---

1. PLAGNIEUX, *Grégoire théologien*, p. 11 : « Sur plus d'un point, la théologie du Nazianzène s'est exprimée en fonction de l'hellénisme, Grégoire n'est pas le docteur de l'*ego contra* ; mais, en raison de l'opposition fréquente entre hellénisme et christianisme, un écrivain aussi profondément imbu des deux ne pouvait éviter de prendre position. D'autant plus que le fallacieux prétexte de maintenir un dénominateur commun avec « ceux du dehors » favorisait parfois des attitudes « équivoques ».

la philosophie, c'est vraiment philosopher » (*Pensées*, VII,
35). Mais, l'objectif fondamental assigné à la philosophie
est de « définir notre piété » en précisant ce qu'il faut savoir
de Dieu et où commencent les « paradoxes » de la théologie
trinitaire (§ 15) ; il faut savoir notamment que « le Père
est père, véritablement », que « le Fils est fils, véritablement,
que le Saint Esprit est saint véritablement », sans chercher
« à savoir de quelle manière » (§ 16). Il revient à la philosophie de fixer ainsi les frontières entre la science et le
mystère surnaturel : « Si tu cherches à savoir de quelle
manière, que laisseras-tu encore à ceux dont il est attesté
qu'à eux seuls est réservée la connaissance mutuelle
(= Père, Fils et Saint Esprit) ou à ceux d'entre nous
qui recevront plus tard les lumières de l'au-delà » (§ 16).
« Maintenant enseigne à se contenter de savoir qu'on adore
une Monade en Trinité et une Trinité en Monade, avec le
paradoxe de la distinction et de l'identité » (§ 17). « Enseigne
seulement une chose : craindre de dissoudre la foi dans les
sophismes » (§ 18). La portée du *Discours* 25 dépasse, on
le voit, l'intérêt porté à la personne de tel philosophe.
Il concerne le rôle et la fonction de la philosophie dans la
pensée religieuse. Même — et surtout, peut-être — en
formulant des limites aux prétentions du philosophe,
l'auteur fait l'éloge de la « philosophie éternelle ». Puisqu'on
a cité plus haut les *Pensées* de Pascal, on peut encore
s'en souvenir ici : ... « toute religion qui ne dit pas que
Dieu est caché, n'est pas véritable ; et toute religion qui
n'en rend pas compte n'est pas instruisante. La nôtre fait
tout cela : *vere tu es deus absconditus* » (*Pensées*, XI, 5).
Ce n'est pas le moindre mérite du *Discours* 25 d'avoir
vulgarisé une réponse à la question des rapports entre
la foi et la raison à un moment où les meilleurs esprits,
chrétiens et hellènes, s'interrogeaient à ce sujet.

IV. Ainsi apparaît l'actualité supérieure du *Discours
sur Héron-Maxime*. Cette œuvre prend sur plusieurs

points essentiels le contre-pied du Discours de l'empereur Julien *Contre Héracleios le Cynique*[1] ou de sa diatribe *Contre les Cyniques ignorants*[2]. « De fait, je proclame », écrit l'empereur-philosophe, « que la philosophie cynique est en tout point semblable à ces Silènes que l'on expose dans les boutiques des modeleurs et que les artisans représentent une syrinx ou une flûte à la main. Les ouvre-t-on ? Ils laissent apparaître à l'intérieur les images des dieux. Évitons donc pareille méprise en prenant au sérieux les plaisanteries du philosophe... »[3] ... « ces hommes ne nous semblent pas enviables, mais plutôt des gens malheureux et complètement insensés... C'est... d'un homme de ce genre que tu copies le manteau et la chevelure aussi servilement...[4] ».

Commentant le *Discours* IX (VI), *Contre les Cyniques*, de l'empereur Julien, son éditeur écrit dans la note d'introduction : ... « en accueillant toutes les doctrines philosophiques avec une large tolérance, conforme d'ailleurs à un syncrétisme qui s'efforçait d'unir toutes les écoles au service d'une foi rénovée, Julien n'excluait que les sceptiques, faux cyniques et épicuriens. Bientôt, en effet, la lutte contre les croyances « athées » des Galiléens allant s'ouvrir, il était nécessaire à l'impérial théologien d'assurer les bases de l'hellénisme et de faire taire les indisciplinés »[5]. Entre le règne de Julien (361-363) et le moment où Grégoire composait le *Discours* 25, au début de l'époque théodosienne (380), Constantinople avait vu s'écouler deux décennies ; mais, les deux écrivains étaient sortis, l'un et

---

1. Julien, *Discours* VII, 8, et 19-20 (éd. G. Rochefort, II, 1, p. 53-55 et p. 71-73).

2. Julien, *Discours* IX (VI), 2-3 (éd. et trad. G. Rochefort, II, 1, p. 145-147).

3. *Id.*, ch. 7 (187 b), p. 152. Thème ayant inspiré F. Rabelais, dans le Prologue de *Gargantua*.

4. *Id.*, ch. 11 (190 c-d), p. 157.

5. Rochefort, *Œuvres complètes de l'empereur Julien... (C.U.F.)*, Paris 1963, II, 1, p. 143.

l'autre, des écoles d'Athènes, où ils avaient étudié la philosophie. Somme toute, la place faite au cynisme et l'importance accordée aux philosophes — ou mieux à la Philosophie — dans les œuvres du Théologien orthodoxe comme dans celles du théologien du néo-paganisme, peuvent passer pour un fleuron de l'hellénisme.

Discours 26

Après les considérations spéculatives et les explications théoriques du *Discours* 25, voici un autre aspect de la « philosophie », la « philosophie appliquée ». La philosophie est envisagée ici sous l'angle moral et ascétique. C'est pourquoi nous sommes tentés d'en parler en mettant le mot entre guillemets.

L'analyse sommaire du texte a mis en relief le caractère concret des préoccupations qui inspirent cette œuvre. L'auteur y propose à ceux qui l'écoutent une sorte de « bilan » ou d'examen de conscience : « Mettez-moi au courant de vos activités, et de mon côté, j'exposerai *quelle* « *philosophie* » *j'ai pratiquée* (ἐφιλοσόφησα) seul à seul avec moi-même retiré dans un ermitage » (§ 4)... « Premièrement quelle vision des réalités d'En-haut (θεωρίαν τῶν ὑψηλῶν) avez-vous gardée après l'avoir reçue de moi ou introduite de votre propre initiative, au sujet soit de la « théologie » (περὶ θεολογίας) soit des autres doctrines que je vous ai transmises en grand nombre et fréquemment ? » (§ 5, au début). « Deuxièmement comment avez-vous pratiqué les vertus que je vous ai recommandées (πρᾶξιν τῶν ἐπαινουμένων) ? » (§ 5)... « Montrez votre foi par vos œuvres ! » (§ 5) et particulièrement en évitant ce que l'auteur appelle « l'impiété dans le domaine doctrinal » (§ 5). Ici l'erreur doctrinale se présente comme une mauvaise action parmi d'autres. Les choses sont considérées d'un point de vue pratique.

Nous passerons très vite sur les détails concrets de cette « philosophie » présentée comme art de vivre : Grégoire rappelle les œuvres matérielles de charité et de pénitence (nourrir les pauvres, se mortifier, etc.). On pourrait remarquer au passage que l'auteur recommande l'assistance due par les chrétiens à « ceux qui accomplissent la liturgie à l'autel et qui sont fort pauvres »... (§ 6) : il faut les aider pour leur permettre de se dévouer totalement à leur fonction sacrée... De telles remarques peuvent trahir une expérience concrète des réalités du ministère quotidien et des servitudes les plus ordinaires de la vie pastorale. Ces applications pratiques s'appuient sur une doctrine, dont le *Discours* 26 développe deux aspects complémentaires : 1º la distinction à faire entre la doctrine théologique, ou la « théologie », et ses applications morales ou ascétiques, la « philosophie » pratique, et 2º la connexion nécessaire entre les deux domaines. Ces deux faces d'une seule vérité (à savoir que la foi sans les œuvres ne suffit point) ont retenu l'attention de J.-M. Szymusiak dans sa thèse sur *L'homme et sa destinée selon Grégoire le théologien*[1] et dans son livre sur *Les éléments de théologie de l'homme selon S. Grégoire de Nazianze*[2].

I. La distinction à faire entre deux domaines complémentaires apparaît notamment dans le fait que la solitude et la retraite de l'évêque sont associées à la pratique de la « philosophie » (§ 4), la contemplation et les vertus chrétiennes à la « théologie » (§ 5). Commentant le texte cité plus haut, J.-M. Szymusiak écrit : « Ce texte nous révèle un sens particulier de θεολογία (théologie) : c'est l'enseignement proprement appliqué à la nature de Dieu,

---

1. Szymusiak, *L'homme et sa destinée selon Grégoire le Théologien*, thèse dactylographiée, Paris 1957, diffusée sur microfiches (Maestricht 1957). Cité : « *Thèse* ».
2. Szymusiak, *Théologie*.

distingué de l'enseignement sur les autres thèmes de la
Révélation[1] ». Nous ne pouvons mieux faire que citer *in
extenso* les remarques si judicieuses de notre savant
collègue :

« C'est à ce sens, d'explication sur Dieu, qu'il faut sans doute
rattacher la signification païenne de « théologien » (θεολόγος) *interprète
d'oracles*, que non seulement Grégoire ne répudie pas (a-t-il jamais
répudié quelque chose de la culture païenne, de ce qui n'était pas
inconciliable avec la Révélation chrétienne ?) mais que pratiquement
il revendique pour lui lorsqu'il compose des poèmes théologiques :
« comme il plaît à vos théologiens (païens) — car il y a chez vous
aussi des interprètes d'oracles »... (*Carmina* II, 2, 7, vers 130, *PG* 37,
col. 1561)...

... Ce sens, que Grégoire applique à Platon, Hésiode, Homère à
la suite de Porphyre et de maint autre, n'est pas à négliger ici, car
notre « Théologien » n'a pas de souci plus grand, en présence des
« Hellènes », que de s'insérer dans leur tradition, humaine et littéraire.
Le passage du Christ sur la terre a marqué l'amorce d'une remontée
efficace vers Dieu ; il ne fut nullement une rupture essentielle avec
le passé, mais est venu pour donner corps en quelque sorte aux
espérances inconsistantes et mal exprimées de l'Humanité entière :
le judaïsme en avait reçu le dépôt, mais le monde hellénique lui a
préparé le substrat humain le plus favorable. La révélation a seulement simplifié les voies d'accès vers Dieu, non pas qu'il soit donné
à « tout le monde de philosopher sur Dieu, non, la chose n'est pas si
courante et ne se trouve pas à la portée de ceux qui marchent collés
à la terre » (*Discours* 27, § 3). Mais, désormais l'initiation n'est pas
réservée à une élite, ni même la « philosophie », car il ne s'agit plus
de ratiociner sur Dieu à la manière d'Aristote ; il faut se mettre à
l'école des pêcheurs de Galilée (*Discours* 23, § 12)[2]. »

Cette distinction à faire entre la réflexion théologique et
la pureté de vie requise de ceux qui s'y engagent est
comme sous-entendue de façon tantôt plus explicite
tantôt diffuse dans l'ensemble du *Discours* 26. « Il serait
d'ailleurs excessif de prétendre que Grégoire a lui-même

---

1. Szymusiak, *Thèse*, p. 26-27 ; et *Théologie*, p. 16-17, et n. 34,
où sont analysés des extraits des *Discours* 14, 19 et 38, 8, etc.
2. Szymusiak, *Théologie*, p. 18.

eu l'intention d'évoquer ce problème dans toute son
ampleur[1]. » Sans avoir à deviner avec plus de précision
ou à reconstituer la pensée de Grégoire, il faut avoir à
l'esprit qu'il attache une grande importance à la « philosophie » pratique, qui prépare l'esprit à la connaissance
théologique. « Il n'appartient pas à tout le monde de
discuter sur Dieu, tel est le premier principe posé par
Grégoire », note M. Jourjon[2]. « Il ne faut pas voir là mépris
pour les simples, mais dessein d'écarter les indignes. Car
la réflexion théologique suppose uniquement une vie
chrétienne prise au sérieux : purification de l'âme et du
corps, expérience, contemplation. Le simple mais vrai
chrétien est donc capable de théologie. D'ailleurs la
remarque de Grégoire ne vise pas la pensée sur Dieu,
mais la discussion (cf. *Discours* 27, 4). Penser à Dieu, il
faut qu'on le fasse, et constamment, comme on respire ;
cette pensée doit devenir prière et conduire à la purification[3]. » J.-M. Szymusiak fait remarquer : « Un des
modèles achevés de « philosophie » qu'il (Grégoire) nous

---

1. PLAGNIEUX, *Grégoire théologien*, p. 165 ; cf. p. 165-176 ; « Autant
avouer que l'auteur nous laisse le soin de préciser nous-mêmes
l'extension qu'il donne à la matière théologique. Pour lui, il envisage
bien moins la science que la discussion théologique : et encore, celle
qui peut intéresser les fidèles, de préférence à celle dont s'occuperaient
les professionnels ; ... On ne saurait négliger ces données liminaires,
sous peine de mettre l'orateur en contradiction avec lui-même
(en note : on ne comprendrait pas sans cela comment Grégoire ne
se lasse pas, lui, de prêcher ce sur quoi il ne cesse d'interdire à autrui
de discuter, n. 3, p. 166). Sur plus d'un point, nous sommes donc
obligés de deviner la pensée de Grégoire ou de la reconstituer assez
péniblement » (p. 166).

2. JOURJON, *Introduction*, p. 34.

3. *Id.*, p. 34-35. Cf. sur ces questions *Discours* 27, 3 : « Ce n'est
pas à n'importe qui — sachez-le, vous autres —, ce n'est pas à
n'importe qui qu'il appartient de disputer sur Dieu. Ce n'est pas
une aptitude qui s'acquiert à bas prix et ce n'est pas le fait de ceux
qui se traînent à terre... » (éd. et trad. P. Gallay, Paris 1978,
p. 76-77). Cf. aussi 27, 4, p. 79.

présente c'est sa propre mère : maîtresse de maison comme
on en trouve peu, et femme de piété comme si elle n'avait
que cela à faire », versée en « toute forme de contemplation[1]. »

II. Si le *Discours* 26 explique ou illustre dans une
certaine mesure la distinction à faire entre la « théologie »
ainsi comprise et la « philosophie », pratique d'un art de
vivre chrétiennement, il permet de mesurer combien est
riche et complexe le concept de « philosophie » chez
Grégoire. On est loin ici de l'idée d'étude, de réflexion
critique sur les principes caractérisant le rôle du « philosophe » évoqué dans le *Discours* 25. Néanmoins on saisit
la connexion entre la pratique de la « philosophie » et les
principes — la « théologie » — dont celle-ci s'inspire.

Avant d'énumérer, dans un véritable plaidoyer *pro
domo*, toutes les applications pratiques qui se présentent
à lui, sous les diverses formes du mépris des choses de ce
monde (§ 13 à 18), le Théologien rappelle que « rien n'est
plus imprenable, plus inexpugnable que la ' philosophie ' »
(§ 13, début). Là, il se répète, car il a déjà développé que
grâce à la raison « philosophique »... les vrais philosophes
« supportent tout sans faiblir » (§ 9).

III. En raison même de cette vie intérieure sur laquelle
elle s'appuie, la « philosophie » chrétienne élève au-dessus
du commun : « grâce à la raison ' philosophique ', nous
sommes élevés au-dessus du niveau de la masse » (§ 9).
Dans un passage où il oppose la valeur morale des individus
aux privilèges de naissance dont on sait la place qu'ils
tenaient dans la société du Bas Empire[2], il remarque :
« La troisième (chose qui constitue la noblesse de race)
est reconnue d'après le vice et la vertu : nous en avons

1. Szymusiak, *Théologie*, p. 18-19, références p. 19, n. 42.
2. Cf. Dagron, *Naissance*, p. 147-190 ; p. 348-364.

chacun une part plus ou moins grande, à mon avis... :
cette noblesse-ci, celui qui est vraiment sage et « philosophe » y sera attaché » (§ 10). Et Grégoire va plus loin :
« Résumons-nous. Ces deux réalités l'emportent invinciblement sur toutes choses : Dieu et l'ange ; et au troisième
rang le « philosophe », immatériel dans la matière, infini
dans un corps, céleste sur la terre, impassible au milieu des
passions, inférieur en toutes choses sauf la raison, vainqueur en se laissant vaincre par ceux qui pensent l'emporter sur lui » (§ 13).

Voilà donc le « philosophe » placé au troisième rang,
après Dieu et les anges ! Commentant le texte, M. Szymusiak fait remarquer que Grégoire insiste ailleurs sur la
noblesse de vertu « qui rend à la vie son éclat dont tu es
toi-même l'auteur (γενέτης)[1] » ; il s'agit sans doute d'un
lieu commun traditionnel des dissertations morales, mais
Grégoire revient plus d'une fois sur l'unité du genre
humain dans le Christ[2]. Il s'appuie sur ce principe pour
flétrir les abus des distinctions sociales ; « il sait », écrit-il,
« que nous sommes tous de la même pâte et que nous
marchons vers le même jugement »[3], et même la distinction
entre Grecs et Barbares, qui est d'ordre physique et non
spirituel, est liée au lieu ou au hasard de la naissance,
« non à la pureté des mœurs »[4].

Manifestement, tous ces développements sur la « philosophie » pratique dépassent le cadre d'une affaire d'orga-
nisation interne ou d'une rivalité personnelle opposant
épisodiquement Grégoire à quelqu'un, au sein de la petite
communauté nicéenne de l'Anastasia. Pour autant que le

1. Lieu commun des *Moralia* : *Carmina* I, 2, 3, v. 260-268 (*P G* 37,
col. 1498-99) ; cf. SZYMUSIAK, *Thèse*, p. 187.
2. « N'oublions pas que nous sommes un seul corps dans le
Christ... », *Discours* 32, 11 (réminiscence de S. Paul, etc.).
3. *Carmina* I, 2, 8, v. 165-174 (*P G* 37, col. 661) ; cité et commenté
par SZYMUSIAK, *Thèse*, p. 259.
4. SZYMUSIAK, *Thèse*, p. 260.

remède proposé permette de diagnostiquer quel était le mal à soigner, les perspectives du *Discours* 26 sont plus larges même que la communauté de Constantinople. Sa portée est universelle, comme le sera celle du Concile de 381, et elle s'élargit pour le moins à toute la Ville, païens et ariens inclus. Analysant les idées du philosophe Thémistius au sujet du problème de l'intégration des Barbares, et plus spécialement de l'incorporation des Goths dans le système romain ou de l'installation de ces derniers sur les terres désertées de l'empire, après l'avènement de l'empereur Théodose, G. Dagron fait remarquer les nuances de la pensée de Grégoire sur ce point sans préciser les références[1]. Les passages du *Discours* 26 relevés ci-dessus sont significatifs à cet égard et indiquent très explicitement que l'autorité religieuse prenait sur ce terrain des positions originales. Sur ce point, notre texte a une portée politique et un accent d'actualité que soulignent assurément les écrits de Synésios « vieux romain, réactionnaire et xénophobe » ou les réflexions ironiques de Claudien, analysées par G. Dagron[2].

Mais qu'on ne s'y trompe pas ! Les questions démographiques et politiques d'actualité, que le *Discours* 26 touche ici en passant, sont des à-côtés d'une controverse plus large qui s'était développée à propos de la « philosophie » et qui était à l'ordre du jour en 380. Des « polémiques sur le rôle du philosophe » opposaient les deux ténors de la philosophie hellénique de la seconde moitié du IVe siècle, Libanius et Thémistius. Cela remontait assez loin, à la *Lettre de l'empereur Constance au Sénat* proposant aux sénateurs de Constantinople de s'agréger Thémistius. C'était un éloge officiel de la « philosophie pratique » ou, comme on dirait aujourd'hui, du « philosophe engagé[3] ». On possède une

1. DAGRON, *Thémistius*, p. 116, et n. 188.
2. DAGRON, *id.*, p. 112.
3. DAGRON, *Thémistius*, p. 44.

série de *Discours* de Thémistius sur le même sujet. Si on
y trouve « un ramassis d'ennuyeuses banalités » et des
lieux communs empruntés à Platon, G. Dragon peut
noter que « le thème central est une invitation maintes
fois répétée à rapprocher la philosophie de la foule, à la
faire descendre des hauteurs de la théorie pour participer
à la vie pratique... »[1] : « Il ne faut pas permettre aux
philosophes de rester là où ils veulent, nous devons porter
au grand jour notre enseignement, l'habituer à soutenir
le tumulte de la foule et la voix du peuple assemblé...[2] ».
Et la polémique avec les tenants d'un hellénisme d'école
traditionnel rebondira lorsque Thémistius acceptera en
384 la charge de Préfet de la Ville, qui fera de lui le premier
personnage de la vie civile comme Grégoire avait été le
premier du monde religieux trois ans auparavant.

La controverse publique sur le rôle pratique joué par
les philosophes Thémistius ou Libanius dénote l'actualité
du débat dans lequel le *Discours* 26 engage Grégoire en
380. Cette œuvre applique à l'Église orthodoxe des perspectives que l'empereur Julien avait proposées à l'État
romain trente ans plus tôt en écrivant au philosophe
Thémistius : « C'est une haute mission que préside le
philosophe. Il ne se borne pas, comme tu le disais, à diriger
le seul conseil chargé des affaires communes, et son action
ne se limite pas non plus à la parole, mais, confirmant ses
paroles par son exemple et se montrant tel qu'il veut que
les autres soient, il peut être plus persuasif et plus efficient,
quand il faut agir, que ceux qui ne poussent aux belles
actions que par décret[3]. »

---

1. DAGRON, *Thémistius*, p. 43 : réf. aux *Discours* XX, 238 a-b ;
XXII, 265 b-c ; et XXVIII, 341 b - 343 c.
2. *Id.*, p. 43 ; et THÉMISTIUS, *Discours* XXII, 265 b.
3. JULIEN, *Discours* VI *(Lettre à Thémistius)* 266 b-c (éd.
G. Rochefort, II, 1, Paris 1963, p. 28).

II. Genre littéraire et circonstances historiques

1. Genre littéraire

Le genre littéraire approprié aux compositions sur l'utilité ou la fonction de la philosophie et du philosophe est normalement celui de la « dissertation » ou du « débat », que les Anciens appellent λαλιά ou μελέτη (« méditations ») ; c'est un genre hybride, fort à la mode, combinant démonstrations et exhortations[1]. Effectivement les œuvres composées par l'empereur Julien ou par Thémistius sur la même matière adoptent les procédés classiques prévus pour cela par les théoriciens du genre. « On constate d'abord que les traditions de l'hellénisme sont le sujet d'incessantes polémiques, à propos de l'enseignement de la philosophie, du rôle du philosophe dans la cité, des rapports de la philosophie et de la politique, et que ces polémiques ont en commun des thèmes et un ton qui en dénoncent l'unité », note G. Dagron dans l'analyse qu'il fait de l'œuvre du philosophe Thémistius. « L'interprétation est plus difficile dans la mesure où l'expression, plus rhétorique, est plus imprécise...[2] ». Les Discours de Thémistius empruntent d'abord « le langage traditionnel des joutes sophistiques[3] ».

Il est vrai que les manuels classent les œuvres qui nous occupent ici dans la catégorie des « œuvres de circonstance » : le *Discours* 25 et le *Discours* 26 étant parfois rapprochés comme les deux faces d'un portrait dont l'une serait le contrepied de l'autre, comme Jean-qui-pleure et Jean-qui-rit ou comme l'invective ou « psogos » et « l'enko-

---

1. Ménandre le Rhéteur, *De genere demonstrativo* (éd. L. Spengel, *Rhet. gr.*, III, p. 388, 16 - 394, 31 : Περὶ λαλιᾶς) ; Mossay, *La mort*, p. 92.
2. Dagron, *Thémistius*, p. 42.
3. Dagron, *id.*

mion » ou éloge[1]. Les deux discours font appel aux circonstances concrètes auxquelles ils sont liés. C'est flagrant.
Le *Discours* 25 présente au public le philosophe dont on
fait l'éloge (§ 2) et sa péroraison souhaite bon voyage au
même personnage (§ 19) ; le *Discours* 26 commence par
évoquer des retrouvailles précises (§ 1-2 et 4) et son architecture générale prend parfois l'allure d'un plaidoyer
personnel (§ 4 (fin), 7 (commencement) et 13). Tout cela
contribue à donner aux exposés, comme J. Bernardi l'a
fait remarquer pour le *Discours* 26, « une ligne... extrêmement sinueuse[2] » ; ce trait est typique de la dissertation
dont la qualité majeure est, selon les rhéteurs qui en ont
précisé les règles, la spontanéité et l'apparente fantaisie[3].
Les écrivains d'époque tardive ont laissé maintes dissertations consacrées à la philosophie ou au philosophe ; on
peut rappeler parmi les plus célèbres celles de Lucien et
de Plutarque, où se manifestent la souplesse traditionnelle
du plan et de la composition[4]. Pour illustrer comment nos
deux *Discours* 25 et 26 répondent aux préceptes traditionnels de la sophistique, nous devons retourner au
Traité de la dissertation (περὶ λαλιᾶς) du rhéteur
Ménandre[5] ; nous en extrayons quelques observations
essentielles dont nous pourrons ensuite vérifier l'application dans nos textes.

---

1. Puech, *Littérature*, III, p. 339-340.
2. Bernardi, *Prédication*, p. 173.
3. Mossay, *La mort*, p. 92.
4. Lucien, *Le Cynique*, LXXV, 1-11 = un dialogue du genre
socratique, 12-20 = exposé plus dogmatique ; Id., *Le Pêcheur ou les
ressuscités*, XV, 1-50 ; Plutarque, *Moralia, Sur les contradictions
des stoïciens*, 1033 b - 1057 d (chap. 1-50) adopte un plan encore
moins limpide que celui du *Discours* 26 de Grégoire.
5. Cf. page 108 note 1, et aussi Volkmann, *Rhetorik*, p. 359-360 ;
et Martin, *Rhetorik*, p. 7 et p. 219-220.

MÉNANDRE, *Traité de la dissertation.*

Pour la facilité des références et des applications, nous allons numéroter les articles de ce décalogue sophistique :

1. Le genre de la « lalia » (dissertation ou débat) est le plus utile au sophiste et il relève de deux genres oratoires, le genre délibératif et le genre épidictique ou démonstratif, car il remplit le rôle de l'un et de l'autre. Et, en effet, si nous désirons célébrer les louanges d'un représentant de l'Autorité, (ce genre) offre une abondance illimitée de discours d'éloges ; et, en effet, nous pouvons dans une « lalia » dévoiler l'intégrité (du personnage), son bon sens et ses autres vertus ; et naturellement nous pouvons au moyen de la « lalia » donner facilement des conseils à la cité tout entière, à tout l'auditoire et aux représentants de l'Autorité, si nous le désirons, rassemblés pour écouter...[1].

2. Par une « lalia » sur la concorde, tu engageras une Cité, un auditoire, des amis divisés en partis opposés, à s'unir dans une bienveillance réciproque... Tu proclameras aussi que tu prends personnellement plaisir à ce que les auditeurs acceptent de l'écouter d'une manière critique...[2].

3. Tu feras souvent des invectives en décrivant, si tu veux, un personnage sans citer son nom (ἀνωνύμως) et en blâmant sa conduite ; comme il était permis dans l'enkomion de choisir des éloges de toutes les vertus, de même il t'est permis de blâmer et de vitupérer à volonté tout ce qui ne va pas[3].

4. En un mot, il faut savoir qu'une « lalia » n'impose pas comme le reste des discours d'observer aucun plan, mais qu'elle admet une mise en œuvre pleine de fantaisie (ἄτακτον) des matières traitées ; tu mettras ce que tu voudras en tête ou après, et le plan le meilleur de la « lalia » est de ne pas progresser en se tenant au même sujet suivant un ordre régulier, mais de ne suivre jamais de plan (ἀλλ' ἀτάκτειν αἰεί)[4].

5. Tu auras aussi quelques mots en l'honneur de ta propre patrie, en disant que tu y es revenu après une longue absence et que tu l'as revue avec le plus grand plaisir, et tu citeras tel vers d'Homère...

---

1. Ed. L. Spengel, *Rhet. gr.*, III, p. 388, 17 - 388, 26.
2. *Id.*, p. 390, 14-17 ; 390, 32 - 391, 2.
3. *Id.*, p. 391, 6-10.
4. *Id.*, p. 391, 19-24.

Ton discours saluera l'assemblée des auditeurs... sans citer de nom cependant, mais l'ensemble de l'auditoire... (Il faut)... éviter de prononcer un nom publiquement, mais manifester qu'on partage la joie (générale)...[1].

6. Et il faut simplement savoir au sujet d'une dissertation (« lalia ») que tout ce que nous voulons développer par ce (genre), il nous est permis de le dire sans observer aucun ordre imposé par le genre littéraire, mais comme cela se présente... il faut cependant se demander ce qu'il est utile de dire en premier lieu et de dire ensuite[2].

7. Un modèle : Plutarque. *Les Vies parallèles* sont pleines d'histoires utiles, d'apophtegmes, de proverbes et de lieux communs... Car il est utile d'entremêler tout cela aux dissertations (« laliai ») afin de rechercher l'agrément par tous les moyens ; et il faut faire appel aux métamorphoses des plantes et des oiseaux (et des arbres)[3].

8. Il faut que le genre (δεῖ τὸ εἶδος)... soit simple et sans apprêt... et il n'adopte aucun plan imposé par l'art (oratoire)..., nous l'avons déjà dit. Il faut ajouter que les « laliai » (dissertations) ne doivent pas être trop longues[4].

9. Il est permis à quelqu'un qui vient tout juste de rentrer dans sa patrie de prononcer une dissertation pour fêter son retour (ἐπιβατήριον εἰπεῖν λαλιάν), comme nous venons de le rappeler plus haut... de dire qu'avec joie et plaisir il a fait voile vers le port, ... en disant comment il a salué tous ses concitoyens et chacun en particulier, qu'ils sont tous ses frères ou (s'ils étaient plus âgés) les frères de son père..., ajouter : « qui n'aurait de l'attachement à une telle communauté où règnent la concorde et l'amitié, où tous sont nourris de la même vertu ? » et toutes sortes de choses de ce genre-là...[5].

10. Et, en un mot, l'usage de la « lalia » (dissertation) est très varié, car pour qui sait s'y prendre, elle se prête à n'importe quel sujet[6].

Avant de passer aux applications, on aura remarqué que la dissertation plus que tout autre genre vérifie les remarques de Quintilien sur la rhétorique en général :

1. *Id.*, p. 391, 29-32 ; 392, 2-5.
2. *Id.*, p. 392, 9-12 et 13-14.
3. *Id.*, p. 392, 29-293, 2.
4. *Id.*, p. 393, 21-22, 26.
5. *Id.*, p. 394, 13-14, 17-22, et 27-29.
6. *Id.*, p. 394, 30-31.

« chaque orateur a sa manière de procéder laquelle diffère presque toujours de celle des autres[1] ». Ce décalogue du rhéteur Ménandre malgré ses redites et ses lourdeurs reste très clair sur l'essentiel. Sans doute, certains de ses dix commandements n'ajoutent à d'autres que des nuances : le sizième, le huitième et le dizième, notamment répètent le quatrième, le neuvième ajoute peu de neuf — à part le nom d'une espèce qui nous intéresse — à la cinquième règle du genre. Cette présentation du chapitre en dix points va cependant faciliter l'analyse des *Discours* 25 et 26.

Discours 25

D'entrée de jeu, l'auteur présente son discours comme un éloge, comme s'il optait pour ce genre « épidictique » ou « démonstratif »[2] ; mais, il va « faire l'éloge de la philosophie » (§ 1), et il annonce d'emblée la place qui sera accordée au topique des vertus : cf. n° 1.

Il présente ensuite l'intéressé, dont il fait le protagoniste d'une catégorie des plus louables (§ 2), sans le nommer toutefois : cf. n°s 3 et 5.

La suite se développe selon les topiques de l'éloge, jusqu'au § 7 : origine du héros (§ 3), sa jeunesse et sa formation (chrétienne et studieuse) (§ 4), sa profession (§ 5) et les actions bénéfiques du philosophe : aspects négatifs (§ 6) et positifs (§ 7). Arrivé à ce point, le développement tourne court : la digression sur les persécutions

---

1. QUINTILIEN, *Institutiones oratoriae*, XII, 9 (trad. M. Nisard, Paris 1861, p. 467) ; cf. aussi XII, 10, p. 468.

2. Sur les succédanés de l'éloge : QUINTILIEN, *Instit. orat.*, III, 4, 12, après ARISTOTE, *Rhetor.*, I, 3 (1358 b 8) ; et MARTIN, *Rhetorik*, p. 178-210. Ceci a pu donner le change et égarer la critique : GUIGNET, *Rhétorique*, p. 282-284, traite le *Discours* 25, non sans quelques réticences, comme le panégyrique d'un personnage vivant. Analyse reprise par d'autres critiques, cf. MALINGREY, *Philosophia*, p. 209, n. 10.

ariennes n'est point un hors-d'œuvre : cf. n°s 4 et 6. Il
faut relever en passant qu'on a affaire ici à une ecphrase
complexe conforme aux règles particulières du tableau
des persécutions (§ 8-13) avec l'exploitation d'un détail
particulier après le tableau d'ensemble (§ 13-14), comme
le P. H. Delehaye le relève dans son ouvrage sur les Passions
de martyrs[1].

Le retour du philosophe au sein de la communauté
fournit l'occasion de lui adresser une apostrophe en forme
de «prosphonêsis»[2] et d'entamer un protreptique exhortant
à faire le bien : réfuter les hérétiques (§ 15), soutenir la
vérité (§ 15-18) : cf. n° 1 et n°s 4 et 6.

La péroraison paraît à première vue hybride : après avoir
évoqué la fin de la vie et l'au-delà, comme cela se fait dans
la péroraison des éloges funèbres[3], elle nous apprend que
le personnage loué ici est en instance de départ pour un
voyage au cours duquel il mettra ses qualités au service
de la communauté — du moins on y compte bien ! —.
C'est la manière régulière de terminer le genre d'éloge que
R. Volkmann appelle, après Ménandre, προπεμπτικὸς
λόγος, προπεμπτικὴ λαλιά ou προπεμπτήριος λόγος « discours d'adieu »[4] : cf. n°s 4, 6 et 8. La fantaisie du plan
rejoint ainsi la manière de Lucien de Samosate dans ses
dissertations sur Le pêcheur ou les ressuscités (XV, 1-50)
et sur Le cynique (LXXV, 1-11 : dialogue à la manière
socratique ; 12-20 : exposé dogmatique et protreptique).

---

1. Delehaye, Passions, p. 197, et p. 214-231.
2. Martin, Rhetorik, p. 207.
3. Guignet, Rhétorique, p. 280.
4. Volkmann, Rhetorik, p. 350 ; Ménandre, De gen. demonstr.
(éd. Spengel, Rhet. gr., III, p. 395-399).

Discours 26

Le plan d'ensemble du *Discours* 26 ainsi que les détails de sa composition répondent d'une manière aussi caractérisée à la théorie sophistique exposée plus haut. Le soin mis par l'auteur à marquer les grandes divisions du développement est à remarquer. Il peut, en effet, donner le change et masquer la liberté foncière du genre adopté. On peut dresser comme suit le plan général :

1. début du § 1 : indication de l'occasion du discours (retrouvailles et retour chez soi), thème repris au début du § 2 et au § 4 en conclusion du premier développement : « Voilà dans quelles dispositions... je me retrouve devant vous » ;

2. la fin du § 4 annonce un inventaire des « bonnes choses... accomplies » : la première partie du bilan annoncé se trouve aux § 5 et 6 ;

3. les § 7 à 13 tirent une leçon de philosophie pratique de la description d'une promenade solitaire le long de la mer ;

4. la fin du § 13 marque très fort la transition entre le développement qui précède — portrait du philosophe — et ce qui va suivre — application de la philosophie pratique au cas personnel de l'auteur —: les § 14-18 constituent ce développement annoncé ;

5. la péroraison est un appel à la concorde générale : § 19.

Quelques observations s'imposent si l'on rapproche cette architecture et les préceptes du *Traité de la dissertation* analysé plus haut. La lourdeur des transitions et l'insistance mise sur les divisions et subdivisions vont de pair avec l'absence de plan rigoureux et nécessaire tel que serait l'examen méthodique des lieux communs ou « topoi »

d'un genre déterminé ou l'étude systématique d'une question : cf. n°s 4, 6, 8 et 10. L'exorde répond aux n°s 2, 5 et 9,
particulièrement au n° 9 qui permet de donner une étiquette
à la composition puisqu'elle se présente comme un « épiba-
tirios logos ». L'énumération des intrigues, anonymes,
développée au chap. 14-18, avec et y compris le portrait
satirique de la personne visée (fin du § 14), est conforme
au n° 3. Plutarque avec sa réserve d'histoires cède le pas
à la Bible (les filles de Laban) et les poètes bucoliques
s'associent au thème du « bon pasteur » : § 2 ; tout cela
répond au souci de charmer l'auditoire, et on y trouve
aussi des histoires de métamorphoses de plantes et d'animaux fantastiques, comme le prévoit le n° 7.

Le plan d'ensemble ainsi que de nombreux détails de la
composition révèlent une certaine maîtrise des moyens que
la rhétorique met à la disposition de l'écrivain. L'esthétique de l'époque était ce qu'elle était. Elle cherchait ses
canons artistiques dans les enseignements des maîtres de
la seconde sophistique et appréciait autrement que nous
leurs commentaires des traditions classiques. Il paraît
indispensable de tenir compte de l'aspect purement formel
de la mise en œuvre des idées aussi bien que de l'esthétique
littéraire particulière dont celle-ci relève, si l'on veut
apprécier à leur juste valeur les détails historiques, idéologiques, philosophiques, voire peut-être théologiques,
qu'on découvre dans le texte. L'herméneutique des deux
Discours 25 et 26 comme sources directes d'un épisode de
l'histoire du christianisme et de l'histoire de la société
romaine de Constantinople à la fin du IVe siècle paraît
être impossible si l'on néglige les caractères littéraires
propres aux deux textes.

2. Circonstances historiques

Disons tout de suite que nous adoptons les conclusions
de J. Bernardi au sujet des circonstances marquant l'origine

des deux *Discours*. « Les *Discours* 25 et 26 se rattachent
l'un et l'autre à une mésaventure dont Grégoire fut la
victime à Constantinople. Dans le courant de 379, au
moment où l'auditoire de l'Anastasia était encore exigu,
un escroc s'était présenté à lui. Ce Maxime était ou se disait
originaire d'Alexandrie[1]. »

« Le *Discours* 25 fait l'éloge public de Maxime en présence
de ce dernier. L'éloge se mêle aux adieux, car Maxime
partait en voyage : il s'embarquait pour Alexandrie.
... Dans les faits ce n'est que dans le courant de 380 que
l'attention a commencé à converger vers lui, à partir du
moment où les intentions de Théodose se sont manifestées...
A vrai dire, le voyage de Maxime à Alexandrie ne s'explique
pas s'il l'a entrepris au cours de l'été 379. Tout devient
beaucoup plus cohérent, si Maxime s'est embarqué au
printemps 380 » (soit après l'édit d'orthodoxie de Théodose
du 27 ou 28 février 380). La reprise de la navigation au
mois de mars lui permettait de s'embarquer sans tarder[2]. »
Le genre littéraire implique une certaine actualité de
plusieurs détails et le réalisme de certains tableaux ; le
philosophe visé au § 1, n'est pas un être abstrait et l'apostrophe du § 2 n'est pas une simple et pure figure de
rhétorique : l'auditoire a sous les yeux le costume décrit
« robe blanche, chevelure non soignée », il remarque le
geste invitant ce personnage à prendre place à côté de
l'orateur « à côté des choses saintes, de cette table mystique
et à côté de moi, qui préside aux rites... » (§ 2) ; le pronom
démonstratif ne laisse aucun doute sur le caractère concret
du geste joint à la parole (ταύτης).

Mais il y a plus. Le genre de la dissertation d'adieu en
forme d'éloge implique, comme dit plus haut, l'intervention de topiques traditionnels, indiquant l'origine du
personnage : Alexandrie (§ 3), son état de chrétien mais

<hr />

1. Bernardi, *Prédication*, p. 168.
2. *Id.*, p. 169-170.

non moine (§ 4), les excès de la πονηρὰ βασιλεία soit du
règne de Constance (§ 8-9) et de celui de Julien (§ 9) que
la Perse élimine (§ 10), tandis que l'hérétique Valens
persécute les « chrétiens véritables » (§ 10)[1] ; la mort
d'Athanase, évoquée au chap. 11, fournit un nouveau
repère chronologique permettant à son tour d'identifier la
« bête sauvage » montée sur le trône d'Alexandrie, comme
étant Lucius, arien, rival de Pierre d'Alexandrie et usurpa-
teur du trône épiscopal en 373[2] (§ 11) ; le gouverneur
« sans foi ni loi » serait Palladios connu notamment par
la Lettre de Pierre d'Alexandrie résumée dans l'*Histoire
ecclésiastique* de Théodoret[3]. Lorsque S. Pierre est proscrit,
le philosophe aurait passé à son tour quatre année dans
l'Oasis où il avait été proscrit (§ 13) ; Athanase étant
décédé à Alexandrie, le 2 mai 373, le retour du proscrit
peut avoir eu lieu vers 377 au plus tôt (§ 14). Les préoccupations dogmatiques inspirant les § 15-18 correspondent
aux difficultés spécifiques du temps où Grégoire était à
Constantinople, mais ne permettent pas de préciser
davantage. Par contre la péroraison apporte à ce repère
chronologique quelques précisions supplémentaires dans la
mesure où, comme on l'a dit plus haut, M. Bernardi a montré
que le départ évoqué eut vraisemblablement lieu en mars
380 (§ 19). Tous les détails concordent avec ce que Grégoire
nous dit de « l'affaire Maxime » dans le *De vita sua*.

Le *Discours* 26 fait incontestablement partie du même
dossier. A partir du § 13 cette dissertation prend l'allure
d'un plaidoyer *pro domo* introduit par la forte transition
déjà remarquée plus haut :

1. Ammien Marcellin, XXV, 3 ; Grégoire de Naz., *Discours* 5,
14-15 (*P G* 35, col. 681 A 5 - 684 B 2) ; Stein, *Bas-Empire*, I, p. 159-
170 ; 176-177 et 365-378.
2. Théodoret, *Hist. ecclés.*, IV, 21, 3-14 (éd. L. Parmentier,
p. 247, 8 - 249. 14).
3. *Id.*, IV, 22, 1 (p. 249, 15-19).

« Après que je vous ai fait le portrait du philosophe, — c'était
la première partie de mon discours —, en avant ! à la lumière de
celui-ci, examinons notre conduite !... même si l'un ou l'autre détail
de ce portrait me met mal à l'aise et me prend en défaut... » (§ 13).

Suit une énumération littérairement brillante des manœuvres hostiles à Grégoire : reproches et méchants
propos l'accusant d'ignorance, d'indigence, d'origine provinciale, de vieillesse et de mauvaise santé (§ 14) ; intrigues
destinées à l'évincer du trône épiscopal, de sa préséance
(§ 15), à l'éloigner des autels, de la Ville et de ses biens
(§ 16), à détourner de lui ses amis et à fermer devant lui
leurs maisons (§ 17)... On peut sûrement y voir une série
de mauvais procédés dont Grégoire a pu être l'objet de
la part de Maxime ou des partisans de ce dernier.

M.-J. Szymusiak dresse comme suit le dossier des
discours tournant autour de l'affaire : *Discours* 25 (éloge
du philosophe cynique) ; 26 (contre-éloge du philosophe
chrétien) ; 23 (à l'occasion de la réconciliation) ; 21 (éloge
d'Athanase) ; 24 (bienvenue à un groupe d'Égyptiens)[1].
Il est, en effet, impossible de limiter à la Ville et à la
communauté de Constantinople les tensions sous-jacentes
à ce qu'on sait ou qu'on devine de cette affaire. Mgr
Duchesne voyait ici un épisode de la lutte d'influence
séculaire opposant le siège d'Alexandrie à d'autres métro-
poles, notamment à Constantinople : « or ce Maxime
était le candidat de l'évêque Pierre (d'Alexandrie) pour
le siège de Constantinople », écrit à ce propos Mgr
L. Duchesne. « S'il se trouvait auprès de Grégoire c'était
pour lui souffler son évêché[2]. » Cette interprétation rend
parfaitement compte du fait que, dans ces circonstances,
Grégoire lui-même accorde peu d'intérêt à la personne de

---

1. Szymusiak, *Chronologie*, p. 184. Les *Discours théologiques*
seraient impliqués dans le même dossier parce qu'il y serait fait
allusion dans le *Discours* 26, 5 (*id.*, p. 185).

2. Duchesne, *Histoire ancienne*, II, p. 426.

Maxime, du moins dans le *Discours* 26, manifestement inspiré par les événements constantinopolitains dont ce même Maxime était le centre ou du moins l'instrument le plus voyant et le plus turbulent. Bien sûr, comme on l'a fait remarquer dans l'analyse du genre littéraire, l'habitude voulait qu'on ne nommât point le personnage visé par des reproches ; mais, ici, l'auteur parle généralement au pluriel de ses adversaires et des responsables de la cabale dirigée contre sa personne : ...« ils contestent sans résultat et ne savent même pas accomplir le mal qu'ils cherchent à faire » (§ 13, à la fin). Puis, dans l'énumération des mauvais coups dont il est victime ou au moins menacé, on trouve une seule apostrophe à la deuxième personne du singulier (§ 14-17) ; c'est à la fin du § 14, quand il veut opposer à ceux qui lui reprochent sa mauvaise santé, le ridicule d'une obésité présentée ironiquement comme la rançon d'une gourmandise malsaine (fin du § 14). La pointe finale de ce tableau oratoire de style assez déclamatoire (§ 18) prend aussi la forme d'une interrogation, adressée cette fois au parti comme tel de ses adversaires : « Vous, naguère membres du Christ, membres qui m'étiez chers... comment avez-vous dressé autel contre autel ? Comment avez-vous provoqué la rupture ?... J'accuserai votre malice. »

Tout ceci indique que même les incidents ecclésiastiques qui ont servi de prétextes à la composition des *Discours* 25 et 26 ne peuvent être réduits à de simples affaires personnelles ni à des questions d'intérêt purement local. Nous l'avons montré pour ce qui concerne la doctrine traitée. Cela paraît tout aussi sûr pour ce qui regarde les faits. Il est probable que les recherches entreprises à l'université de Bâle, sous la direction du Professeur B. Wyss, sur les poèmes *de episcopis* (*Carmina* II, 1, 12 et 13) apporteront des lumières nouvelles sur la petite histoire de ces grands événements. Il faut attendre.

Ajoutons qu'il serait illusoire de penser qu'on puisse jamais en avoir le cœur net en se contentant de traiter les

quelques œuvres conservées de l'année 380, comme s'il
s'agissait de tous les discours prononcés par Grégoire
cette année-là. Le *Carmen de vita sua* fait état d'autres
discours liés plus ou moins directement à l'affaire Maxime
ou à ses séquelles[1]. Comment et pourquoi les textes conser-
vés ont-ils été sélectionnés ? Et par qui ? La réponse
à ces questions est liée aux circonstances historiques dont
on vient de traiter, ainsi qu'au problème de la constitution
du *corpus* des Discours de Grégoire.

III. Le philosophe Héron-Maxime

Comme on l'a lu plus haut, nous admettons l'identité
du personnage visé par les *Discours* 25 et 26, sous le nom
de Héron, que lui donnent tous les témoins collationnés
du premier de ces deux textes, « l'éloge du philosophe
Héron », ou sous celui de Maxime, sous lequel il est désigné
dans le *Carmen de vita sua* (*Carmina* II, 1, 11, vers 763 (?),
810, 1037). Il reste à préciser sur quelles bases se fonde
l'identification et ce qu'on sait du personnage.

1. Un seul personnage

La première question posée au sujet de l'identité du
personnage visé par le *Discours* 25 est celle-ci : s'agit-il
de Maxime, l'intrigant dont Grégoire dit tant de mal dans
sa biographie et si peu de bien dans le *Discours* 26 ?
L'identification de Héron-Maxime est établie par deux
textes et confirmée par une chaîne d'observations permettant de considérer la réalité du fait comme très probable.

---

1. GALLAY, *Vie*, p. 170 : commentaire du *De vita sua* (*Carmina* II,
1, 11, v. 1044-1061 : éd. Ch. JUNGCK, p. 104) ; cf. *id.* v. 1113-1116
(?), et 1818-1856 (p. 108, et 142-144).

1. Le premier texte se lit dans le *De vita sua* (*Carmen* II, 1, 11, v. 954-967), dans un contexte rappelant les faits marquants du ministère de Grégoire à Constantinople comme évêque de la communauté nicéenne de 379 au 26 novembre 380, comme évêque de Constantinople ensuite, jusqu'en été ou à la fin du printemps de 381 :

« Qu'arrive-t-il donc ? Toi-même, ce personnage, n'est-ce pas hier encore que tu le tenais pour un de tes amis et que tu le jugeais digne des plus grandes louanges ? » objecterait sans doute l'un de ceux qui savent cela et me reprochent la crédulité excessive de cette époque, sous l'effet de laquelle j'accordais mon estime même aux pires des « chiens ».

Je ne m'aperçus pas de (ma) regrettable inconscience[1]. Je fus berné, comme Adam, par une mauvaise appréciation : il avait l'air beau le bois amer !

L'apparence de la foi, dont on ne voyait rien au-delà d'un air extérieur et de paroles, me berna. En effet, rien de plus crédule qu'un homme loyal qui — louable sentiment ! — éprouve facilement de la sympathie pour la piété réelle ou feinte. Car, ce qu'il veut (croire) chacun se le fait accroire !

L'autobiographie de Grégoire n'est pas tendre, en effet, pour celui qu'elle nomme Maxime. Et l'on déduit de ce passage l'aveu fait par l'auteur lui-même de l'existence d'un éloge composé en l'honneur du même personnage[2].

2. Un passage du *De viris illustribus*, 117, de S. Jérôme corrobore cette déduction ; on peut y lire dans l'énumération des ouvrages attribués par le savant moine latin à son maître et ami, Grégoire de Nazianze : ... « un discours en l'honneur de Maxime le philosophe rentré d'exil, que

1. Littéralement : « J'ignorai une ignorance digne de reproche ».
2. Sajdak, « Quaestiones Nazianzenicae. I. Quae ratio inter Gregorium Nazianzenum et Maximum Cynicum intercedat », dans *Eos*, 15 (1909), p. 44-46, admet l'hypothèse que Grégoire écrivit deux « éloges » distincts, celui de Héron et un autre, perdu, de Maxime. L'examen du genre littéraire de la pièce conservée rend peu consistante cette hypothèse du savant polonais.

d'aucuns ont intitulé du pseudonyme de « Héron », parce qu'il y a aussi un autre livre contenant une vitupération du même Maxime, comme si cela n'irait pas de louer et de vitupérer le même (personnage) selon les circonstances[1]. »

Le poids de ce témoignage tient à son ancienneté : P. Nautin a montré qu'il est de 393[2]. Il « est d'une grande importance », note P. Gallay, « car il émane de quelqu'un qui séjourna à Constantinople, à cette époque même et qui fut un des familiers de Grégoire »[3]. Il faut bien noter ce détail : ce témoin de 393, est un admirateur et « un des familiers de Grégoire ». Sa déclaration est formelle et elle éclaire les vers du *De vita sua* ; suivant Jérôme, 1o Maxime et Héron sont un seul et unique personnage ; 2o Héron est un pseudonyme.

3. L'hypothèse a été corroborée par un texte repéré grâce à la sagacité philologique de B. Wyss, le savant helléniste de l'université de Bâle, dans un poème *Contre ceux qui m'en veulent*, v. 14-15 (*In invidos, Carmina* II, 1, 40, *PG* 37, col. 1337-1339). Grégoire s'adresse ici à ceux qui se sont faits ses juges et qui ont été « l'enfer de sa carrière » (v. 4) ; l'antipathie de ceux qui lui en veulent s'acharne, bien qu'il ait renoncé à ses activités ; les contrariétés endurées sont publiques : impossible de garder le silence (v. 5-13). Ce contexte introduit ceci :

> Le comble de la malice, le ... — pour ne pas me souiller la langue — (disons) l'hypocrite (εἴρων') par son langage et par son nom, la bête venimeuse, le laboratoire terrible et horrible de la malveillance, la stèle récapitulant tous les maux existants, celui qui ne devrait même pas s'approcher des portes sacrées, on l'a préféré à mes luttes et aux peines que cette chevelure s'est données, aux rites de supplication et de purification que j'ai accomplis ! » (vers 14-22).

---

1. Texte latin dans GALLAY, *Vie*, p. 163, avec commentaire.
2. NAUTIN, *La date*, p. 33-34.
3. GALLAY, *Vie*, p. 163.

La suite rappelle que Dieu connaît les secrets du cœur de Grégoire aussi bien que les intrigues de ceux-là, « qui tournent leurs regards vers un seul objet, la sécurité de leurs trônes (épiscopaux) » (vers 23-28). En compensation de leurs méchancetés, l'auteur demande à posséder Jésus-Christ en partage dans l'autre monde (vers 29-33).

La découverte du Professeur Wyss fut publiée par son élève, Mme M.-M. Hauser-Meury, avec le commentaire suivant : « Au vers 15, les Mauristes donnent εἴρων pour un nominatif, traduit comme participe présent du verbe εἴρω, dépendant de χράνω et se rapportant à Grégoire : *ne polluerem linguam inserendo sermonibus vel ipsum nomen*. Dans ce cas, εἴρων devrait cependant avoir été construit avec l'accusatif : εἰς λόγον. Plus loin la suite des idées n'est pas claire : où se trouve le nom de Maxime, auquel il doit être fait allusion d'une manière ou d'une autre pour que l'incise ὡς ἂν μὴ ... ait un sens ? B. Wyss restaure l'accusatif exigé par la langue et par le sens, au moyen d'un signe d'apostrophe :

v. 14 τὸ τῶν κακῶν κάκιστον — ὡς ἂν μὴ χράνω
τὴν γλῶσσαν —, εἴρων᾽ ἐν λόγῳ καὶ τοὔνομα
τὸ πλῆρες ἰοῦ θηρίον...

Maxime est ainsi nommé εἴρων ... τοὔνομα. Dans cette désignation se trouve formulé explicitement — encore que travesti pour éviter à Grégoire de se souiller la langue — le nom de Maxime. Et c'est en réalité le nom de Ἥρων qui s'y trouve. Car εἴρων (« Tartuffe », « hypocrite ») se prononçait au ive siècle exactement comme Ἥρων, à savoir « iron »[1].

En publiant cette exégèse du Professeur B. Wyss, Mme Hauser-Meury note qu'en réalité cela se passe de telle façon que Maxime à côté de son nom romain portait

1. Hauser-Meury, *Prosopographie*, p. 120, n. 231.

le nom de « Héron ». La reconstitution du vers 15 εἴρων'
(= Ἥρωνα) donne un sens à un texte qui n'en avait point
dans l'édition des Mauristes et elle renforce du même
coup l'interprétation donnée par les Mauristes eux-mêmes
au vers 16, où ils identifient la « bête sauvage » θηρίον
avec Maxime[1]. Toute la pièce s'explique finalement
comme ceci : rentré dans son pays natal, après avoir quitté
Constantinople, Grégoire devait se rendre compte que des
évêques lui avaient préféré Maxime, c'est-à-dire avaient
reconnu ce dernier comme évêque de Constantinople à sa
place. Cela s'était passé au concile d'Aquilée à l'automne
de 381[2]. B. Wyss a fourni la clé de l'énigme du *Carm*. II,
I, 40, vers 14-15, confirmé les informations tirées de
S. Jérôme et mis un point final à la vieille polémique
relative au philosophe visé par le *D*. 25 (Sinko, *De traditione*, I, p. 75). Pourtant si l'on orthographie le nom du
personnage de la façon traditionnelle : Ἥρων (pour
Sinko suivant le *ms. Paris. gr.* 510 et le *Vindobon. gr.* 126)
ou Ἡρῶν (pour la *Patrologie grecque*, qui suit les Mauristes),
l'exégèse de M. Wyss se heurte à une difficulté qu'on a,
semble-t-il, sous-estimée. En effet, le jeu de mots sur εἴρων'
ἐν λόγῳ καὶ τοὔνομα n'est possible que sur le nom Ἥρων
(= « iron »), tel qu'il se lit dans un rameau représentatif
de notre tradition manuscrite — les mss. Q et W. C'est
pourquoi la leçon Ἥρων a été adoptée dans le titre de
cette édition du *D*. 25, bien qu'on conserve en latin et
en français l'usage de S. Jérôme, qui impose une fois de
plus l'usage scolaire traditionnel, comme une « vulgate ».

4. Ch. Jungck découvre un passage du *De vita sua*
(*Carmina* II, 1, 11, vers 1518-1521) qui corrobore l'exégèse
que B. Wyss a faite des vers qui viennent d'être expliqués

---

1. *PG* 37, col. 1338, n. 16 au v. 16.
2. Hauser-Meury, *Prosopographie*, p. 121 ; cf. Bardy et Palanque, *Hist. de l'Église*, III, p. 293 : il y aura à revenir sur cette affaire
d'Aquilée plus loin.

ci-dessus. Il s'agit cette fois de Mélèce (Mélétios), l'évêque d'Antioche, qui se trouve au centre de la célèbre « affaire d'Antioche » qui avait secoué l'Orient et l'Occident au moment du Concile de Constantinople (381) ; dans cette affaire Grégoire avait pris le parti de Mélèce. Après avoir fait l'éloge de ce dernier, il note entre parenthèses :

« Qui n'a reconnu celui que ces propos visent, l'évêque d'Antioche, qui était ce que désigne le nom qu'il porte et qu'on nomme ce qu'il était ? Il avait, en effet, du miel *(Melitos)* les qualités et le nom » (vers 1518-1521).

Sacrifiant la poésie à cette fausse rhétorique qui recherche l'énigme comme agrément du style, l'auteur est ici plus rhéteur que poète[1]. Il démonte le mécanisme verbal sur lequel repose un jeu de mots énigmatique analogue à celui du *Poème contre ceux qui lui en veulent* (*Carmen* II, 1, 40, v. 15) mis en lumière par B. Wyss. Cette dernière confirmation corrobore encore la conclusion déjà établie : le personnage visé dans nos *Discours* 25 et 26 est le seul et unique Héron-Maxime. Mais les quelques lignes sur Mélèce posent une nouvelle question : quel est le nom véritable et quel est le pseudonyme, le surnom ou le sobriquet du personnage ? Héron ? Maxime ? C'est ce qui reste à examiner maintenant.

2. Héron-Maxime

Il faut revenir sur les deux passages des poèmes invoqués plus haut comme confirmation de l'identité du personnage Héron-Maxime : dans le *De vita sua*, *Carmen* II, 1, 11, v. 1518-1521, l'énigme est assez simple pour permettre à quiconque de retrouver le nom de Mélèce Μελέτιος travesti en « miel » μέλιτος ; et dans le *Carmen In invidos*, II, 1, 40, v. 15, celui de Héron Ἥρων travesti en « Tartuffe »

1. Cf. Hauser-Meury, *Prosopographie*, p. 121-122.

εἴρων. Dans le premier cas, aucune hésitation possible : Mélèce est le nom du personnage[1]. Pourquoi n'en serait-il pas de même dans l'autre cas ? Pourquoi « Héron » serait-il un pseudonyme ? La question se pose et ne peut être éludée.

La réponse est fournie d'une part par les textes, d'autre part par une tradition qui remonte à S. Jérôme.

Le *Carmen* II, 1, 40, v. 15, fournit deux données explicites : premièrement l'accusatif τοὔνομα indique qu'on a affaire ici au nom du personnage ; deuxièmement le datif τῷ λόγῳ que D. Wyss et M.-M. Hauser-Meury traduisent par « dans son discours » au sens de (« tartuffe » ou hypocrite) « dans son langage »[2] pourrait à la rigueur se traduire par « en renom » et signifier que « Héron » est un nom célèbre dans son milieu et dont on parle[3].

Par contre, le *Carmen de vita sua* (*Carmina* II, 1, 11, v. 810, et 1037) ainsi que le *Poème Contre Maxime* (*Carmina* II, 1, 41, v. 1, 21 et 32, *PG* 37, col. 1039-1041) emploient le nom de « Maxime » plusieurs fois. Les deux poèmes l'emploient même au pluriel : le premier cas se trouve dans un contexte où l'écrivain présente l'intéressé comme un être vulgaire et efféminé (*De vita sua*, v. 750-764) et conclut que la mode de se farder s'étend à cause de lui du monde féminin au monde masculin. Pourquoi réserver les fards aux dames « comme si le genre masculin n'avait pas lui aussi *des* « *Maxime* » ? » (v. 963, éd. Ch. Jungck,

---

1. Jungck, *De vita sua*, p. 214.
2. On trouve une énigme littéraire analogue en prose dans le *Discours* 5, *Contre Julien*, II, chap. 16 (*PG* 35, col. 684 C 1-8), où Constantinople est désignée comme « cette cité dont le nom, rappelant celui de son père (Constantin) et le sien (Constance), évoque la grandeur » ; cette figure de rhétorique est recommandée par Grégoire lui-même pour « égayer » le style des lettres, à condition de ne pas en abuser (*Lettre* 51, *A son neveu Nicobule*, § 5-6 : éd. P. Gallay, Paris 1964, p. 67).
3. Cf. Sozomène, *Hist. eccl.*, II, 3, 4 (éd. J. Bidez, p. 52, 7) : ἄνδρας ἐν λόγῳ « des gens en renom » (traduction de G. Dagron, *Naissance*, p. 122, avec commentaire p. 121-124).

p. 90-91 ; formule interprétée par M. Jungck par « des gens comme Maxime » *Leute wie Maximus*). Tournure analogue dans un second passage (*Contre Maxime*, v. 27) : il s'agit ici des auditeurs rassemblés par le rival de l'auteur, ils sont nombreux : « il y a *beaucoup de ‘ Maxime ’* et de désaxés » (*Carmen*, II, 1, 41, v. 21-27 : *PG* 37, col. 1341). Dans tous ces cas, les contextes sont défavorables au personnage visé ; cela va de la réprobation aux reproches et aux sarcasmes. Pas une fois l'écrivain n'a formulé la crainte de « se salir la langue » en citant ce nom, comme c'était le cas dans le *Poème contre ceux qui lui en veulent* (*Carmen* II, 1, 40, v. 14-15), où le nom de Héron se trouve travesti. « Maxime » serait-il un mot réservé au reproche et à la vitupération ? Le mot serait-il assez chargé de réprobation pour permettre à l'écrivain de le placer par exemple sur le même pied que les noms des dieux égyptiens dont il affuble les délégués de S. Pierre d'Alexandrie impliqués dans le sacre de Maxime (*De vita sua: Carmen* II, 1, 11, v. 837-843) ? Maxime serait-il le sobriquet malveillant sous lequel Grégoire désigne le philosophe cynique Héron après la trahison de celui-ci ?

La question méritait d'être posée, pour signaler l'étrangeté du cas. Mais les témoignages des autres sources, dont l'une est peut-être antérieure au *De vita sua*, désignent le personnage visé dans le poème par le même et unique nom de Maxime. C'est le cas du *De viris illustribus*, 117, de S. Jérôme ; c'est aussi le cas du quatrième Canon du concile de Contantinople, dont il sera question dans le paragraphe suivant consacré à l'affaire Maxime[1].

---

1. L'étrangeté du cas ne justifie toutefois pas les hypothèses pleines de fantaisies identifiant Maxime, supposé être l'auteur du *Discours* 25, avec Évagre le Pontique (cf. *Antonianum*, 44 (1969), p. 344, et 346-347 ; 48 (1973), p. 476-477 ; 54 (1979), p. 288-337). Nous renvoyons à ce sujet aux remarques de M. V. Tiftixoglu, dans *BZ*, 65 (1972), p. 184 ; et 68 (1975), p. 170.

3. L'affaire Maxime

Mme Hauser-Meury a rassemblé sous le lemme *Maximus.
II.* les données prosopographiques relatives à « Héron-
Maxime le Cynique »[1], et elle ajoute que la même matière
a été traitée en détail dans toutes les biographies de saint
Grégoire, en dernier lieu par P. Gallay[2]. La bibliographie
fait état, en outre, d'ouvrages généraux d'histoire de
l'Église qui ont porté leur attention sur les relations entre
les Églises d'Alexandrie et de Constantinople, dont la
célèbre « affaire Maxime » fut un épisode[3]. On a vu plus
haut que la personnalité de ce philosophe est un cas
permettant aussi d'analyser les courants culturels qui
marquent l'histoire générale du IVe siècle[4]. Les ouvrages
consacrés à ces matières pourront répondre aux curiosités
ou du moins orienter les recherches dans les domaines de
la carrière et de la personnalité du philosophe Héron. Il
suffira d'indiquer ici brièvement les points de repère
essentiels fournis par les sources. On ne demandera pas
plus à cette introduction. En effet, pour situer dans l'histoire le personnage visé par nos *Discours* 25 et 26, il est
nécessaire, mais il suffit, de rappeler quelques faits connus
soit par ces *Discours* mêmes, soit par des poèmes de
Grégoire, son *De vita sua*, le poème *Contre ceux qui lui
veulent du mal* et le *Contre Maxime*, soit encore par des
documents plus officiels tels que le *Quatrième Canon* du
Concile de Constantinople de 381, ainsi que les Lettres
(*Lettre* XIII de S. Ambroise de Milan et *Lettres* V et VI
du Pape Damase de Rome) relatives aux démarches de
l'évêque Héron-Maxime en Occident après le concile de
381.

1. Hauser-Meury, *Prosopographie*, p. 119-121.
2. Gallay, *Vie*, p. 159-173 ; Tillemont, *Mémoires*, IX, p. 712-
713; et p. 444-456 ; 474 ; 501-503 ; 536 et 715.
3. G. Bardy et J. R. Palanque, *Hist. de l'Église*, III.
4. Dagron, *Thémistius*, p. 42-60, notamment les polémiques sur
le rôle du philosophe.

A. *Carmen* II, 1, 11 : *De vita sua* (éd. Ch. Jungck)

Avant d'aborder l'analyse sommaire de cette pièce de 1949 trimètres ïambiques, il faut rappeler qu'elle est non seulement « l'unique autobiographie grecque en vers », mais, comme l'a montré le Dr Ch. Jungck elle est aussi une sorte de « plaidoyer *pro domo* ». Sans doute la structure générale ne répond pas parfaitement à cela et l'apologie personnelle n'occupe qu'une partie du poème ; mais, les parties non apologétiques, traitant de l'enfance, de la jeunesse, des études et de l'amitié de l'auteur pour Basile de Césarée, sont visiblement des digressions biographiques de style décousu et désordonné (sprunghaft)[1]. Ce genre hybride de l'auto-défense a aussi sa place dans la rhétorique du temps ; à preuves l'existence du *Discours* II *(De fuga)*, que l'éditeur, J. Bernardi, intitule « *Une justification* »[2], ou celle de l'autobiographie du sophiste Libanius[3]. La composition est enrichie d'une foule de digressions ou de « hors-d'œuvre » destinés sans doute à vaincre la monotonie d'une œuvre particulièrement longue et qui rompent fréquemment l'unité du plan d'ensemble ; celui-ci est foncièrement pragmatique — Ch. Jungck parle élégamment d'un « anti-plan »[4] —. Voici comment il se présente :

1. v. 1-50 : exorde et entrée en matière ;

2. v. 51-551 : première partie principale, la période antérieure à l'arrivée à Constantinople ;

3. v. 552-1918 : seconde partie principale, les activités de Grégoire à Constantinople (années 379-381) :

1. Jungck, *De vita sua*, p. 13-20.
2. Bernardi, *Discours 1-3*, p. 85.
3. Libanius, *Autobiographie*, 1, 1 *(Oratio I*a*)*, éd. J. Martin et P. Petit, I, Paris 1979. Cf. l'Introduction par P. Petit (p. 3-30), et P. Petit, *Libanius*, p. 21.
4. Jungck, *De vita sua*, p. 16.

  A. au sein de la communauté de l'Anastasia (v. 552-1272) ;
  B. à la tête de l'Église officielle (v. 1273-1918) ;

  4. v. 1919-1949 : épilogue ex abrupto[1].

Le passage consacré aux intrigues reprochées au philosophe constitue une tranche de 385 vers (v. 728-1112). Il est introduit par une transition pesante mettant en cause la propre inexpérience de l'auteur (v. 731) et l'action diabolique, sources de tous ses ennuis (v. 738), puis évoquant les plaies d'Égypte (v. 738-749). L'histoire des relations avec Héron-Maxime est ensuite développée en huit épisodes :

  1. v. 750-772. Un philosophe ambulant, d'origine égyptienne, faisant profession de « cynisme », efféminé, fardé comme une coquette, portant un chignon de cheveux châtains nattés et se donnant des airs de sagesse en agitant un bâton et les boucles de sa chevelure, au demeurant un être sensuel : voilà le portrait du personnage.

  2. v. 773-833. Sa première perversité est son hypocrisie. Lui, qui avait eu affaire à la justice, se fait passer pour si vertueux qu'il met Grégoire lui-même dans son jeu (v. 773-807) ; le voilà qui partage sa table, son gîte, ses idées et les causes qui lui tiennent à cœur ; il est secondé dans cette mystification par un ecclésiastique de haut rang appartenant à l'Église locale.

  3. v. 834-864. Débarquent à Constantinople des marins (ou des navigateurs) égyptiens à la solde des adversaires de Grégoire : c'est le premier incident révélateur (v. 834-844) ; des évêques les suivent et, derrière eux, se devine l'influence ambiguë de S. Pierre d'Alexandrie. La duplicité de ce dernier demande quelques explications.

  4. v. 865-923. Un prêtre arrivant de Thasos avec une somme d'argent destinée à l'achat de marbres prend le parti de l'Égyptien et l'argent dont il dispose permet de soudoyer des gens qui vont sacrer le philosophe (v. 865-897) ; la cérémonie a lieu nuitamment, mais elle provoque l'émoi et l'intervention tumultueuse du clergé fidèle à Grégoire, de notables, de certains étrangers et même d'hérétiques ; cette manifestation interrompt le sacre, qu'il faut donc aller terminer ailleurs.

  5. v. 924-1000. Contre l'intrigant devenu évêque à la sauvette, sarcasmes et reproches s'accumulent ; les yeux s'ouvrent et Grégoire, bien qu'il soit la victime dans cette affaire, est vivement critiqué pour avoir fait confiance et avoir précédemment fait l'éloge du

---

1. *Id.*, p. 17-18.

personnage (v. 924-968). Qu'on lui pardonne d'avoir parlé avec trop
de candeur et de hâte, car ses intentions étaient pures !

6. v. 1001-1029. Comme Théodose et sa suite tiennent leur cour
à Salonique, l'intrigant et ses consécrateurs s'y rendent dans l'intention de faire reconnaître la légitimité du sacre conféré et reçu (v. 1001-
1008). Ils sont éconduits et l'intrigant se rend à Alexandrie : là il
réclame à S. Pierre le trône que celui-ci avec autant de légèreté que
d'inconséquence lui avait promis, soit le siège épiscopal de Constantinople soit celui d'Alexandrie même ; pour éviter l'émeute, l'Autorité
civile expulse le philosophe et les siens.

7. v. 1030-1112. La mésaventure a fait réfléchir Grégoire et l'a
rendu prudent ; malgré la sollicitude de ses amis, il décide de se
retirer. Un mouvement unanime de sympathie de toutes les catégories
de fidèles le force à surseoir à son départ ; il reste provisoirement à
l'Anastasia pour y prêcher le dogme de la Trinité.

Forcément l'analyse ne rend pas compte de la verve
parfois sarcastique et satirique de plusieurs passages.
Il y en a de très brillants. Ici pourtant ce n'est pas le style
qui importe ; mais, les faits relatés et leur enchaînement.
Présentés comme ceci, les faits rapportés permettent de
situer le *Discours* 25 dans la deuxième phase du développement (v. 773-833) ; quant au ton et au sujet du *Discours*
26, ils peuvent correspondre à un climat psychologique et
socio-religieux analogues à celui qui est évoqué dans les
v. 924-1000 (phase n⁰ 5) ou 1030-1112 (phase n⁰ 7).

B. *Carmen* II, 1, 41 : *Contre Maxime* (*PG* 37, col. 1339-
1344).

Petite composition satirique de 65 vers ïambiques
conforme au genre des satires construites suivant des
schémas à rapprocher de la chrie de type logique dont
traitent plusieurs rhéteurs en soulignant que la plus
grande liberté est toujours laissée à l'auteur en fonction
de son sujet[1]. Le développement est très simple :

1. Nicolas le Sophiste, *Progymnasmata* (éd. L. Spengel, *Rhet.
gr.*, III, p. 458-463 ; Martin, *Rhetorik*, p. 16-17 ; Volkmann, *Rhetorik*,
p. 257.

1. v. 1-20. L'exposé des faits : Maxime s'est fait écrivain, mais il n'y connaît rien.

2. v. 21-38. L'effet produit : Maxime en écrivant se fait applaudir par les gens de son espèce — des « Maxime » et des désaxés, il y en a beaucoup — ; il manifeste sa suffisance aux gens sages ; il cause du chagrin à Grégoire, qui se console en écrivant à son tour.

3. v. 39-53. La cause n'est pas le talent, puisqu'il exerçait le métier de philosophe ambulant pour se nourrir naguère avant de se prétendre inspiré ! Son inspiration lui vient-elle d'un cercle d'admiratrices âgées ?

4. v. 54-61. L'objet : qu'écrit-il ? Ou plutôt, contre qui écrit-il ? Contre un auteur doué, avec lequel il est bien incapable de se mesurer (= Grégoire lui-même).

5. v. 62-65. Le but : pourquoi écrit-il ? Pour obtenir une réplique de ceux qui d'ordinaire le prennent pour un chien ? Très bien ! C'est fait.

La pièce implique l'existence de vers polémiques attribués à « Maxime » (des « Maxime » il y en a beaucoup !) ; dans l'épilogue ces vers sont comparés aux gestes téméraires ou inconscients de l'impotent poussé par l'« hybris » qui provoquent la riposte d'un lion (v. 61-63). Cette réplique, que Grégoire, « pour qui écrire est une (seconde) nature » v. 55-56, lui administre avec verve peut être le *De vita sua*. Là comme ici (v. 37-38), il déclare écrire pour chercher à se consoler des dénigrements dont il est injustement l'objet (cf. *De vita sua*, v. 6-8, 45, 46-51, et 559-561).

C. *Carmen* II, 1, 40 : *Contre ceux qui lui en veulent* (*PG* 37, col. 1337-1339).

Pièce de 33 vers ïambiques, de genre analogue à celle qui précède. On en a parlé plus haut. Voici ce qu'on y trouve :

1. v. 1-13. Les faits : des gens prétendent juger et condamner Grégoire ; ils disent encore du mal de lui après qu'il a renoncé aux affaires ; leurs mauvais sentiments les suivront dans leurs tombes.

2. v. 14-22. Le cas d'espèce : le pire d'entre eux est « l'hypocrite »,

que l'on a préféré à Grégoire, malgré le bien accompli par ce dernier ; son nom est travesti en *Eirona* (= Hérona : Héron).

3. v. 23-33. Conclusion. Prière à Dieu pour qu'il rétablisse l'équilibre des mérites dans l'autre monde.

Ce poème commenté comme on l'a fait plus haut, d'après B. Wyss, concerne le concile d'Aquilée, « dont la séance plénière se tint, d'après le texte des Actes qui a été conservé, le 3 septembre 381, dans la sacristie de la cathédrale »[1]... « l'imprudence d'Ambroise réveilla une autre source de discorde, la question du siège de Constantinople, qu'on pouvait croire définitivement résolue. Ce sont les intrigues de Maxime qui sont à l'origine de cette nouvelle complication : il s'était présenté devant les Pères d'Aquilée qui, sans prendre soin de vérifier ses assertions, avaient accepté sa version des événements et l'avaient accueilli comme l'évêque légitime de Constantinople[2] ».

Il existait cependant un canon du Concile de Constantinople, qui venait de se terminer au début de l'été, réglant définitivement le cas de Héron-Maxime ; c'est le canon n° 4 : « A propos de Maxime le Cynique et des désordres qui, à cause de lui, se sont produits à Constantinople, (nous déclarons) que Maxime n'a jamais été et qu'il n'est pas évêque, ni que ceux qu'il a ordonnés à quelque degré du clergé ne l'ont été ; tout ce qui a été fait à son égard ou qu'il a fait lui-même est sans valeur[3]. »

D. Ambroise, *Lettre* XIII, 3-5 (*PL* 16, col. 950-953, spécialement 951 A 1 - 953 A 5).

Après la séparation du synode d'Aquilée, une correspondance fut échangée entre S. Ambroise, parlant au nom de ses collègues, et l'empereur Théodose ; ces lettres d'Am-

1. Bardy et Palanque, *Hist. de l'Église*, III, p. 292.
2. *Id.*, p. 293.
3. I. Ortiz de Urbina, *Nicée et Constantinople* (Histoire des conciles œcuméniques, I), Paris, s.d. (1963), p. 285.

broise ont conservé une sorte de procès-verbal des travaux
de ce concile[1], et la *Lettre* XIII rapporte spécialement les
décisions de l'assemblée relatives à l'Église et au siège de
Constantinople[2]. « Texte étonnant parce qu'Ambroise y
parle comme un pape », note le Professeur Piganiol[3].
« Ambroise, entiché de Maxime, acceptait, pour plaider
cette cause, les racontars les plus absurdes[4] » : Maxime,
écrivait-il, était en communion avec le Pape Pierre
d'Alexandrie[5], l'ordination tenue secrète par suite de la
présence des ariens dans les sanctuaires officiels, mais
conférée *mandato tribus episcopis ordinantibus*[6], était
valide[7] et confirmée par le consensus populaire[8] ; l'épiscopat de Grégoire n'était pas régulier[9] et le conflit de juridic-
tion entre les deux hommes aurait dû normalement être

1. Piganiol, *L'Empire chrétien*, p. 227, et n. 174. R. Gryson
prépare l'édition critique des *Actes du Concile d'Aquilée* dans Sources
Chrétiennes : ses remarques aimables et érudites nous ont été très
utiles ; nous le remercions vivement de sa gentillesse.

2. Édition J. du Frische et N. le Nourry, Paris, 2 vol., 1686-1690
(= Mauristes) ; cf. O. Bardenhewer, *Patrologie* (Theologische
Bibliothek), Fribourg-en-Br. 1901², p. 387.

3. Piganiol, *op. cit.*, p. 227, n. 178.

4. Bardy et Palanque, *Histoire de l'Église*, III, p. 294.

5. *Lettre* XIII, 3 (col. 951 A 1-4).

6. Michaela Zelzer, *Probleme der Texterstellung im zehnten
Briefbuch des heiligen Ambrosius und in den Briefen extra collectionem*,
Vienne 1979 (= Extrait de l'*Anzeiger der phil.-hist. Klasse der
Oesterreichischen Akademie der Wissenschaften*, 115, 1978), p. 424-425,
corrige ici le texte de *PL* 16, col. 951 A 6-7, de la *Lettre* 13, 3. Elle
propose aussi de lire *se cre<a>tum* à la place de *secretum* ; cette
dernière conjecture ne s'appuie sur aucun argument paléographique :
le mot *secretum* est attesté par tous les ms. Il faut aussi remarquer
que l'idée d'une cérémonie secrète est clairement imposée par le
contexte (... *intra privatas aedes quia Arriani ecclesiae basilicas
tenebant...*). R. Gryson me confirme que la correction du mot *secretum*
n'est pas nécessaire.

7. *Lettre* XIII, 3 (col. 951 A 7-9).

8. *Id.*, 3 (col. 951 A 10-11).

9. *Id.*, 4 (col. 951 A 12 - B 7).

soumis au jugement de l'Église de Rome et de l'Occident[1] ;
en conséquence le synode d'Aquilée reconnaît Maxime
comme evêque légitime de Constantinople et exclut
Nectaire de la communion ecclésiastique[2].

A en juger par la correspondance de l'archevêque de
Milan — dans la mesure, du moins, où l'on peut en prendre
connaissance en attendant la publication des travaux du
Professeur R. Gryson et de Mme Michaela Zelzer[3] —, la
réponse de Théodose mit les choses au point conformément
au canon n° 4 du Concile de Constantinople. Ce dernier
incident semble avoir clôturé l'affaire et mis un point
final aux apparitions de ce « spectre égyptien[4] » dans les
sources d'époque.

E. Le dossier romain (*PL* 13, col. 365 A 1 - 370 B 1 :
   Lettres V et VI du Pape Damase).

V.-M. Merenda, le savant éditeur des œuvres de
S. Damase (Rome 1754 = *PL* 13), note que les *Lettres* V
et VI constituent sans doute les reliques d'une vaste
correspondance connue notamment par une lettre de
Nicolas Ier[5] et relative à l'affaire Maxime[6]. La *Lettre* V

---

1. *Id.*, 4 (col. 951 B 7 - 952 A 12).

2. *Id.*, 5 (col. 952 A 13 - 953 A 5). Nectaire avait succédé à Grégoire
sur le trône épiscopal de Constantinople, entre le début de juin et
le 9 juillet 381. On peut lire dans M. GÉDÉON, *Portraits patriarcaux.
Notices historiques et biographiques sur les Patriarches de Constantinople
de S. André à Joachim III (36-1884)*, Constantinople (Péra) 1885,
n° 34, p. 131-133, et n° 35, p. 133-141, les édifiantes notices sur
Maxime et sur Nectaire, comptés l'un et l'autre au nombre des
patriarches de la Ville (en grec).

3. Cf. plus haut p. 134, n. 6. Mme M. Zelzer prépare l'édition
critique de la *Correspondance* de S. Ambroise, dans le *Corpus* de
Vienne.

4. Poème *De vita sua*, v. 751 (éd. Ch. Jungck, p. 90).

5. Pape de Rome (24 avril 858 - 13 nov. 867) : Th. SCHIEFFER,
art. *Nikolaus I*, dans *L. f. Th. und K.*, VII, 1962 et 1968, col. 976-977.

6. Cf. V.-M. MERENDA, dans *PL* 13, col. 366, note b.

parle clairement d'un dossier sur cette question[1] : les
évêques de Macédoine l'ont mis au courant du cas d'un
philosophe cynique ordonné à la prêtrise à Constantinople[2] ;
cette ordination conférée « à la sauvette[3] » ne peut être
valide et est une source de dissensions ecclésiastiques ;
il ne faut pas le tolérer[4]. La suite met en cause la présence
sur le trône épiscopal d'un évêque transféré d'ailleurs :
reproche qui vise évidemment la personne de Grégoire
de Nazianze[5]. La *Lettre* VI recommande au destinataire
le porteur du message[6] et confirme ce qui a été répondu
ailleurs, sans doute dans la *Lettre* V, au sujet « du gaillard
chevelu nommé Maxime » *(nescio quem Maximum...
comatum)* ordonné évêque à Constantinople par un groupe
d'Égyptiens[7].

4. Grégoire de Nazianze et Héron-Maxime

Mêlé d'aussi près à l'histoire de Grégoire de Nazianze,
et à celles de Pierre d'Alexandrie et d'Ambroise de Milan,
Héron-Maxime tient naturellement une place dans les
travaux biographiques consacrés à ces personnages historiques. Ses partenaires interviennent dans l'histoire des
Églises de Constantinople, d'Antioche, d'Alexandrie et
d'Occident, à un moment où le Pouvoir, représenté par
Théodose I, s'attachait à donner une place officielle à la
religion et à l'Église dans l'Empire ; Héron-Maxime devait
par conséquent y jouer un rôle, lui aussi, et mériter par là
une mention dans les manuels d'histoire ecclésiastique et

---

1. *Lettre* V (col. 365 A 9) : « Decursis litteris dilectionis vestrae,
fratres carissimi... ».
2. *Id.* (col. 365 A 10 - 366 B 5).
3. *Id.* (col. 366 A 7-9).
4. *Id.* (col. 366 A 17 - B 2 ; et 367 A 13 - 368 A 9).
5. *Id.* (col. 368 A 10 - 369 A 6) ; et col. 368, note g.
6. *Lettre* VI (col. 369 A 13 - 370 A 8).
7. *Id.* (col. 370 A 9 - B 1).

d'histoire générale. Rôle secondaire, bien sûr. Celui de la « mouche du coche ». Est-il le « forcené » que décrit Grégoire[1] ? Ce n'est pas ici qu'il faut dresser un inventaire bibliographique ni faire la critique des ouvrages, pieux et autres, qui l'ont mis au pilori. Sa carrière ecclésiastique semble avoir été un échec ? La belle affaire ! Fut-il même ambitieux ? Il fut en tout cas malheureux. Ch. Jungck écrit à son sujet qu'il est peut-être apparu à l'avant-scène de l'histoire comme un phénomène peu réjouissant, « mais on se gardera de le juger sur base du portrait, entaché par l'animosité et la désillusion, que Grégoire fait de lui. Grégoire a dépassé la mesure dans la louange et dans l'outrage[2] ».

Ajoutons avec P. Gallay « que le cynique n'était pas dépourvu de connaissances théologiques et de valeur intellectuelle, puisque saint Jérôme cite de lui, et avec éloge, un livre contre les Ariens[3] ».

Nous nous gardons néanmoins d'accabler Grégoire de Nazianze. Au contraire ! Nous partageons sans réserve le sentiment de P. Gallay lorsqu'il traduit et commente comme suit le passage-clé du poème autobiographique de Grégoire sur cet épisode : « C'est avec une sympathie indulgente que nous prêtons l'oreille aux aveux et aux justifications de l'infortuné pasteur, quand il nous dit :

« Je fus victime d'une ignorance haïssable ; je fus trompé, comme Adam, par une erreur de mon goût. Cet arbre aux fruits amers était beau à voir ; je me trompai à l'apparence de foi qui se montrait jusque sur son visage et dans ses paroles, car rien n'est plus facile à persuader qu'un homme loyal qui se laisse aisément attirer par la piété, réelle ou apparente. Noble défaut : chacun ne croit-il pas ce qu'il désire ? Mais que fallait-il donc faire ? Dites-le moi, vous, les sages ! L'un de vous aurait-il, à votre avis, agi différemment ? Mon église était alors si petite que je ramassais tout, jusqu'à la

---

1. Poème *De vita sua*, v. 753 (éd. Ch. Jungck, p. 90).
2. Jungck, *De Vita sua*, p. 96.
3. Jérôme, *De viris illustribus*, 127 ; Gallay, *Vie*, p. 169.

paille ! Dans les temps difficiles, on n'a pas la même liberté d'action
que dans les circonstances favorables et lorsqu'on est à l'aise. C'était
déjà beaucoup pour moi de voir un cynique venir à mon bercail,
et adorer le Christ au lieu d'Héraklès ! Plus que cela, il avait été
exilé pour des crimes honteux, mais il faisait croire que c'était pour
Dieu qu'il souffrait ; il avait mérité la flagellation et je le prenais
pour un confesseur victorieux ! Si c'est là une chose répréhensible,
je sais que j'ai souvent commis des fautes de cette sorte. Pardonnez-
moi donc, juges, cette glorieuse faute ! C'était un scélérat et je
l'honorais comme un homme de bien[1] ! ».

5. Héron-Maxime et la tradition byzantine

Jean Tzetzes, le grammairien humaniste du xiie siècle,
attribuait à « un certain Maxime » les scolies ou « histoires
mythologiques » attribuées généralement au Pseudo-
Nonnos. J. Sajdak relève parmi les hypothèses destinées
à identifier ce « Maxime », celle de V. Ribbek attribuant ces
commentaires mythologiques à notre Héron-Maxime[2].
Pure présomption assurément, et pas invraisemblable *a
priori*. Mais rien de plus.

Dans une note au *Discours* 36, § 5 (*PG* 36, col. 271,
n. 74), les Mauristes font état d'une scholie byzantine
qu'ils attribuent à Élie de Crète et qui verrait dans Maxime
le Cynique, notre Héron-Maxime, le personnage évoqué
dans le texte de Grégoire comme un « serviteur du péché »
ou « un Jéroboam révolté » (col. 272 A 15 - B 4). Il s'agit
probablement de l'hypothèse formulée par un lettré
anonyme commentant ce passage dans les marges du
ms. Parisin. gr. 573, f. 197 : « C'est Maxime le Cynique
qu'il désigne en disant que le diable révolté contre lui a mis
une entrave à sa langue en l'empêchant d'affirmer publi-

---

1. Gallay, *Vie*, p. 168-169 ; cf. Grég. de Naz., *De vita sua*, v. 960-
982 (éd. Ch. Jungck, p. 100-102).

2. Sajdak, *Historia*, p. 7 et n. 2. Cf. J. Declerck, « Les commentaires mythologiques du Ps.-Nonnos sur l'homélie XLIII de Grégoire de Nazianze. Essai d'édition critique », dans *Byzantion*, 47
(1977), p. 92-93.

quement le message de l'orthodoxie ; (il le dit) « esclave du péché » c'est-à-dire de l'illégalité ou du diable lui-même, qui est le père et l'auteur du péché et qui est justement lui-même, le péché[1]. » J. de Billy admettait l'opinion exprimée ici par le scholiaste anonyme ; les Mauristes proposèrent pour leur part diverses hypothèses tendant à percer l'énigme du *Discours* 36, § 5 et à identifier l'adversaire visé par Grégoire. D'autres diront ce qu'il faut en penser. Pour ce qui nous concerne, il faut seulement noter ici qu'une tradition vivace prête à notre Héron-Maxime un rôle « diabolique ».

6. Maxime et l'« Histoire »

Parmi les historiens modernes, S. Lenain de Tillemont a composé la première synthèse de l'histoire de « Maxime le philosophe cynique, nommé peut-être aussi Héron »[2]. J. Sajdak notait au début de notre siècle que Maxime du *De vita sua* n'est ni le Maxime connu comme correspondant d'Athanase d'Alexandrie ni l'un des deux Maxime à qui écrivait S. Basile, ni Héron le philosophe loué dans le *Discours* 25[3]. P. Gallay et ensuite M.-M. Hauser-Meury ont mis sur ce point comme sur beaucoup d'autres de l'ordre dans les données des sources[4].

Dans le domaine de l'histoire ecclésiastique, Mgr Duchesne traite « l'affaire Maxime » comme un épisode de ce qu'il appelle « l'opposition alexandrine » contre Constantinople[5] : « De sa lointaine Alexandrie, le patriarche Pierre tenait l'œil ouvert sur ce qui se passait à Constantinople,

---

1. Sajdak, *Historia*, p. 103, note ; d'après l'édition de Bâle, chez Herwagen, 1571, I, p. 337.

2. Tillemont, *Mémoires*, IX, p. 712-713 : index ; et p. 444-456 ; 474 ; 501-503 ; 536 et 715, n. 1. Voir plus haut.

3. Sajdak, *Quaestiones Nazianzenicae*, p. 34-36.

4. Voir plus haut.

5. Duchesne, *Histoire ancienne*, II, p. 670.

et, toujours dominé par sa vieille rancune contre les Orientaux, jadis persécuteurs de son frère Athanase, il s'inquiétait de voir l'orateur cappadocien, l'ami de Basile et de Mélèce, en passe de recueillir à Constantinople la succession des ariens. Au premier moment, il avait écrit à Grégoire sur le ton le plus amical ; Grégoire de son côté prêchait le panégyrique d'Athanase. A l'Anastasis[1], on se croyait très sûr du côté d'Alexandrie. Aussi fit-on beaucoup d'accueil à un personnage pourtant bien singulier, qui venait de ce pays. C'était un certain Maxime, philosophe cynique, qui trouvait le moyen de combiner les observances de sa secte avec la profession du christianisme[2]. »

G. Dagron, examinant la même affaire sous l'angle plus général de la naissance du patriarcat de Constantinople et de la politique d'empire de Théodose, note comment Grégoire, mis en possession de Sainte-Sophie ou des Saints-Apôtres par le Pouvoir, le 27 novembre 380, et « forcé par ses fidèles à s'asseoir sur le trône épiscopal » ne devient officiellement évêque de la Ville qu'en mai 381, et que sa nomination est rapportée le mois suivant (ou du moins sa démission acceptée avec un empressement presque injurieux) après l'arrivée au concile de Constantinople de l'épiscopat d'Égypte et de Macédoine. « D'autre part l'opposition d'une grande partie de la Ville aux ' Nicéens ' se poursuit longtemps : on tente d'assassiner Grégoire »... « L'établissement de l'orthodoxie en 380 est donc, comme celui de l'arianisme en 360, une manière de coup d'État qui traduit les visées politiques de l'empereur sur Constantinople et brouille la Ville avec son Église officielle »... « L'Église de Constantinople... devient... par le biais de l'orthodoxie un protectorat de ce que l'on pourrait appeler l'Occident égyptien. A suivre pas à pas Grégoire de Nazianze dans le récit de ses aventures, on

1. *Sic.* Lire *Anastasia* au lieu de *Anastasis*.
2. Duchesne, *Histoire ancienne*, II, p. 425.

constate en effet que Pierre d'Alexandrie est l'arbitre de la situation »...[1]. Effectivement, après avoir soutenu Grégoire en 379, il organise le coup de force de Maxime en 380, et il sera au concile de Constantinople, qui siège entre le 31 mai et le 9 juillet 381, l'instigateur d'une opposition provoquant la démission et le départ de Grégoire de Nazianze. Et en replaçant les incidents de 380 dans la perspective du développement du patriarcat œcuménique, le savant byzantiniste constate que « la souveraineté d'Alexandrie en Égypte est évidente depuis Athanase. Le jeu diplomatique de ses évêques à travers toutes les crises que connaît l'Église au ive et au ve siècle vise à empêcher l'établissement d'une hiérarchie en Orient, dominée par Constantinople, qui ferait écran entre Alexandrie et Rome : contre l'arianisme qui triomphe à Constantinople, Athanase demande le soutien du pape et de l'empereur d'Occident ; au temps de Grégoire de Nazianze, Pierre d'Alexandrie veut faire consacrer Maxime dans la capitale, et Grégoire n'est soutenu ni par le pape, ni par Ambroise de Milan...[2] ».

1. Dagron, *Naissance*, p. 452-453, et les notes.
2. *Id.*, p. 481.

DISCOURS 25

LES SOURCES MANUSCRITES UTILISÉES

I. Les témoins collationnés

A = *Ambrosianus E 49-50 inf. (gr. 1014)* (xe s.)[1].

P. 367 a - 383 b. P. 375 et 376 une restauration semble indiquer qu'une miniature a été découpée dans le bas de la feuille : p. 375 a, la dernière ligne a été endommagée ; on peut à peine deviner le texte. Une image représente debout Grégoire et Héron, p. 378 dans la marge inférieure, en regard du texte des § 13-14 ; p. 383, Grégoire et six personnages debout.

Q = *Palmiacus gr. 43* (xe s.)[2].

F. 276^v-288. Un portique décoré d'arabesques orne le titre initial ; des lettrines à arabesques et des signes marginaux rares se rencontrent dans les marges ainsi qu'une glose (une seule) en petites majuscules écrite verticalement et quelques variantes marginales introduites par le signe ΓΡ(ἄφεται). Le *Discours* 25 porte ici le n° 21, avec indication de 14 f.

B = *Parisinus gr. 510* (ixe s.).

Les f. 346^v et 347^r sont vierges par suite d'une restauration ; le f. 347^v est orné d'une peinture dont on ne voit pas le rapport avec le texte contigu du § 3, note H. Bordier[3] ; le f. 353^r et ^{v} a été restauré le long du bord supérieur ; au f. 354^v le texte se termine sans titre final, par un simple bandeau.

1. Selon MARTINI et BASSI, *Catalogus*, p. 1086.
2. SAKKELION, *Patmiaki*, p. 33-34.
3. BORDIER, *Description*, p. 82 ; KONDAKOFF, II, p. 72 ; der NERSESSIAN, *The Illustrations*, p. 98-99.

W = *Mosquensis Synod. 64 (Vlad. 142)* (IXe s.)[1].

F. 158-164^v. Le titre est surmonté d'un bandeau et marqué du n° 21. Le titre final dans la même majuscule que le titre initial.

V = *Vindobonensis theol. gr. 126* (XIe s.)[2].

F. 136^v-142. A part une abondance de notes en minuscules particulièrement grande, tout est conforme à la description générale déjà faite plus haut. Il n'y a pas de titre final.

T = *Mosquensis Synod. 53 (Vlad. 147)* (Xe s.)[3].

F. 327^v-333^v. Les f. 327^v-331^r ont été collationnés à Moscou par notre collègue le Prof. Dr. I. Čičurov, que nous remercions très vivement de sa complaisance ; f. 331^v à 333^v, pas le moindre signe marginal.

S = *Mosquensis Synod. 57 (Vlad. 139)* (sans doute du IXe s.)[4].

F. 273^v-281^v. Les titres, initial et final, en petites majuscules étroites, semblent correspondre à celui qui a été noté par l'Archimandrite Vladimir dans son catalogue[5] ; le n° indiqué à côté du titre initial n'est pas lisible sur le microfilm à cause d'une tache, qui est peut-être sur le codex ; ce n° ne correspond certainement pas à celui qui est indiqué comme un titre courant au bord supérieur du recto des f., n° 37 ; ce dernier correspond à celui que le pinax du catalogue de l'Archimandrite Vladimir lui donne. Les notes sont relativement très abondantes dans les marges ; elles sont en diverses minuscules et on y discerne plusieurs mains (f. 273^v et 274^v notamment). Des scolies en petites majuscules sont disposées de façon à former des figures géométriques aux f. 273^v, 276^v, 277, 277^v, 278, 278^v et 280.

1. VLADIMIR, *Catalogue systématique...*, p. 148.
2. DE NESSEL, *Breviarium*, I, p. 208-213.
3. VLADIMIR, *Catalogue systématique...*, p. 152-153.
4. Cf. Introduction générale, vol. I, *SC* 270, p. 21.
5. VLADIMIR, *op. cit.*, p. 146, n° 37.

D = *Marcianus gr. 70* (xᵉ s.)[1].

F. 306-313ᵛ. Le nᵒ 40, donné au texte, sert de titre courant au recto de tous les f. A part l'abondance particulière des gloses marginales, il n'y a rien à ajouter à la description générale déjà faite. La stichométrie fait défaut.

P = *Palmiacus gr. 33* (de 941)[2].

F. 125ᵛ-129. Le texte a le nᵒ 37 ; la stichométrie (= 565) ne correspond pas à la réalité. Un bandeau épais orne le titre initial ; il est formé d'un rectangle d'entrelacs terminé de chaque côté par un demi-cercle et surmonté d'un motif formé par deux oies bec à bec de part et d'autre d'un bouquet central stylisé, ayant chacune derrière elle un bouquet formé de trois rameaux et une rosace. À part la présence de nombreuses scolies en petites majuscules qu'on trouve un peu partout, et quelques lignes qui semblent avoir été récrites au f. 125ᵛ dans le bas des colonnes a) et b), rien n'est à ajouter à la description générale.

C = *Parisin. Coislin. gr. 51* (xᵉ-xɪᵉ s.)[3].

F. 317-326. Le texte porte le nᵒ 37. Le titre initial est en majuscules de type droit assez large et de style sobre recherchant l'élégance et caractérisé par les hastes allongées des Φ, P et Λ. Le bandeau qui surmonte le titre est un rectangle décoré de cinq rosaces à l'intérieur et d'une plus petite à chaque angle. Les annotations sont extrêmement rares et discrètes. Le titre final est dans un type de majuscule à contraste de style relativement négligé.

II. Les deux branches de la tradition directe

Les collations révèlent un petit nombre d'accidents opposant de façon catégorique les groupes n et m, soit AQBWVT en bloc à SDPC en bloc ; notamment des variantes significatives :

1. Morelli, *Bibliotheca*, p. 68-69.
2. Kominis, *Nouveau catalogue*, p. 22.
3. Devreesse, *Fonds Coislin*, p. 47-48.

§ 1, 5 : n φιλόσοφον : m φιλοσοφίαν ;
§ 7, 2 : n βασιλεῖς : m βασιλέας ;
§ 12, 20 : n ἔνδον : m ἔνδοθεν ;

une inversion anodine :

§ 15, 31 : n εἰ καὶ : m καὶ εἰ ;

une omission d'un seul mot :

§ 4, 24 : n μέγα : m om. ;

une lacune de 18 mots :

§ 2, 8-10 : n Ναζηραίων... δ' : m om.

Ces constatations sont plus que des indices ; ces accidents constituent des marques de famille permettant de poser en hypothèse que les collections n et m, dont il a été question dans l'introduction générale des *Discours* 1-3, édités par J. Bernardi[1], jouent dans le cas du *Discours* 25 le rôle de familles que Th. Sinko leur assignait dans la tradition directe[2] : ici de prime abord, recueils et familles paraissent coïncider. Mais, on va voir tout de suite que les choses ne sont pas aussi simples et qu'il est nécessaire de nuancer cette répartition des témoins en deux familles.

Une deuxième série d'observations concerne la place à faire au témoin S. Bien que trois cas n'aient pas pu être élucidés par suite des difficultés de lecture de notre microfilm (§ 13, 18 : m (?) σου : om. n ; § 13, 21 : m (?) δέ : om. n ; et § 14, 3 : m (?) ἦν : om. n), les photos permettent de déceler des cas assez clairs où S, ayant reproduit d'abord le modèle de la famille m, a été corrigé ensuite d'après les leçons de la famille n ; ainsi la leçon conforme à DPC dans S_1 est maquillée dans S_2 et remplacée par celle de n, notamment dans les cas ci-dessous :

§ 2, 24 : S_1 λαμπροτάτῃ = DPC : S_2 λαμπρᾷ τῇ = n ;
§ 2, 27 : S_1 τινῶν = DPC : S_2 τινός = n ;
§ 6, 3 : S_1 στεφανώσας = DPC : S_2 στέψας = n ;

1. Grégoire de Naz., *Discours* 1-3, éd. J. Bernardi, Paris 1978, p. 53-62.
2. Sinko, *De traditione*, p. 149-151 et 167-168.

§ 7, 43 : S_1 οὐκ = DPC : S_2 μή = n ;
§ 16, 23 : S_1 οὐδέ = DPC : S_2 οὐ = n ;
§ 19, 3 : S_1 κατοικεῖ = DPS : S_2 οἰκεῖ = n.

Dans d'autres cas, l'inversion de deux mots fait passer
S du modèle de m à celui de n :

§ 12, 17 : S_1 οἰκτρῶς παρθένους = DPC : S_2 παρθένους οἰκτρῶς = n ;
§ 2, 28 : S_1 τὰ ἐκείνων = DPC : S_2 ἐκείνων τὰ = n.

Il arrive qu'une correction consiste à faire disparaître
un mot que S_1 avait en commun avec DPC et qui est
absent de n :

§ 5, 10 : S_1 ἐγγὺς ἧκον = DPC : S_2 ἐγγὺς = n ;
§ 6, 1 : S_1 ἐκείνων φησί = DPC : S_2 ἐκείνων = n ;
§ 11, 2 : S_1 ὑπὲρ τῆς = DPC : S_2 ὑπὲρ = n ;
§ 16, 12 : S_1 ἀλλὰ ἀληθῶς = DPC : S_2 ἀληθῶς = n.

Dans beaucoup d'autres cas, S a été retouché et corrigé
de façon à mettre S_2 en conformité avec le modèle du
groupe n, alors que S_1 appartenait clairement à m. Voici
à titres d'exemples :

1° des leçons de S_1PC remplacées dans S_2 par celles de
n S_2D :

§ 1, 11 : S_1 ἴσμεν γὰρ : S_2 ἴσμεν = nD ;
§ 6, 14 : S_1 ὁμιλήσωμεν : S_2 ὁμιλῶμεν = nD ;
§ 6, 19 : S_1 θέαμα : S_2 ὅραμα = nD ;
§ 6, 24 : S_1 ἅς : S_2 ἅ = nD ;
§ 7, 1 : S_1 καλὸν καὶ : S_2 καὶ = nD ;
§ 8, 1 : S_1 πασῶν τῶν : S_2 τῶν = nD ;
§ 12, 2 : S_1 χριστιανισμοῦ : S_2 χριστιανοῦ = nD.

Ces mêmes cas, soit dit en passant, posent la question
de la fidélité générale de D à un modèle de la famille m ;
il faudra revenir là-dessus ; mais, les exemples relevés
confirment qu'il faut placer le texte définitif de S (appelé
ici S_2 parce qu'on remarque les corrections) dans la famille
n ;

2⁰ des leçons (S₂ P₂) conformes à n ont été adoptées après correction dans S et P de la leçon commune à S₁ DP₁D ; en voici des exemples :

§ 1, 12 : S₁DP₁C θαύμασι : S₂P₂n πράγμασι ;
§ 12, 35 : S₁DP₁C ὀδύρεσθαι : S₂P₂n ὀδυράσθαι ;
§ 16, 3 : S₁DP₁C τό : S₂P₂n τῷ ;
§ 18, 3 : S₁DP₁C κινδυνεύσῃ : S₂P₂n κινδυνεύῃ.

Ces observations confirment l'hypothèse de la double appartenance de S : copié sur un modèle appartenant à la famille m corrigé par la première main ou plus tard d'après un modèle appartenant à la famille n. Elles posent aussi la question de la double appartenance de P (P₁ = m : P₂ = n), dont il faudra parler plus loin ;

3⁰ enfin des cas plus complexes où la leçon de S₂ s'aligne sur celle de n, alors que celle de S₁ est conforme à celle d'une partie de la famille m :

§ 4, 15 : S₁P₁C καὶ μεγέθει : nS₂DP₂ μεγέθει ;
§ 8, 9 : S₁P₁C δ' : nS₂DP₂ τε ;
§ 9, 15 : S₁P₁C δεινὰ : nS₂DP₂ τὰ δεινὰ ;
§ 11, 23/24 : S₁P₁C συγχρησάμενοι : nS₂DP₂ συγχρησάμενος ;
§ 12, 25 : SᵀP₁C ταῦτα : nS₂DP₂ τοῦτο ;
§ 19, 4 : S₁P₁C τῆς : nS₂DP₂ τῶν τῆς.

Toutes les observations mentionnées ci-dessus (1⁰, 2⁰ et 3⁰) confirment l'hypothèse de la double appartenance de S. Elles sont concordantes. L'argument est clair et net.

Avant de conclure, il convient toutefois d'examiner les lieux variants de S qui n'ont pas été pris en considération jusqu'ici, en laissant de côté les leçons non-significatives. On constate alors encore que les leçons de S, après correction par S₂ ou non, sont généralement conformes aux leçons communes du « groupe n ». Par exemple :

§ 6, 4 : τὸν ποιήτην nS₂ : φησι τῶν ποιητῶν S₁P τῶν ποιητῶν
φησι C φησι τὸν ποιήτην D ;

§ 12, 3/4 : τοῦ θεοῦ ναόν nS₂ : ναὸν τοῦ θεοῦ DPC ναὸν κυρίου S₁ ;
§ 9, 2 : ἀναστομοῦται nSP₂ : ... μοῦνται DP₁C ;
§ 9, 3 : ἄλλοις nSD : ἄλλος PC ;
§ 9, 4 : τε nSD : τε καὶ PC ;
§ 16, 22 : πατρὶ ... υἱῷ nSP : πατὴρ υἱός DC ;
§ 18, 6 : καμεῖν nSD₂P₂ : κάμνειν D₁C(P₁ ?) ;
§ 19, 1 : ἐκδημήσῃς nS₂D : ἐκδήμῃς S₁CP ;
§ 19, 23/24 : αἰῶνας nS : αἰῶνας τῶν αἰώνων DPC.

Le matériel collationné n'a cependant pas permis de préciser si des relations privilégiées existent entre S et une branche ou un rameau de la famille n. Quand des affinités privilégiées ont été constatées avec l'un des représentants de n, elles affectent l'ensemble de m, y compris S. Par exemple :

§ 1, 19 : μακαριότητος ABTm : μακαριότης QWV ;
§ 4, 15 : προαιρέσεως AWTm : προθέσεως QBV ;
§ 7, 8 : τὸν λογισμὸν AQBTD : τῶν λογισμῶν WVSPC ;
§ 7, 15 : καὶ τὰ AQBWTSDC : κατὰ VP ;
§ 10, 32 : ἀσεβέσιν AQ₁Bm : ἀσεβοῦσιν Q₂WVT ;
§ 15, 27 : εἰσαγάγωμεν (Q₁)VTm : εἰσάγωμεν ABW(Q₂ ?).

En conclusion, on se trouve en présence de deux familles, n et m ; S copié sur un modèle conforme à m a été corrigé d'une manière généralement conforme aux leçons de n. Cette contamination est assez importante et assez générale pour paraître systématique, c'est-à-dire méthodique et réfléchie. On peut résumer ces observations dans le schéma ci-dessous :

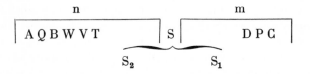

III. La famille m

Jusqu'ici, outre les conclusions relatives à S, transfuge de la famille m dans la famille n, on a constaté l'indiscipline qui se manifeste au sein du groupe m, spécialement dans les cas de D et P.

Des leçons ont été relevées plus haut où D suit n et S_2 contre le reste du groupe m (S_1PC)[1]. D commet encore d'autres « infidélités » du même genre sans qu'on puisse voir comment les contaminations s'expliquent. Pour se borner à des accidents significatifs et nets, voici quelques exemples limités à des cas où les témoins de n sont unanimes :

§ 15, 24 : παρακείμενα nDP_2 : προκείμενα SP_1C ;
§ 16, 3 : ἑαυτὴν nD : ἑαυτὴν τὴν SPC ;
§ 18, 6 : κρεῖσσον nD : κρεῖσσον γὰρ SPC.

Dans aucun cas, n'ont été relevés des indices susceptibles de préciser les affinités de D avec n et son indépendance par rapport à m. La contamination peut avoir été le fait d'un ascendant ou avoir eu lieu au moment de la copie. Les deux hypothèses restent vraisemblables.

Dans P, les traces visibles de corrections marginales ou interlinéaires, de grattages et de maquillages, sont beaucoup plus rares que dans S ; elles permettent cependant de constater une contamination du témoin par un modèle conforme aux leçons du groupe n. Des cas aboutissent à une contamination parallèle à celle de S. Ils ont été relevés plus haut[2]. Il y en a d'autres, par exemple :

§ 9, 2 : ἀναστομοῦνται DP_1C : ἀναστομοῦται nSP_2 ;
§ 15, 24 : παρακείμενα nDP_2 : προκείμενα SP_1C.

---

1. Cf. p. 146.
2. Cf. p. 147.

P a été corrigé ; c'est incontestable. A quelle époque ?
Il est impossible de le dire pour l'instant. Un correcteur
est intervenu à une époque plus récente que celle de la
copie, à en juger par la main qui a porté dans la marge
extérieure droite du f. 126 ᵛ, en regard d'un lieu variant
du § 7, la leçon différente de celle du témoin :

§ 7, 15 : κατὰ πάντα QVP : κατὰ τὰ πάντα ABWTSDC

et en marge de P κατὰ τὰ πάντα. Comme Q a une note analogue dans la marge du f. 280 bis/recto, écrite d'une main
très proche ou peut-être identique à celle du scribe et
introduite par le sigle ΓΡ (= γράφει) traditionnel (κατὰ
τὰ πάντα), une question vient à l'esprit. Ce détail n'indi-
que-t-il pas une filière de la contamination constatée dans
P ? La piste est plausible : P et Q appartiennent au même
monastère de Saint-Jean l'Évangéliste, à Patmos. Dans
le même Q, dans la marge du f. 282ʳ, une main critique,
apparemment très proche de celle du copiste, a noté une
autre variante, intéressante parce qu'elle est introduite
aussi par le sigle ΓΡ et quelle est précisément celle qui ne
se lit que dans P₂ :

§ 10, 18 : τὸ καινὸν nSDC : τὸ κοινὸν P₁ τῷ καινῷ P₂ et Q in mg.
   cum signo ΓΡ.

L'indice confirme les rapports de contamination entre
les rameaux de la tradition représentés par P₂ dans la
famille m et par Q dans la famille n. Mais, il faut répéter
que nos informations actuelles ne permettent pas de
préciser davantage. Il faut attendre un examen plus large
de la tradition directe. Si l'hypothèse était alors vérifiée
par d'autres observations concordantes, elle permettrait
de voir dans P un témoin du groupe m, contaminé par Q
ou par un autre témoin du groupe n proche de Q.

Faute de données de fait, qu'on ne possédera qu'après
l'examen exhaustif de la tradition manuscrite directe, il
faut s'en tenir aux conclusions provisoires que voici,

pour classer les témoins de la famille m : 1° les corrections
apportées à S_1 (par divers correcteurs peut-être) font passer
S_2 dans la famille n ; 2° les contaminations constatées dans
D indiquent qu'on a affaire à une copie critique ; 3° les
contaminations avouées de P indiquent une dépendance
possible ou vraisemblable par rapport à la branche Q de
la famille n ; 4° C est le témoin le plus rigoureusement
fidèle à l'archétype supposé de son groupe. On peut
schématiser les observations faites jusqu'ici de la façon
que voici :

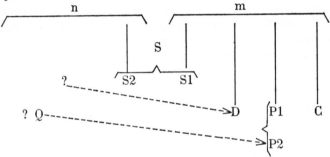

IV. Le rameau V T au sein de la famille n

La famille n est plus nettement homogène que m. V et T
forment néanmoins bloc contre tout le reste de la tradition
dans deux cas :

§ 13, 11 : καὶ AQBWm : om. VT ;
§ 19, 9　: ποιεῖν ὑμῖν AQBWm : invers. VT.

Ces vétilles n'auraient pas trop de signification s'il
s'agissait d'accidents isolés ; mais, on retrouve aussi V et
T ensemble dans des cas où ils sont associés à d'autres
témoins de leur famille ; par exemple :

§ 10, 38 : ἀσεβέσιν AQ₁Bm : ἀσεβοῦσιν Q₂WVT.

Par contre V s'oppose à T dans un cas typique :

§　4, 15 : προαιρέσεως AWTm : προθέσεως QBV.

Ici V porte dans la marge (f. 137ᵛ) une note introduite par le sigle ΓΡ signalant qu'un modèle consulté écrit προαιρέσεως ; cette note est dans une écriture fort ancienne qui pourrait être celle du scribe. Ailleurs encore :

§ 1, 19 : μακαριότητος ABTm : μακαριότης QWV ;
§ 4, 17 : ἐπειδή AQBWV : ἐπεὶ δὲ Tm ;
§ 7, 8   : τὸν λογισμὸν AQBTD : τῶν λογισμῶν WVSPC ;
§ 7, 15 : καὶ τὰ AQBWTSDC : κατὰ TP ;
§ 11, 23/24 : συγχωρησάμενος AQBWVS₂DP₂C : ... μενοι TS₁P₁,

Les cas où VT forme un ensemble net sont donc peu nombreux et parfois peu significatifs. Néanmoins on peut les considérer comme formant ensemble un rameau distinct au sein de n, parce que le caractère généralement critique de ces deux copies explique le panachage des contaminations constatées entre ces deux témoins et d'autres appartenant à leur groupe ou au groupe m. La constance des accords de T avec m, et plus spécialement avec P_1, chaque fois qu'il y a désaccord entre T et V, suggère que la contamination privilégiée de T avec m s'est opérée par l'intermédiaire de P_1 ou de l'un de ses ancêtres. Ce qui permet de préciser les schémas comme ci-dessous :

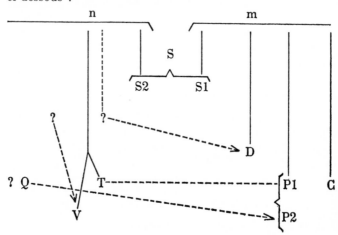

V. La famille n

A part le rameau VT, les témoins de la famille n présentent peu de singularités propres à faciliter un classement entre eux. Le rameau auquel appartient Q a eu, comme on l'a noté, des rapports avec l'autre témoin de Patmos, le ms. P. Peut-on voir dans ces comportements autre chose que les situations découlant du caractère critique de copies des IXe et Xe siècles ? Ce caractère déjà observé plus haut se confirme dans Q par une correction (Q_2) ajoutée au-dessus de la ligne sans que le correcteur ait raturé la leçon primitive, dans :

§ 10, 32 : ἀσεβέσιν AQ_2Bm : ἀσεβοῦσιν Q_1WVT.

La leçon en ... έσιν de Q_2 a été placée au-dessus de la terminaison -οῦσιν de la leçon de Q_1. La note marginale est aussi une note critique dans :

§ 5, 10 : φιλίᾳ cett. : φιθανθρωπίᾳ T et Q_2mg. tamquam varia lectio.

Les remarques qui viennent d'être faites au sujet des variantes de Q peuvent s'appliquer à A, B et W. On trouve ces témoins dans des groupements occasionnels favorisés par le caractère critique des copies faites aux IXe et Xe siècles. Le petit nombre des lieux variants propres à chaque forme de rapprochement interdit de formuler toute hypothèse plus précise.

VI. Classement général des témoins collationnés

Avec toutes les réserves que la prudence nous a obligé à exprimer, il est possible de résumer les observations faites par un schéma qui tiendra lieu de stemma ; on

porte en pointillés les contaminations établies ; éventuellement une flèche marque l'orientation supposée
de celles-ci.

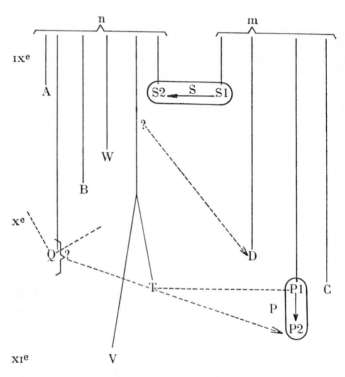

VII. Règles de l'édition

L'accord général des dix témoins collationnés est
considéré comme la règle primordiale qu'on suivra. On
n'hésiterait pas à mettre ce consensus en question si on
avait des raisons de le faire dans un cas particulier ; mais,
on constate *a posteriori* que cela n'arrive pas. La règle
s'applique donc comme si elle était absolue.

Les règles suivantes concernent les leçons que n'appuie qu'une partie seulement des témoins collationnés. On accorde un poids égal à n et à m, dans les cas où ils s'opposent, c'est-à-dire dans les cas où deux leçons sont appuyées l'une par AQBWVT l'autre par SDCP ; mais, l'ensemble $n+S_2$ éventuellement renforcé par P_2 n'a pas plus de poids que n, et l'accord de C avec S_1 et P_1 est aussi représentatif du groupe m que l'ensemble SDPC dans d'autres cas. C'est la deuxième règle qui s'impose.

La troisième est empirique. Après l'analyse des cas particuliers, il s'avère que la leçon de m appuyée par A, par B ou par AB est prépondérante et l'emporte dans tous les cas.

Enfin, tous les autres cas relèvent de l'art de la conjecture. La part des raisons subjectives qui peut entrer dans une argumentation étayée par la critique interne ou la connaissance, très imparfaite, que l'on peut avoir du style et de la pensée de l'auteur, ne doit pas être sous-estimée. L'apparat critique renfermera des leçons qui auraient des titres aussi sérieux à figurer dans le texte que la leçon effectivement retenue.

Dans l'état actuel des recherches, il semble qu'on ne puisse pas aller plus loin

1197 A **1.** Τὸν φιλόσοφον ἐπαινέσομαι, καὶ εἰ κάμνω τῷ σώματι ·
φιλόσοφον γάρ · ἐπαινέσομαι δὲ καὶ λίαν εἰκότως. Ὁ μὲν
γὰρ φιλόσοφος, ἐγὼ δὲ σοφίας θεραπευτής · ὥστε μοι καὶ
πρὸς λόγον ὁ ἔπαινος, ἵν᾽, εἰ μή τι ἄλλο, τοῦτό γε φιλοσοφήσω,
5 τὸ θαυμάζειν φιλοσοφίαν. Ἡ γὰρ φιλοσοφητέον, ὡς ὁ ἐμὸς
λόγος, ἢ τιμητέον φιλοσοφίαν, εἴπερ μὴ μέλλοιμεν παντελῶς
ἔξω τοῦ καλοῦ πίπτειν μηδ᾽ ἀλογίαν κατακριθήσεσθαι λογικοὶ
γεγονότες καὶ διὰ λόγου πρὸς Λόγον σπεύδοντες.

Φιλοσοφείτω δὲ ἡμῖν ὡς ἓν τῶν ἄλλων ὁ ἀνήρ, τὸ ἐπαι-
10 νεῖσθαι, καὶ καρτερείτω τὴν εὐφημίαν. Οὐ γὰρ ἵνα χαρισώμεθα
ἐπαινεσόμεθα — ἴσμεν γὰρ τοῦ φιλοσόφου τὸ ἀφιλότιμον
καὶ πρός γε οὐδὲν ἂν ὁ λόγος προσθείη τοῖς θαύμασιν, ὅτι
B μὴ καὶ τῆς ἀξίας ἐλαττώσῃ διὰ τῆς ἀσθενείας τῆς ἑαυτοῦ —,
1200 A ἀλλ᾽ ἵν᾽ ἡμᾶς αὐτοὺς ὠφελήσωμεν. Τοῦτο γὰρ οὐκ ἔτι

Titulus, εἰς : τοῦ αὐτοῦ εἰς VTP ‖ Ἥρωνα QW : Ἡρῶνα VTSDP
et Maur. Ἥρωνα BC et Th. Sinko, *De traditione*, I, p. 75-76 post
Hieron., *De viris ill.* 117 ‖ φιλόσοφον AQBWVT m et Maur. :
+ ἐκ τῆς ἐξορίας ἐπανελθόντα AWV + ἐκ τῆς ἐξορίας ἐπανελθόντα ·
λεχθεὶς ὁμοίως Q + Ἀλεξανδρείας ἐξορισθέντα διὰ τὴν πίστιν καὶ
ἐπανελθόντα μετὰ τετραετῆ χρόνον · ἐρρήθη ἐν Κωνσταντινουπόλει P

Testes : AQWVT   SDPC(= m).

1, 5 φιλοσοφίαν : φιλόσοφον AQWVT et Maur. ‖ ὁ > P ‖ 7
μηδέ AQWVT et Maur. ‖ 9 δ᾽ SDC ‖ 11 γάρ > AQWVTS₂D et
Maur. ‖ 12 ἂν > C S₁P₁ rest. S₂P₂ ‖ προσθείη : προθείη S₂ προσθήσει
C ‖ πράγμασιν AQWVTS₂P₂ et Maur. ‖ 13 ἐλαττώσει A ante corr.
S₂C ‖ 14 ὠφελήσωμεν AQWVTS₂D₂P₂ et Maur. : ὀφελήσῃ D₁ ὠφελήσῃ
P₁ C ὠφελήσει S₁

---

1. Jeux de mots (φιλόσοφος-φιλοσοφία-σοφία) dans le style de la
sophistique (paronomase) : cf. DENYS D'HALICARNASSE, *Les Orateurs*

DISCOURS 25

Sur le philosophe Héron

1. Je vais faire le panégyrique du philosophe, en dépit de ma mauvaise santé ; car c'est être philosophe ! Et mon éloge viendra même fort à propos ; car, le héros, lui, est un « philosophe » (c.-à-d. un « ami de la sagesse »), tandis que moi, je suis un serviteur de la sagesse[1] ! De sorte que la louange me vient aussi aux lèvres pour me permettre, faute d'autre moyen, d'être philosophe en ceci du moins, que j'admire la philosophie. En effet, il faut, à mon avis, ou bien être philosophe ou bien honorer la philosophie, sous peine de tomber totalement en dehors du bon chemin et d'encourir la condamnation de notre sottise, alors que nous avons été créés raisonnables et que nous avons hâte d'aller au « Verbe » par le « verbe »[2].

Que le grand homme se montre philosophe envers nous, sur ce point comme pour tout le reste, en se prêtant aux louanges et qu'il supporte patiemment l'éloge ! Car ce ne sera pas pour gagner ses faveurs que nous allons faire son panégyrique — nous connaissons, en effet, le détachement du philosophe à l'égard de l'amour-propre et le discours n'ajouterait d'ailleurs rien aux choses qu'on admire, à supposer qu'il n'en diminuât pas la valeur par sa médiocrité —. Non, notre but est de nous être utiles à nous-

---

attiques, I, 3-7 (éd. Germaine Aujac, Paris 1978, p. 70-71). Le § 2 oppose à ces fausses élégances la rigueur philosophique. Voir aussi ci-dessous, note 2.

2. Cf. plus haut n. 1. Paronomase et jeu de mots sur la polysémie du mot λόγος ; lieu commun : cf. KERTSCH, *Bildersprache*, p. 171, n. 1.

15 περιφρονήσει φιλοσοφία, ἥ γε τὸ εὖ ποιεῖν τι τὸν ἡμέτερον
βίον, ἔργον καὶ σπούδασμα.

Πρώτη δὲ τῶν εὐεργεσιῶν, τὸ ἐπαινεῖσθαι τὰ καλά.
Ζήλου γὰρ ὁ ἔπαινος πρόξενος · ζῆλος δέ, ἀρετῆς · ἀρετὴ
δέ, μακαριότητος · ἡ δέ, τὸ ἄκρον τῶν ἐφετῶν καὶ πρὸς
20 ὃ τείνει πᾶσα σπουδαίου κίνησις. 2. Δεῦρο δὴ οὖν, ὦ φιλοσόφων ἄριστε καὶ τελεώτατε ·
προσθήσω δέ, ὅτι καὶ μαρτύρων τῆς ἀληθείας. Δεῦρό μοι
τῆς νόθου σοφίας ἔλεγχε, τῆς ἐν λόγῳ κειμένης καὶ δι᾽ εὐγλωτ-
τίας γοητευούσης, ὑπὲρ δὲ τοῦτο μηδὲν διαρθῆναι μήτε
B 5 δυναμένης μήτε θελούσης · ὁ περιδέξιος τὴν ἀρετήν, ὅση
τε θεωρίας, καὶ ὅση πράξεως · ὁ τὰ ἡμέτερα φιλοσοφῶν
ἐν ἀλλοτρίῳ τῷ σχήματι · τάχα δ᾽ οὐδ᾽ ἀλλοτρίῳ, εἴπερ
Ναζηραίων μὲν ἡ κόμη καὶ ἡ τῆς κεφαλῆς καθιέρωσις, ὧν
σίδηρον ἀπήγαγεν ὥσπερ καὶ θυσιαστηρίων ὁ νόμος ·
10 ἀγγελικὴ δ᾽ ἡ λαμπροφορία καὶ ἡ φαιδρότης ὅταν τυπῶνται
σωματικῶς · σύμβολον, οἶμαι, τοῦτο τῆς κατὰ τὴν φύσιν
αὐτῶν καθαρότητος.

Δεῦρό μοι, φιλόσοφε καὶ σοφὲ — μέχρι γὰρ τίνος τὸ
φιλεῖν σοφίαν, εἰ μηδαμοῦ σοφία ; — καὶ κύων, οὐ τὴν
15 ἀναισχυντίαν, ἀλλὰ τὴν παρρησίαν, οὐδὲ τὸ γαστρίμαργον,
ἀλλὰ τὸ ἐφήμερον, οὐδὲ τὴν ὑλακήν, ἀλλὰ τὴν φυλακὴν τοῦ

1, 17 καὶ τὸ PC ‖ 18 γὰρ : δὲ P ‖ δ᾽ S₁PC ‖ 19 μακαριότης
QWV ‖ ἄκρον : ἀκρότατον S₁

2, 2 δ᾽ m ‖ 3 σοφίας : φιλοσοφίας C ‖ 7 δέ AQWVTS₂ ‖ οὐδέ
AQWVT ‖ 8-10 Ναζηραίων — ἀγγελικὴ δ᾽ m : ἀγγελικόν AQWVT
et Maur. ‖ 8 ὃν C ‖ 13 τίνος γὰρ SDC

---

1. Cf. Denys d'Halicarnasse, *Les Orateurs attiques*, I, 1,1 - 2,4
(*op. cit.*, p. 70-72).

2. Le naziréen était un homme consacré à Dieu, qui s'était engagé
à ne pas se couper les cheveux, comme Samson : *Jug.* 13, 5 et 7 ;
16, 17 ; *Act.* 21, 23-26 ; 10, 18 ; etc.

mêmes. Car c'est une chose que ne méprisera plus la philosophie, qui a pour fonction et pour but de faire quelque bien à notre vie.

Le premier de ses bienfaits est que le bien soit sujet d'éloges : en effet, l'éloge ouvre la voie d'un bon mouvement, le bon mouvement celle de la vertu, la vertu, celle de la béatitude et cette dernière est le sommet des biens désirables, ce vers quoi tend tout l'élan d'un homme sérieux.

2. Eh bien, donc, en avant, toi le meilleur et le plus parfait des philosophes — et j'ajouterai : des martyrs de la vérité ! En avant, toi, qui réfutes la fausse sagesse qui réside dans les mots et qui enchante par la magie d'un verbalisme élégant, mais n'as ni le pouvoir ni le désir de t'élever plus haut que cela[1] ! Toi, qui es expert en vertu, tant contemplative que pratique ! Toi, qui cultives notre « philosophie » sous l'habit étranger — et peut-être pas si étranger que cela, puisque la chevelure des naziréens[2] et la consécration de la tête, dont il a toujours tenu le fer à l'écart, sont aussi comme une loi des sanctuaires, et que la blancheur[3] et l'éclat des vêtements appartiennent aux anges, quand on les représente sous une forme corporelle : c'est, je pense, le symbole de la pureté propre à leur nature — !

En avant, toi, philosophe et sage — car jusqu'où peut aller « l'amour de la sagesse » (c.-à-d. la « philosophie »), s'il n'y a pas du tout de sagesse ? — toi, chien, non par l'impudence, mais par la franchise, ni par la gloutonnerie, mais par l'imprévoyance, ni par l'aboiement, mais par la protection du bien, la vigilance spirituelle, ainsi que par

3. Sur l'habit blanc des anges et des néophytes : *Discours* 7, 15 (*PG* 35, col. 773 C 1-8 ; et éd. F. Boulenger, p. 32) ; 25, 2 (*id.*, col. 1200 B 3-4) ; 40, 46 (*PG* 36, col. 425 C 10) ; et 45, 2 (col. 624 C 5). Cf. Mossay, *La mort*, p. 41-42, commentaires et bibliographie.

καλοῦ καὶ τὸ ὑπὲρ τῶν ψυχῶν ἄγρυπνον καὶ τὸ σαίνειν μὲν
ὅσον κατ᾽ ἀρετὴν οἰκεῖον, ὑλακτεῖν δὲ ὅσον ἀλλότριον.

Δεῦρό μοι στῆθι τῶν ἱερῶν πλησίον καὶ τῆς μυστικῆς
20 ταύτης τραπέζης κἀμοῦ τοῦ διὰ τούτων μυσταγωγοῦντος
C τὴν θέωσιν, οἷς σε προσάγει λόγος καὶ βίος καὶ ἡ διὰ τοῦ
παθεῖν κάθαρσις.

Δεῦρό σε ἀναδήσω τοῖς ἡμετέροις στεφάνοις καὶ ἀνακηρύξω
λαμπροτάτῃ φωνῇ, οὐκ ἐν Ὀλυμπίᾳ μέσῃ οὐδ᾽ ἐν θεάτρῳ
25 μικρῷ τῆς Ἑλλάδος οὐδ᾽ ἠγωνισμένον παγκράτιον ἢ πυγμὴν
ἢ δίαυλον ἤ τι τῶν μικρῶν ἀγωνισμάτων καὶ ἐπὶ μικροῖς
τοῖς ἄθλοις οὐδ᾽ εἰς τιμὴν ἡρώων τινῶν ἢ δαιμόνων συμφορᾷ
καὶ μύθῳ τετιμημένων — τοιαῦτα γὰρ τὰ ἐκείνων σεμνά
τε καὶ τίμια, χρόνον προσλαβόντα τῆς ἀνοίας ἐπίκουρον
30 καὶ συνήθειαν ἔννομον — · ἀλλ᾽ ἐναντίον Θεοῦ καὶ ἀγγέλων
καὶ παντὸς τοῦ τῆς ἐκκλησίας πληρώματος καὶ νενικηκότα
ψεῦδος αἱρέσεων εἰς τιμὴν Θεοῦ ζῶντος καὶ τὸ παθεῖν
1201 A τοῖς οἰκείοις πάθεσιν ἐκδιδάσκοντος καὶ ὧν ἄθλον, οὐρανῶν
βασιλεία καὶ Θεὸν γενέσθαι τοῦ παθεῖν ὑψηλότερον.

3. Ἀλλὰ τίς ἡ ἀνάρρησις ; Εἰ μὲν τὴν συντομωτέραν
ποθεῖτε καὶ γνωριμωτέραν, οὗτος τῆς ἀληθείας ἀγωνιστὴς
ἀψευδέστατος καὶ τῆς Τριάδος ὑπέρμαχος ἄχρις αἵματος
καὶ τῶν διωκόντων τῷ ποιεῖν κακῶς, τῷ πάσχειν προθύμως
5 διώκτης · οὐδὲν γὰρ οὕτω νικᾷ τὸν διώκοντα, ὡς προθυμία
τοῦ πάσχοντος.

2, 18 δ᾽ S ‖ 21 βίος P ‖ λόγος P ‖ 24 λαμπρᾶ τῇ AQWVTS₂ et
Maur. ‖ οὐδέ AQWVTS₂ et Maur. ‖ 25 οὐδέ AQWVTS₂ et Maur.
‖ 26 δίαυλον : διάλυσιν C ‖ 27 οὐδέ AQWVT et Maur. ‖ τινός
AQWVTS₂ et Maur. ‖ 28 post ἐκείνων τὰ AQWVTS₂ et Maur. ‖
30 συνήθειαν + μέν C ‖ ἔννομον + μέν P ‖ ἐναντίων T
Abhinc usque ad finem *Orationis* testes : AQBWVT (= n)
SDPC (= m)
3, 4 τό A ‖ τό A ‖ 5 διώκτης : ἡ διώκτης P

1. La philosophie, gage et support de la vertu, ou forme d'ascé-
tisme : MALINGREY, *Philosophia*, p. 237-260, et 230-232; et MOSSAY,
La mort, p. 41-43. Sur la métaphore du « chien caressant » : *Discours*
7, 12 (*PG* 35, col. 769 B 14-15) ; 40, 10 (*PG* 36, col. 369 D 1-2) ;
KERTSCH, *Bildersprache*, p. 103.

le fait de manifester de l'attachement à tout ce qui est familier de la vertu et d'aboyer contre tout ce qui lui est étranger[1] !

En avant, place-toi à proximité des choses sacrées, de cette table mystique et à côté de moi, qui préside aux rites de la divinisation vers lesquels te conduisent ta parole, ton genre de vie et ta purification, produite par la souffrance !

En avant, je te ceindrai de nos couronnes et je proclamerai d'une voix éclatante que ce n'est ni sur l'aire olympique, ni dans un minuscule théâtre de la Grèce, ni après avoir concouru au pancrace, au ceste ou au diaule[2], ni dans aucun des médiocres concours pour remporter des succès limités, ni pour l'honneur décerné à l'un des héros ou des génies honorés à l'occasion d'une catastrophe rapportée par une légende mythologique — car voilà l'objet de vénération et d'estime de ces gens-là : le temps qui passe a confirmé leur sottise et donné force de loi à leurs coutumes —, mais, je proclamerai à la face de Dieu, des anges et de l'ensemble de l'Église universelle que tu as vaincu le mensonge des hérésies pour l'honneur de Dieu vivant, qui nous apprend à souffrir par ses propres souffrances, dont le prix est le royaume des cieux, et à devenir (comme) Dieu, (qui est) au-dessus de la souffrance[3].

3. Mais quelle est cette proclamation ? Si vous la désirez sous une forme plus brève et plus familière, (je dirai que) cet homme est le plus authentique défenseur de la vérité, champion de la Trinité jusqu'au sang et qu'il persécute les persécuteurs qui (lui) font du mal en supportant courageusement le mal qu'il subit ; car rien ne vainc le persécuteur comme le courage de la victime.

2. Cf. PINDARE, *Ol.*, 13, v. 30-37 : «... Deux fois la couronne d'ache a paré sa tête quand il parut aux jeux isthmiques... à Pythô (= à Delphes), le même soleil lui a apporté la couronne du stade et celle du diaule, ... » (trad. A. Puech, dans PINDARE, *Olympiques* I *(CUF)*, Paris 1970, p. 149).

3. Cf. *De vita sua*, v. 974-978 (éd. Jungck, p. 100 et 192).

162   DISCOURS

Εἰ δὲ τὴν τελεωτέραν καὶ πλατυτέραν, οὗτος ἄριστος μὲν
ἐξ ἀρίστων καὶ ἐξ εὐγενῶν εὐγενέστατος. Εὐγένειαν δὲ λέγω,
B οὐχ ἣν οἱ πολλοὶ νομίζουσιν · ἄπαγε ! Οὐ πρὸς ἡμῶν οὕτω
10 θαυμάζειν οὐδὲ φιλόσοφον, τὴν ἐκ μύθων καὶ τάφων ἐρχομένην καὶ πάλαι σεσηπυίας ὀφρύος · οὐδὲ τὴν ἐξ αἱμάτων
καὶ γραμμάτων προσγινομένην, ἣν νύκτες χαρίζονται καὶ
βασιλέων ἴσως οὐδ' εὐγενῶν χεῖρες, προστασσόντων, ὥσπερ
ἄλλο τι, τὴν εὐγένειαν, ἀλλ' ἣν εὐσέβεια χαρακτηρίζει καὶ
15 τρόπος καὶ ἡ πρὸς τὸ πρῶτον ἀγαθὸν ἄνοδος ὅθεν γεγόναμεν.
Ταύτης ἀπόδειξις μία τῆς εὐγενείας. Οὐ γὰρ ἀθλητὴς μόνον
ἡμῖν ὁ γεννάδας, ἀλλὰ καὶ ἐκ μαρτύρων · ὥστε οἴκοθεν
αὐτῷ τὸ τῆς ἀρετῆς παράδειγμα.

Πολίτης δέ, σοφίᾳ μέν, τῆς οἰκουμένης ἀπάσης — οὐδὲ
20 γὰρ ἀνέχεται μικροῖς ὅροις Κυνικὴ περιγράφεσθαι — ·
σώματι δέ, τῆς Ἀλεξανδρέων πόλεως, τῆς σὺν ὑμῖν ἢ
μεθ' ὑμᾶς εὐθέως ἀριθμουμένης · ἧς πᾶσι πάντων κρατούσης,
C θερμότης τὸ ἰδιαίτατον καὶ ταύτης τὸ κάλλιστον, Χριστια-
νισμός, καὶ ἡ περὶ τοῦτο διάθεσις, ἐκ προαιρέσεως μὲν
25 ἀρχομένη, τῇ δὲ φύσει βεβαιουμένη. Τῇ γὰρ εὐσεβείᾳ τὸ
θερμὸν προσχωρῆσαν, ζῆλος ἐγένετο · ζῆλος δέ, ἀσφάλεια
πίστεως.

3, 10 φιλοσοφεῖν PC ‖ μύθων hic initium textus B ‖ καὶ —
ἐρχομένην > S₁ rest. S₂ in marg. ‖ 12 χαρίζονται : χωρ- S ‖ 13
οὐδέ n et Maur. ‖ 17 ὥστ' D ‖ 18 αὐτό T ‖ 20 ὅροις > C P₁ rest. P₂
‖ 21 ἡμῖν A (W?) VP ‖ 22 ἡμᾶς B (W ?) ‖ 23 ἰδιαίτατον S₁D₁P₁C
‖ 24 τοῦτον S ‖ μὲν + γάο CS₁ del. S₂ ‖ 26 προσχώρησαν : προχ-
P₁ corr. P₂

1. « Sourcil prétentieux » : ailleurs Grégoire reproche aux philosophes stoïciens une attitude hautaine (= « sourcil prétentieux ») :
dans un contexte où il reproche aux philosophes cyniques « leur
crasse et leur vulgarité » : Discours 27, 10 (PG 36, col. 24 C 4-5) ;
éd. P. Gallay, p. 96-97). P. Gallay note à ce sujet que le mot « sourcil »
a ainsi le sens figuré de « dédain », et il renvoie à plusieurs passages
parallèles des Lettres de Grégoire (p. 96, n. 4).
2. La constitution d'une classe patricienne à Constantinople à

Si vous la préférez plus complète et plus explicite,
(je dirai qu')il est le meilleur parmi les meilleurs, le plus
noble des nobles. Je ne parle pas de la noblesse à laquelle
tout le monde pense. Pas du tout. Il n'est ni dans notre
caractère, ni « philosophique » d'admirer ainsi la noblesse
qui tire son origine de la mythologie, des tombeaux et
d'un sourcil (prétentieux) tombé depuis longtemps en
décomposition[1], ou celle qu'on doit à sa lignée et à des
titres écrits, obtenus par des faveurs nocturnes ou reçus de
la main de Princes, qui ne sont peut-être pas nobles eux-
mêmes et créent la noblesse par décret comme n'importe
quelle autre chose[2] ; non, il s'agit, au contraire, de celle
que la religion et la conduite caractérisent et qui remonte
au bien premier dont nous sommes issus : c'est le titre
exclusif de ce genre de noblesse ! Car à nos yeux, le valeureux (héros) n'est pas seulement un athlète, mais il
descend de martyrs ; de sorte qu'il trouva au foyer
familial l'exemple de la vertu.

Par la sagesse, il est un citoyen de l'univers tout entier[3]
— et, en effet, la (philosophie) cynique ne supporte pas de
se laisser circonscrire dans des frontières étroites —, mais,
physiquement, il est originaire d'Alexandrie, la Ville placée
au même rang que vous ou juste après ; elle est en tout
au-dessus de toutes les autres, mais sa principale prérogative est sa ferveur, dont le plus beau fleuron est son
christianisme ainsi qu'une disposition naturelle favorable
à celui-ci fondée à l'origine sur un choix et renforcée par
la nature ; la ferveur alliée à la religion devint du zèle, et
ce zèle, l'assurance de la foi.

---

l'époque de Grégoire, phénomène social et culturel analysé par
DAGRON, *Naissance*, p. 147-210.

3. Grégoire revendique aussi pour lui-même le mérite et le privilège
de « citoyen du monde » : « Car enfin, y a-t-il une patrie limitée aux
frontières d'un territoire, pour moi, qui suis partout et nulle part
dans mon pays ? » : *Discours* 26, 14 (*PG* 35, col. 1248 A 3-4).

4. Τραφεὶς δ' οὕτω καὶ παιδευθείς, ὡς εἰκὸς τὸν ἐκ τοιούτων γεγονότα καὶ τοιοῦτον ἐσόμενον, ἐπειδὴ βίων αἱρέσεως καιρὸς ἐδόκει — ἦν κρηπῖδα τοῦ πράττειν εὖ ἢ κακῶς ἐγὼ τίθεμαι —, εἶδέ τι μέγα καὶ νεανικὸν καὶ τῶν D 5 πολλῶν ὑψηλότερον. Τρυφὴν μὲν ἀτιμάζει καὶ περιουσίαν καὶ δυνάστειαν πλέον ἢ τοὺς ἄλλους οἱ ταῦτα προέχοντες καὶ τὴν μὲν ὡς πρώτην κακοπάθειαν, τὴν δὲ ὡς ἐσχάτην πενίαν, τὴν δὲ ὡς ἀσθένειαν τὴν ἀνωτάτω, διαπτύει καὶ ἀποπέμπεται. Οὐδὲν γὰρ ἀγαθὸν εἶναι ὃ μήτε βελτίους 10 ποιεῖ τοὺς κεκτημένους, ἀλλὰ καὶ χείρους ὡς τὰ πολλὰ μήτε διὰ τέλους παραμένει τοῖς ἔχουσι.

Φιλοσοφίαν δὲ προΐσταται τὴν δέσποιναν τῶν παθῶν καὶ τῷ καλῷ προσβαίνει νεανικῶς καὶ ἀπὸ τῆς ὕλης τέμνεται 1204 A πρὶν διαζευχθῆναι τῆς ὕλης, καὶ τῶν ὁρωμένων κατεξα- 15 νίσταται, μεγέθει φύσεως καὶ προαιρέσεως εὐγενείᾳ τοῖς ἑστῶσι προσθέμενος.

Ἐπεὶ δὲ οὕτω διενοήθη, τοῦτο μὲν οὐδὲ βουλῆς ἠξίωσε, ποτέραν δεῖ τῶν φιλοσοφιῶν ἑλέσθαι μᾶλλον, τὴν ἔξω καὶ παίζουσαν τὰς τῆς ἀληθείας σκιὰς ἐν τῷ τῆς φιλοσοφίας 20 σχήματι καὶ προβλήματι, ἢ τὴν ἡμετέραν καὶ ταπεινὴν μὲν τῷ φαινομένῳ, ὑψηλὴν δὲ τῷ κρυπτομένῳ καὶ πρὸς Θεὸν ἄγουσαν · ἀλλὰ πάσαις ψήφοις αἱρεῖται τὴν ἡμετέραν, μηδὲν ὅλως ἐπὶ τὰ χείρω παρατραπεὶς τὴν διάνοιαν, μηδ' ὑπὸ τῆς τῶν λόγων κομψείας παρασυρείς, ᾗ μέγα φρονοῦσιν οἱ τὰ 25 Ἑλλήνων φιλοσοφοῦντες. Ἐκεῖνο δὲ πρῶτον φιλοσοφεῖ, γνῶναι τῶν ἡμετέρων ὁδῶν τὴν αἱρετωτέραν τε καὶ λυσιτε-

---

4, 1 δέ n et Maur. ‖ τὸν : τῶν B ‖ 2 τοιούτου D ‖ βίου S₁ corr. S₂ ‖ 4 εἶδε VTS et Maur. : εἶδεν QBWDPC ἴδεν A ‖ 9 μή C ‖ 12 δέσποινα S₁ corr. S₂ ‖ 14-15 κατεξανίσταται + καὶ S₁P₁C ‖ 15 προαιρέσεως AWTm + Vmg. : προθέσεως QBV ‖ 17 ἐπεὶ δὲ Tm : ἐπειδή AQBWV et Maur. ‖ 18 δή D ‖ 19 φιλοσοφίας : σοφίας S ‖ 23 μηδέ n et Maur. ‖ 24 κομψίας P ut videtur ‖ μέγα > n

---

1. Cf. Špidlik, *Grégoire*, p. 29. L'idée est développée au paragraphe suivant ; mais, là, l'écrivain affirme que (Héron) « suit une voie moyenne à mi-chemin entre l'illusion de ceux-là et notre sagesse »... : cf. plus bas, ch. 5. Au même thème des « deux chemins » et du choix

4. On l'avait élevé et éduqué de la manière qui s'impose à un descendant de tels ancêtres voué à un tel avenir ; comme le moment semblait venu de choisir un genre de vie — (choix) que je considère, moi, comme le fondement du bonheur ou du malheur —, il vit quelque chose de grand et de généreux au-dessus du niveau de la masse. Il manifeste plus de dédain pour le luxe, la fortune et le pouvoir que n'en témoignent au reste du genre humain ceux qui réussissent dans ces domaines ; il crache là-dessus et se détourne de la première chose comme de la première des souffrances, de la seconde comme de la dernière pauvreté, et de la troisième comme du comble de la faiblesse. Ce qui ne rend pas ceux qui le possèdent meilleurs mais pires, comme cela arrive si souvent, et ce qui ne reste pas jusqu'au bout à ceux qui l'ont, n'est, en effet, rien de bon !

Il se range derrière la philosophie, maîtresse des passions, s'élance avec le dynamisme de la jeunesse sur le chemin du bien, rompt avec la matière sans attendre la décomposition de la matière, et par la grandeur de sa nature ainsi que par la noblesse de son choix, il s'élève au-dessus des choses qu'on voit pour s'attacher à celle qui sont stables.

Quand il se trouva dans ces dispositions d'esprit, il jugea qu'il ne valait même pas la peine de se demander pour quelle philosophie il faut opter, celle du dehors, qui joue avec les ombres de la vérité en empruntant l'habit et les dehors de la philosophie, ou la philosophie de chez nous, modeste en apparence, élevée par son fond caché et conduisant vers Dieu. Non. Sans aucune réserve, il choisit la nôtre sans laisser nullement détourner son esprit vers les choses moins bonnes[1] ni céder aux séductions de l'élé-

---

d'un style de vie, se rattache le mythe de Prodicos (F. DERUYT, « Le choix d'Héraklès », dans *Nova et Vetera*, 14, 1930, p. 69-76 ; MOSSAY, *Mort*, p. 85-87). Dans d'autres passages, Grégoire revient sur le même thème ; il envisage tantôt deux tantôt trois voies possibles : *Carmina* II, 2, 5, v. 134, et v. 172-177 (*PG* 37, col. 1531 et 1534). « Ceux du dehors » : cf. note suivante,

B λεστέραν ἐπίσης αὐτῷ τε καὶ πᾶσι Χριστιανοῖς. Πανταχοῦ
γὰρ τῷ καθ' ἑαυτὸν καὶ τὸ κοινὸν συλλαμβάνειν, ψυχῆς εἶναι
τελεωτάτης τε καὶ φιλοσοφωτάτης ἐνόμιζεν. Οὐδὲ γὰρ
30 ἑαυτῷ γεγενῆσθαι μόνον ἕκαστον ἡμῶν, ἀλλὰ καὶ πᾶσιν,
ὅσοι τῆς αὐτῆς μετέχουσι φύσεως καὶ παρὰ τοῦ αὐτοῦ καὶ
ἐπὶ τοῖς αὐτοῖς γεγόνασιν.

5. Ὁρῶν δὲ τὸν μὲν ἐρημικὸν βίον καὶ ἰδιάζοντα καὶ
τῶν πολλῶν ἔκφυλον καὶ ἀλλότριον, μέγαν μὲν καὶ ὑψηλὸν
C καὶ ὑπὲρ τὰ ἀνθρώπινα, μέχρις αὐτῶν δὲ μόνων τῶν
κατορθούντων ἱστάμενον καὶ τὸ τῆς ἀγάπης κοινωνικὸν καὶ
5 φιλάνθρωπον ἀπαρνούμενον, ἣν ἐν πρώτοις εἶναι τῶν ἐπαινουμένων ἐγίνωσκε · πρὸς δὲ καὶ ἀδοκίμαστον, ὡς οὔτε ἐν
τοῖς πράγμασι γυμναζόμενον οὔτε ἄλλοις παραμετρούμενον ·
τὸ δὲ κοινωνικὸν καὶ ἐπίμικτον πρὸς τῇ βασάνῳ τῆς ἀρετῆς
ἔτι καὶ εἰς τοὺς πολλοὺς διατεῖνον καὶ θείας οἰκονομίας
10 ἐγγὺς ἧκον ἢ καὶ πεποίηκε τὸ πᾶν καὶ φιλίᾳ συνέδησε καὶ
τὸ ἡμέτερον γένος ἐκπεσὸν τοῦ καλοῦ διὰ τὴν ἐπεισελθοῦσαν
κακίαν ἐκ τῆς πρὸς ἡμᾶς ἐπιμιξίας καὶ ὁμιλίας πάλιν
ἀνεκαλέσατο.

Ταῦτα διανοηθείς τε καὶ διελόμενος καὶ ἅμα τὸν Ἑλληνικὸν
15 τῦφον κολάσαι τῶν καλῶν εἶναι νομίσας, οἳ τῷ τρίβωνι
D καὶ τῇ ὑπήνῃ τὸ σεμνὸν ὑποδύονται, τί ποιεῖ καὶ πῶς τὴν

4, 28 τῷ : τό A S₁ corr. S₂ ‖ τὸ : τόν Maur. ‖ 29 τε > VS₁ ‖
οὐδὲ : οὔτε C ‖ 30 γεγεννῆσθαι QBV ‖ μόνον > P
5, 2 καὶ ἀλλότριον > S₁ rest. S₂ ‖ 3 μόνον A BDPC₁ ‖ 4 κοινωνικὸν + τε PC ‖ 5 εἶναι > V ‖ 6 ἐγίγνωσκε C ‖ 7 οὔτ' ἀλλαῖς D ‖ 10
ἧκον > nS₂ et Maur. ‖ φιλίᾳ : φιλανθρωπίᾳ T et tamquam lectio
varia Qmg. ‖ 16 ὑποδύονται cod. Maur. : ἀπο- cod. Cardinalis
Passionaei, in *PG* 35, col. 1204, n. 6)

---

1. « Ceux du dehors » = les païens : *Discours* 18, 6 (*PG* 35,
col. 992 B 9 - C 1) ; cf. HUNGER, *Prooimion*, p. 195. L'éloge de la
philosophie chrétienne et de sa supériorité par rapport à la philosophie
hellénique, développé sur le ton lyrique, cf. *Discours* 4, 71-72 (*PG* 35,
col. 593 A 1 - 597 A 7), spécialement ch. 71, sur la supériorité absolue
de la vie monastique.
2. J. de BILLY : *(cum)... simulque Graecorum, qui pallio et promissa*

gance littéraire, orgueil des adeptes de la philosophie grecque. Le premier objet de sa philosophie est celui-ci : reconnaître, parmi les voies qui s'offrent à nous, celle qui est préférable et plus profitable pour lui-même aussi bien que pour tous les chrétiens. Car, il estimait qu'associer partout le bien général à son intérêt personnel était la marque d'une âme très parfaite et très philosophe. En effet, ce n'est pas chacun pour soi tout seul que nous sommes nés, mais (chacun) pour tous, nous, qui partageons tous la même nature, et avons la même origine et les mêmes destinées.

5. Il voyait, d'une part, que la vie érémitique, solitaire, pratiquée à l'écart et isolée des masses, est grande, élevée et supérieure aux choses humaines ; mais qu'elle est, d'autre part, exclusivement réservée à ceux qui la pratiquent comme il faut, et qu'elle est en contradiction avec le caractère social et humanitaire de la charité, qui, il le savait, est au premier rang des choses à recommander ; de surcroît, elle est sans garanties, du fait qu'elle échappe et à l'exercice pratique et à la comparaison avec d'autres[1]. Quant à la vie en groupe et en communauté, outre qu'elle passe au crible la vertu, elle présente encore l'avantage d'atteindre les masses et de se rapprocher d'un plan selon lequel Dieu fit et cimenta dans l'amour l'univers tout entier, et (selon lequel), à la suite de son union avec nous et de sa présence parmi nous, il réhabilita notre race tombée en dehors du bien, à cause de la malice qui était entrée en elle.

Après y avoir réfléchi et pesé le pour et le contre, en même temps qu'il se disait que c'est une bonne chose de réprimer l'affectation des Hellènes qui parent leur gravité du manteau et de la barbe, que fait-il[2] ? De quelle

barba, gravitatis speciem prae se ferunt: ... « des Hellènes qui, avec leur manteau et leur longue barbe, se donnent un air de gravité », Cf. KERTSCH, *Bildersprache*, p. 32, n. 4 ; et 66, n. 3 et 4.

φιλοσοφίαν μεταχειρίζεται ; Μέσην τινὰ χωρεῖ τῆς τε
ἐκείνων ἀλαζονείας καὶ τῆς ἡμετέρας σοφίας καὶ τῶν μὲν
τὸ σχῆμα καὶ τὴν σκηνήν, ἡμῶν δὲ τὴν ἀλήθειαν καὶ τὸ
20 ὕψος φιλοσοφεῖ.

1205 A   **6.** Διὰ τοῦτο Περιπάτους μὲν καὶ Ἀκαδημίας καὶ τὴν
σεμνὴν Στοὰν καὶ τὸ αὐτόματον Ἐπικούρου μετὰ τῶν
ἀτόμων καὶ τῆς ἡδονῆς, ἐρίῳ στέψας, ὥς τις ἐκείνων φησὶ
τὸν ποιητήν, ὡς πορρωτάτω πέμπει καὶ ἀποκρούεται.
5 Κυνικῆς δὲ τὸ μὲν ἄθεον διαπτύσας τὸ δ' ἀπέριττον ἐπαινέσας,
τοῦτό ἐστιν ὃ νῦν ὁρᾶται, κύων κατὰ τῶν ὄντως κυνῶν
καὶ φιλόσοφος κατὰ τῶν ἀσόφων καὶ Χριστιανὸς ὑπὲρ πάντων
καὶ νικῶν τὴν μὲν ἐκείνων αὐθάδειαν τῇ τοῦ σχήματος
ὁμοιότητι, τῶν δὲ παρ' ἡμῖν ἔστιν ὧν τὴν ἀπειροκαλίαν
10 τῇ καινότητι τοῦ ἐνδύματος, δεικνὺς ὅτι μὴ ἐν μικροῖς τὸ
εὐσεβὲς μηδ' ἐν τῷ κατηφεῖ τὸ φιλόσοφον, ἀλλ' ἐν ψυχῆς
στερρότητι καὶ διανοίας καθαρότητι καὶ γνησίᾳ τῇ πρὸς τὸ
καλὸν νεύσει ὅπως ἂν τοῦ σχήματος ἔχωμεν καὶ οἷστισιν
B   ἂν ὁμιλήσωμεν, εἴτε ἡμῖν αὐτοῖς μόνοις συστέλλοντες τὸν
15 νοῦν ἀπὸ τῶν αἰσθήσεων, εἴτε τοῖς πολλοῖς τε καὶ ὁμοφύλοις
ἰδιάζοντες ἐν τῷ κοινῷ καὶ φιλοσοφοῦντες ἐν οὐ φιλοσοφοῦσιν
— ὡς ἡ Νῶε κιβωτὸς ἐκείνη, ἐν κατακλυσμῷ κατακλυσμοῦ ᵃ
κουφοτέρα καὶ ἡ τοῦ ὄρους βάτος, ἣν καῖον τὸ πῦρ οὐ

6, 1 Ἀκαδημείας AQ₁BSPC ‖ τὴν > P₁ ‖ 3 στέψας : στεφανώσας S₁
DPC ‖ φησὶ S₁DPC > nS₂ et Maur. ‖ 4 τὸν ποιήτην nSD et Maur. :
τῶν ποιητῶν P τῶν ποιητῶν ante φησὶν C ‖ 5 δ' : δέ nD et Maur. ‖ 6
ὁρᾶται m : ὁρᾶτε n Maur. ; P₂ et C₂ in mg. vel sup. l. ὁρᾶτε sicut
variam lectionem adhibitam habent, altera servata in textu ‖ 8
αὐθαδίαν B₁ corr. B₂ ‖ 11 μηδέ nD ‖ τῷ > P₁ rest. P₂ ‖ 14 ὁμιλῶμεν
nS₂ et Maur. ‖ 18 ἦν + καί S

---

6. a. Cf. *Gen.* 6, 7-20.

1. Sur cette voie moyenne, cf. § 4.

2. « La couronne de laine » : honneur réservé aux dieux et aux
poètes, dans PLATON, *République*, III, 398 a (éd. E. Chambry, Paris,
1932, p. 110) : « Un homme, donc, à ce qu'il semble, capable par
habileté de prendre toutes les formes et d'imiter toutes choses, s'il
se présentait chez nous dans notre Cité pour se donner en spectacle

manière s'engage-t-il dans la pratique de la philosophie ?
Il suit une voie moyenne, à mi-chemin entre l'illusion de
ceux-là et notre sagesse : sa philosophie leur emprunte,
à eux, l'habit et le décor ; à nous, la vérité et l'élévation[1].

6. Pour cette raison, coiffé de la couronne de laine que
l'un d'entre eux réservait au poète, il repoussse le plus
loin possible et rejette les Péripatéticiens, les Académies,
le vénérable Portique, la théorie de l'être spontané en
même temps que l'atomisme et l'hédonisme d'Épicure[2].
De la philosophie cynique, il répudie l'athéisme, mais
adopte la frugalité : c'est ce qu'on a actuellement sous les
yeux ; « chien » hostile aux « chiens » véritables, philosophe
hostile à ceux qui ne le sont pas, et chrétien par-dessus
tout, il réfute l'arrogance de ceux-là par l'analogie du
costume qu'il porte, et la platitude de quelques-uns
qui pourraient se trouver parmi nous, par l'originalité
de son vêtement. Il démontre que la religion ne se borne
pas à de petites choses et que la « philosophie » ne se limite
pas à avoir l'air réservé ; mais, qu'elles consistent dans la
fermeté d'âme, la pureté d'esprit, l'élan authentique vers
le bien, quel que soit notre costume, quels que soient
ceux que nous fréquentons, soit que nous rentrions en
nous-mêmes en dégageant notre esprit de nos sens, soit
que nous nous isolions dans la foule de nos semblables
au sein de notre communauté et que nous pratiquions la
philosophie au milieu de ceux qui ne la pratiquent pas —
à l'image de la fameuse arche de Noé plus légère que
(l'eau) au milieu du déluge[a] ou du buisson ardent dans
la grande vision de Moïse dans la montagne, que ne consu-

---

ainsi que ses poèmes, nous nous prosternerions devant lui comme
devant un être sacré, merveilleux et agréable, mais nous dirions qu'il
n'y a pas d'homme de son espèce chez nous dans la Cité et qu'il
n'est pas permis qu'il y en ait ; et nous l'enverrions dans une autre
Cité après lui avoir parfumé la tête et l'avoir *couronné de laine.*»
Allusion à l'usage d'oindre les statues des dieux et de les couronner.
Cf. GOTTWALD, *De Gregorio*, p. 12.

κατέκαιε, τὸ μέγα Μωσέως θέαμα[b], οὔτε αὐτοί τι πάσχοντες
20 τοῖς πολλοῖς, οὐ μᾶλλόν γε ἢ ἀδάμας τοῖς παίουσι, καὶ
δι' ἑαυτῶν τοὺς ἄλλους βελτίους ποιοῦντες εἰς δύναμιν.
Ταύτης καρπὸς τῆς φιλοσοφίας, οὐ λόγῳ πλαττόμεναι
πόλεις — σκινδαψοί τινες, ὡς αὐτοί φασι, καὶ τραγέλαφοι[c]
ἃ γλῶσσα μόνη συντίθησιν — · οὐδὲ κατηγορίαι τινὲς καὶ
25 ἀναλύσεις καὶ μίξεις · οὐδὲ συμβάματα καὶ παρασυμβάματα
καὶ ἡ τεχνολογουμένη σοφία · οὐδὲ γραμμαί τινες οὐδαμοῦ
C κείμεναι, οὐδὲ ἀστέρων πλοκαὶ καὶ σχήματα κατὰ τῆς
Προνοίας ἐπινοούμενα. Ταῦτα μὲν γὰρ αὐτῷ δευτέρου λόγου
καὶ πάρεργα καὶ τοσοῦτον παιζόμενα ὅσον μὴ παίζεσθαι
30 παρὰ τῶν εἰδέναι προσποιουμένων.
1208 A 7. Τί δὲ τὸ πρῶτον καλὸν σπουδαζόμενον ; Ἡ πρὸς
ἄρχοντας δικαιολογία, ἡ πρὸς βασιλέας παρρησία, κατὰ τὸν
θεῖον Δαβὶδ λαλοῦντα ἐναντίον βασιλέων καὶ οὐκ αἰσχυνό-
μενον[a], δήμων ἀλογίαν συστεῖλαι κυμαινομένων, δυναστῶν
5 ἐξουσίαν ἀγριαινόντων, οἴκων ἀρρωστίαν στασιαζόντων,
ἀπαιδεύτων ἀγροικίαν, πεπαιδευμένων ἀλαζονείαν, πλοῦτον
ἐπαιρόμενον, κόρον ὑβρίζοντα, πενίαν κακουργοῦσαν, θυμὸν

6, 19 Μωϋσέως P₁C et Maur. ‖ θέαμα : ὅραμα nS₂D et Maur. ‖
20 οὐ : οὔ W ‖ 21 βελτίους > S ‖ 24 ἃ : ἃς S₁PC ‖ συντίθησιν C ‖
26 τινες + ἡ γεωμετρία Εὐκλείδου D ‖ 27 οὐδ' D ‖ καὶ > S ‖ 28
ἐπινοούμεναι C ‖ 29 παίζοντα T
7, 1 δαί QVT ‖ καλὸν : καί nS₂ et Maur. ‖ 2 βασιλεῖς n et Maur.
‖ 3 οὐκ : μὴ nS₂ et Maur.

6. b. Cf. Ex. 3, 3 ; cf. 3, 2-3.   c. Cf. Deut. 14, 5 ; Job 39, 1.
7. a. Ps. 119, 46.

1. Les « cités idéales », nouvelle allusion à PLATON, Républ., III,
1-6, et 15, etc. (cf. la note précédente) ou à l'ensemble du même
ouvrage. — « Bizarreries utopiques... et excentricités » = littéralement « quelques skindapses, comme on dit, ou de tragélaphes »... ;
GEORGES LE SYNCELLE, Chronique (éd. W. Dindorf, Bonn, I, 1829,
p. 56, 4-15), parle d'un être imaginaire et purement mythique « qui
n'a jamais existé, que personne n'a jamais vu, ou touché, tels que

mait pas le feu qui l'embrasait[b], nous aussi nous ne subissons pas l'influence de la foule (qui nous entoure), pas
plus que le diamant (n'est endommagé) par ceux qui le
frappent, alors que nous nous efforçons autant que possible
d'améliorer les autres grâce à notre influence personnelle.

Le fruit de cette philosophie n'est pas d'imaginer des
cités idéales — quelques (mots vides de sens) « skindapses », comme on dit et (fictions fabuleuses ou) « tragélaphes[c] » que l'on ne construit qu'avec sa langue —, ni
quelques distinctions, analyses et compositions, ni des
formules significatives ou non et une critique de la science,
ni même quelques lignes qui n'ont nulle part une existence
concrète, ni des conjonctions astrales et des schémas
inventés pour contredire l'idée de Providence[1]. Tout cela
était pour lui des choses secondaires et accessoires et des
plaisanteries dans la mesure où ceux qui prétendent s'y
connaître se prennent au sérieux.

7. Quel est le premier bien qu'il recherche ? Défendre
le droit devant des magistrats et parler avec franchise
devant des rois, à l'exemple du saint roi David, qui élevait
la voix sans se gêner en présence des rois[a] ; remédier à
l'irréflexion des foules populaires qui s'agitent comme des
vagues houleuses ; au despotisme des autorités quand elles
se laissent aller à l'irritation, à l'état morbide des familles
divisées, à la rusticité des gens sans éducation, à l'insolence
des gens instruits, à la fortune prétentieuse, à l'opulence
insolente, à la pauvreté qui agit avec perfidie, à la colère

---

sont les skindapses et les tragélaphes » ; cf. apparat biblique. Le
contexte énumère des chapitres essentiels du programme des sciences
anciennes : logiques, mineure et majeure, physique, géométrie,
astronomie, théodicée. Les Mauristes voyaient ici une allusion au
philosophe Chrysippe et aux réflexions « philosophiques » que fit
celui-ci lorsqu'on le vendait comme esclave : Lucien, *Vitarum auctio
(Les philosophes à l'encan)*, XIV, 21 (éd. W. Dindorf, Paris 1884,
p. 150).

ἐκφερόμενον καὶ τῶν λογισμῶν ἐκφέροντα · ἡδονῆς ἀμετρίαν,
γέλωτος ἀκρασίαν, λύπης ἀδημονίαν παῦσαι, νεότητος ἀνω-
10 μαλίαν, γήρως μικροψυχίαν, χηρείας ἐρημίαν, ὀρφανίας
ἀπόγνωσιν. Ταῦτα τῶν συλλογισμῶν καὶ τῶν γραμμῶν καὶ
τοῦ κεχηνέναι πρὸς τοὺς ἀστέρας, ἆρ' οὐ μακρῷ προτιμήσει
B τις εὖ φρονῶν, ἐκεῖνο ἐνθυμηθείς, ὅτι συναγόντων μὲν
πάντων ἢ γεωμετρούντων ἢ ἀστρονομούντων, οὐδὲν ἂν ὁ
15 βίος ἡμῶν παρὰ τοῦτο ὠφεληθείη, ὅτι μὴ καὶ τὰ πάντα
λυθήσεται ; Τούτων δ' ὧν εἶπον ἀναιρουμένων, ἀταξία τὸ
πᾶν καὶ σύγχυσις.

Ταῦτα τῆς Ἀντισθένους ἀλαζονείας καὶ τῆς Διογένους
ὀψοφαγίας καὶ τῆς Κράτητος κοινογαμίας, τί χρὴ λέγειν
20 ὅσῳ κρείττω καὶ ὑψηλότερα ; Πλὴν φειδόμεθα κἀκείνων
αἰδοῖ τῆς προσηγορίας, ἵνα τι τοῦ ἀνδρὸς ἀπολαύσωσιν.
Ἡμεῖς δ' ἵνα τὰ ἐν μέσῳ συνέλωμεν, τὸ σῶφρον, τὸ ἐγκρατές,
τὸ ἄτυφον, τὸ ἐπίχαρι, τὸ κοινωνικόν, τὸ φιλάνθρωπον,

7, 8 τὸν AQBTD et Maur. ‖ λογισμὸν AQBTD et Maur. ‖ 10
γήρους AWTC ‖ 14 ἀστρονομούντων T ‖ γεωμετρούντων T ‖ 15
καὶ τά ABWTSDC Maur. et Q (Q notat κατά in marg. sicut variam
lectionem) : κατά VP (P notat καὶ τά in marg. sicut variam lectionem) ‖ 16 δέ nS₂ et Maur. ‖ 20 φειδώμεθα AQ₁BV ‖ 22 δέ nS₂ et
Maur. ‖ ἵνα > B

1. La formule que nous traduisons par « la colère... raison » est
analysée dans le dictionnaire de Liddell, Scott, et autres (*Lexicon*,
p. 525, *s. v.* ἐκφέρω, III. Pass. 1) notant que la « passion » πάθος
qui emporte la raison est définie dans les *Stoïcorum veterum fragmenta*,
éd. H. von Arnim, Leipzig (Teubner), 1903, III, p. 92, comme
ὁρμὴ ἐκφερομένη καὶ ἀπειθὲς λόγῳ, « une impulsion emportée et
échappant à la raison ». Plus tard avec le participe à l'actif, on trouve
dans Philostrate, *Philostrati maioris imagines*, éd. O. Benndorf et
C. Schenkl, Leipzig (Teubner), 1893, II, p. 21 : (θυμὸς) ἐκφέρων τινὰ
τοῦ λογισμοῦ « (colère) emportant quelqu'un hors du bon sens ».
Les deux constructions sont ici rapprochées dans le texte de Grégoire.
Celui-ci connaissait ses classiques assez pour en tirer la matière d'un
stoïcisme chrétien et même pour juxtaposer dans un développement
littéraire, plus brillant qu'original, la forme du grec ancien et celle
du grec tardif.

2. « Ce grand homme » = littéralement « l'homme » : la considé-

insensée qui dérange la raison[1], à l'abus du plaisir et à
l'indiscrétion du rire ; mettre un terme à l'amertume du
chagrin, à l'instabilité de la jeunesse, à la pusillanimité
du grand âge, à la solitude du veuvage et à l'abandon des
orphelins. Est-ce que toute personne de bon sens ne préfé-
rera pas de beaucoup cela aux syllogismes, aux dessins et
à une béate observation astronomique ? Elle se dira ceci :
d'une part, si tout le monde se mettait à faire de la logique,
de la géométrie ou de l'astronomie, notre mode de vie ne
tirerait de cela aucun avantage, à moins même qu'il n'en
devînt tout à fait détraqué ; mais, d'autre part, si l'on
supprimait ce dont je viens de parler, l'univers serait
désordre et confusion.

Que dire ? Ce (programme) surpasse et dépasse telle-
ment l'insolence d'Antisthène, le végétarisme de Diogène
et la polyandrie de Cratès ! Mais épargnons ces gens-là,
par déférence à l'égard du nom qu'ils se donnent, afin
qu'ils profitent un peu de ce grand homme[2]. Quant à nous,
abrégeons et laissons de côté sa pudeur, sa continence,
sa modestie, sa douceur, sa sociabilité, ses sentiments
humanitaires, ainsi que les autres qualités qui ont permis
à ce grand homme de surclasser tous les autres. Nous nous

---

ration méritée par le philosophe Héron profite ainsi à ses collègues
les philosophes païens. Antisthène, disciple de Socrate, ami de
Xénophon, fondateur du courant cynique, d'autant plus mal connu
que les Alexandrins lui attribuaient beaucoup d'apocryphes : il est
donc malaisé de découvrir sur quoi se fonde le jugement porté ici
par Grégoire sur Antisthène. Il s'agit peut-être d'un lieu commun
courant : cf. *Discours* 27, 10 (*PG* 36, col. 24 B 7 - C 5) ; et CROISET,
Littérature grecque, IV, Paris 1899, p. 245-252 ; LESKY, *Literatur*,
p. 565-566. Grégoire le cite avec éloge dans *Discours* 4, 72 (*PG* 35,
col. 596 B 4). Diogène, figure la plus marquante de l'école d'Antisthène, école cynique ; cf. LESKY, *Literatur*, p. 755 ; et *Discours* 4, 72
(*PG* 35, col. 596 A 7-9) : son austérité provoquante. Cratès est loué
par Grégoire pour son détachement : *Discours* 4, 72 (*PG* 35, col. 596
A 12 - B 3), et 43, 60 (*PG* 36, col. 573 D 2 - 576 A 1) ; ici Grégoire
le présente comme partisan de la polyandrie, communauté des
épouses.

τἆλλα οἷς ὑπὲρ ἅπαντας ὁ ἀνήρ, ἐπὶ τὸ τελευταῖον μὲν τῇ
25 τάξει, πρῶτον δὲ τῇ δυνάμει τρεψόμεθα.

C 8. Ἦν ὅτε γαλήνην εἴχομεν ἀπὸ πασῶν τῶν αἱρέσεων,
ἡνίκα Σίμωνες μὲν καὶ Μαρκίωνες Οὐαλεντῖνοί τέ τινες
καὶ Βασιλεῖδαι καὶ Κέρδωνες Κήρινθοί τε καὶ Καρποκράτεις
καὶ πᾶσα ἡ περὶ ἐκείνους φλυαρία τε καὶ τερατεία, ἐπὶ
5 πλεῖστον τὸν τῶν ὅλων Θεὸν τεμόντες καὶ ὑπὲρ τοῦ Ἀγαθοῦ
τῷ Δημιουργῷ πολεμήσαντες, ἔπειτα κατεπόθησαν τῷ
ἑαυτῶν βυθῷ καὶ τῇ σιγῇ παραδοθέντες, ὥσπερ ἦν ἄξιον.
Μοντανοῦ δὲ τὸ πονηρὸν πνεῦμα καὶ τὸ Μανοῦ σκότος
καὶ ἡ Ναυάτου θρασύτης ἢ καθαρότης Σαβελλίου τε ἡ κακὴ
10 συνηγορία τῆς μοναρχίας εἶξε καὶ ὑπεχώρησεν ἡ μὲν εἰς
ἀντίπαλον μοῖραν ἀποκριθεῖσα ἡ δὲ καὶ πάντη περιφρονηθεῖσα
1209 A καὶ παραρριφεῖσα διὰ τὸ ἀσθενές. Ἄλλο δ' οὐδὲν παρελύπει
τὴν Ἐκκλησίαν. Οἱ γὰρ διωγμοὶ καὶ λαμπροτέραν αὐτὴν
ἐποίουν τοῖς πάθεσιν. Οὐ πολὺ τὸ ἐν μέσῳ καὶ δευτέρα
15 ζάλη κατὰ τῆς Ἐκκλησίας ἐγείρεται ὁ τυφῶν τῆς ἀδικίας,
τὸ πλήρωμα τῆς ἀσεβείας, ὁ λεγεὼν[a] τῶν πνευμάτων, ἡ
ἀντίχριστος[b] γλῶσσα, ὁ ἀδικίαν εἰς τὸ ὕψος λαλήσας νοῦς[c],
ἡ κατατομὴ τῆς θεότητος · οὗ δεινὴ μὲν ἡ ἐγχείρησις,
δεινοτέρα δὲ ἡ τελευτὴ καὶ τῆς Ἰούδα προδοσίας[d] ἀξία ἦν

7, 24 πάντας S ‖ 25 δὲ : μέν S₁ ‖ τρεψώμεθα B
8, 1 εἶχε μέν C ‖ πασῶν > n et Maur. S₂ eras. ‖ 8 Μανοῦ WTSP
et Maur. : > C Μανοῦς AQBVD ‖ 9 τε nS₂P₂ et Maur. : > S₁ δ'
P₁C ‖ 12 παραρριφεῖσα WP₁ ‖ δέ nS₂ et Maur. ‖ 15 τυφῶν BS₂C₂ :
τυφών AQWVTP forsan S₁C₁ et Maur. ‖ 19 δ' C

8. a. Cf. Lc 8, 30.   b. Cf. I Jn 2, 18 ; 2, 22 ; 4, 3 ; II Jn 7.
c. Cf. Ps. 72, 8.   d. Cf. Matth. 10, 4 ; Lc 22, 3 et 48 ; Jn 18, 2.

1. Sur les hérésiarques nommés ici, cf. introduction, p. 94-96.
« Leur abîme de silence », jeu de mots ironique à propos d'une doctrine
gnostique sur laquelle s'appuient divers courants du valentinianisme :
leur cosmologie imagine, en effet, entre Dieu, le père suprême, et les
réalités terrestres, une échelle d'intermédiaires, les Éons, allant par
paires et comblant l'abîme et le silence (βύθος καὶ σιγή) : SCHMID
et STAEHLIN, Geschichte, II, 2, p. 1262-1264, nᵒˢ 936-937 ; et CAMELOT,
art. « Valentinos, Gnostiker », dans L.Th.K., X, 1965, col. 602.
2. Cf. app. crit. : Τυφῶν = Typhon (le géant mythique) ; ὁ τυφῶν

tournerons vers celle qui vient en dernier lieu, mais qui
tient la première place par la puissance.

8. Il y eut une époque où nous avions le calme à l'abri
des remous provoqués par toutes les hérésies, lorsque des
Simon, des Marcion, de certains Valentinien, des Basilide
et Cerdon, des Cérinthe et des Carpocrate, avec toutes les
fariboles et les chimères dont ils étaient entourés, eux qui
pendant trop longtemps avaient découpé le Dieu de
l'univers et s'étaient attaqués au Créateur à propos du
Bien (suprême), avaient ensuite été livrés à leur « Abîme-
de-silence », (qui les absorba) comme ils le méritaient[1].
L'esprit malin d'un Montan, l'obscurité d'un Mani et la
brutalité ou la pureté d'un Novat, ainsi que la monarchie,
mal nommée, d'un Sabellius, cédèrent du terrain et
disparurent ; la première (de ces théories) ayant évolué
vers le parti opposé, l'autre sombra dans le dédain général
et on la laissa de côté à cause de sa faiblesse. Rien d'autre
n'affigeait l'Église. En effet, les persécutions lui donnaient
plus de prestige en raison de ce qu'elle avait à souffrir ;
mais l'intervalle fut court et un deuxième orage déferle
sur l'Église, (je veux dire) l'ouragan de l'injustice[2], le
plérôme de l'impiété, la légion des esprits[a], la langue
d'Antéchrist[b], l'intelligence proclamant bien haut l'injustice[c], la division de la divinité, cet être, dont l'entreprise
fut terrible, mais la mort encore plus terrible et digne de la
trahison que Judas[d] avait eu l'audace de commettre contre

(-ῶνος) = *l'ouragan* ; ὁ τύφων (-οντος) = *celui qui produit de la*
fumée ; ὁ τυφῶν (-ῶντος) = *celui qui rend fou* ; voir les dictionnaires,
notamment Liddell et Scott, *Lexicon*, p. 1838 ; ou Bailly, p. 1979.
J. de Billy traduit *iniustitiae turbo* ; le texte des Mauristes (*P G* 35,
col. 1209 A 5) suit une partie des manuscrits et écrit τυφών, comme
l'édition F. Morel (Cologne 1690, I, p. 414). Voir aussi E. A. Barber,
A Supplement to H. G. Liddell, R. Scott and H. S. Jones, *Gr.-*
Engl. Lexikon, Oxford 1968, p. 143. Nos ms. AVDC et peut-être P
portent ici la scolie suivante : « Ces mots s'appliquent aussi à
« Théodore de Mopsueste qui rejette complètement la divinité du
Christ ». Cf. P. Th. Camelot, dans *L. Th. K.*, X, 1965, col. 42-44
(Théodore de Mops. : ± 350 — 428).

20 ἐκεῖνος κατὰ τοῦ Σωτῆρος ἡμῶν ἐτόλμησεν, Ἄρειος, ὁ
καλῶς μετὰ τῆς μανίας ὀνομαζόμενος.

Οὗτος ἀπὸ τῆς Ἀλεξανδρέων ἀρξάμενος πόλεως κἀκεῖ
τὸ δεινὸν ἐκμελετήσας, ἔπειτα, ὥσπερ τις ἀγρία φλόξ, ἀπὸ
μικροῦ τοῦ σπινθῆρος τὸ πολὺ τῆς οἰκουμένης ἐπιδραμών,
25 ὑπὸ τῶν Πατέρων ἡμῶν καταλύεται καὶ τοῦ εὐσεβοῦς
ἀριθμοῦ τοῦ τότε καταλαβόντος τὴν Νίκαιαν καὶ εἴσω
B περιγραπτῶν ὅρων τε καὶ ῥημάτων τὴν θεολογίαν στήσαντος.

9. Πάλιν πονηρὰ βασιλεία καὶ πάλιν ἀναζῇ τὸ κακὸν
καὶ ὥσπερ τὰ ὕπουλα τῶν τραυμάτων ἀναστομοῦται καὶ
ἀναρρήγνυται. Καὶ λύκοι βαρεῖς ᵃ, ἄλλος ἄλλοθεν διαλαβόντες
ἡμᾶς, τὴν Ἐκκλησίαν σπαράττουσιν. Ἱερεῖς τε κατὰ ἱερέων
5 ἐξοπλισθέντες καὶ δῆμοι δήμοις ἐπιμανέντες καὶ βασιλεὺς
ἀσεβείᾳ διδοὺς παρρησίαν, καὶ κατὰ τῆς ὀρθῆς δόξης
C νομοθετῶν καὶ οἱ μήτε ἄνδρες μήτε γυναῖκες παρ᾽ αὐτῷ
δυναστεύοντες. Τίς ἂν τὰ τότε κακὰ πρὸς ἀξίαν ἐκτραγῳ-
δήσειε, τὰς φυγάς, τὰς δημεύσεις, τὰς ἀτιμίας, τὰς ἐπὶ τῆς
10 ἐρημίας συνάξεις, μυριάδων ὅλων καὶ πόλεων ὑπαιθρίων
ταλαιπωρουμένων, καὶ ὑετοῖς καὶ χειμῶσι πιεζομένων, τὰς
ἐντεῦθεν ἐπαναστάσεις — οὐδὲ γὰρ τὴν ἐρημίαν εἶχον
ἀκίνδυνον —, τὰ ἔτι τούτων χαλεπώτερα, τοὺς αἰκισμούς,
τοὺς θανάτους, τὰς θριαμβεύσεις ἐπισκόπων, φιλοσόφων,
15 ἀνδρῶν, γυναικῶν, νέων, γεγηρακότων, τοὺς ἐπινοοῦντας
δεινά, τοὺς προσεπινοοῦντας, τοὺς ὑπηρετουμένους τῇ ἀσεβείᾳ

8, 21 καλός DC ‖ 27 στήσαντες S
9, 1 ἀναζεῖ AQBWTD ‖ 2 ἀναστομοῦνται DP₁C ‖ 3 ἀναρρήγνυνται
S₁D (P illisib.) ‖ ἄλλος : ἄλλοις PC ‖ 4 τε + καί PC ‖ καθ᾽ S₁ DPC ‖
8-9 ἐκτραγῳδήσαιε C ‖ 10 ὑπαιθρίῳ C ‖ 11 ταλαιπορουμένων W₁B₁
corr. W₂B₂ ‖ 12 ἀπαναστάσεις T D₂ ‖ 15 ἐπινοοῦντας + τά AQW
VTS₂DP₂ et Maur. ‖ 16 δεινά — προσεπινοοῦντας > B ‖ προεπι-
νοοῦντας P

---

9. a. Cf. *Act.* 20, 29 ; *Matth.* 7, 15.

---

1. Sur Arius et les hérésiarques cités ici, cf. introduction, p. 94-96.
2. Le Concile de Nicée I, en 325 ; cf. Duchesne, *Hist. ancienne*, II,
p. 125-127.

Notre Seigneur, Arius (enfin), dont le nom va bien avec son genre de démence[1].

Celui-ci commença par Alexandrie et y inventa le terrible mal ; ensuite, ayant ravagé la grande partie de l'univers comme une flamme sauvage allumée à partir d'une petite étincelle, il est anéanti par nos Pères et par la pieuse assemblée d'un (certain) nombre d'entre eux réunis alors à Nicée, qui ont établi la théologie entre les limites de définitions de formules précises dont la théologie ne peut s'écarter[2].

9. C'est de nouveau un règne mauvais, de nouveau le mal reprend vie et, comme le pus amassé au fond des blessures, il trouve un passage et jaillit à la surface. Des loups cruels[a] déchirent l'Église et nous divisent de toutes parts. Des prêtres ont pris les armes contre d'autres prêtres, des fidèles se sont jetés avec fureur sur d'autres fidèles, un empereur fait confiance à l'impiété et porte des lois hostiles à l'orthodoxie et, dans son entourage, les (eunuques), qui ne sont ni hommes ni femmes, exercent l'autorité[3]. Qui pourrait présenter aussi tragiquement qu'il convient les maux de cette époque, les proscriptions, les confiscations, les dégradations, les concentrations dans le désert, où des myriades et même des cités entières de misérables vivaient en plein air exposés au pluies et aux intempéries, les rébellions qui en résultaient — car même la solitude ne les mettait pas à l'abri des dangers ! — et les maux pires encore que ceux-ci, les supplices, les exécutions, les cortèges d'évêques, de philosophes, hommes et femmes, jeunes ou déjà âgés ? Les autorités au service de l'irréligion imaginent des supplices terribles ou y ajoutent

---

3. Le règne de Constance II (337-361) : cf. Stein, *Bas-Empire*, I, p. 131-158, spécialement p. 151-154 ; cet empereur passe pour avoir été spécialement soumis à l'influence des eunuques du palais (Jones, *The Later Roman Empire*, p. 568), parmi lesquels le préposite Eusèbe, favorable aux évêques ariens et notoirement hostile à S. Athanase (Jones, *Prosopography*, I, p. 302-303, n° 11).

δυνάστας, οἷς τοῦτο μόνον πολλάκις εἰς εὐδοκίμησιν ἤρκεσε,
τὸ πικροτέρους φανῆναι τῆς τοῦ κρατοῦντος βουλήσεως ;

1212 A   **10.** Ἄρτι μὲν ὁ λαμπρὸς διωγμὸς εἶχε πέρας καὶ Περσὶς
καλῶς ἡμῖν ἐδίκασε τὸν ἀλιτήριον καταλύσασα καὶ πολλῶν
αἱμάτων εἰσπραξαμένη δίκην δι᾽ ἑνὸς αἵματος · ἄρτι δ᾽ ὁ
ἀπρεπὴς ἄρχεται, καὶ τὸ ἀμύνειν Χριστιανοῖς πρόσχημα
5 ἔχων τῆς ἀσεβείας, τοῖς ἀληθῶς Χριστιανοῖς ἐπιφύεται καὶ
τοσοῦτον ἐκείνου χαλεπώτερος γίνεται, ὅσῳ τότε μὲν ἡ
ἄθλησις περιφανεστέρα καὶ λαμπροτέρα, νῦν δὲ καὶ τὸ παθεῖν
ἀφιλότιμον, παρά γε τοῖς οὐ δικαίοις τῶν παθῶν λογισταῖς
Βούλεσθε δάκρυα τῷ θεάτρῳ κινήσω καὶ αὐτῷ γε ἴσως
10 τῷ καρτερικωτάτῳ καὶ τῶν παθῶν κρείσσονι, ἑνὸς τῶν τότε
γενομένων ἐπιμνησθείς ; Μάρτυρες δὲ πολλοὶ τοῦ λόγου ·
καὶ γὰρ εἰς πολλοὺς ἦλθεν ἡ τραγῳδία τοῦ πάθους, οἶμαι
δὲ καὶ ὁ μέλλων ὑπολήψεται χρόνος τοῦ καιροῦ τὸ διήγημα.
B   Ναῦς φόρτον ἔχουσα τῶν πρεσβυτέρων ἕνα καὶ τοῦτον
15 οὐδ᾽ ὑπὲρ κακοῦ τινος, ἀλλ᾽ ὑπὲρ πίστεως κινδυνεύοντα, κατὰ
πελάγους ἀφίεται, οὐχ ἵνα σώσῃ τὸν ἐπιβάτην, ἀλλ᾽ ἵνα
ἀπολέσῃ. Καὶ ὁ φόρτος πρόθυμος · εὐσεβὴς γάρ. Καὶ πῦρ
τῷ φόρτῳ συνέμπορον · καὶ τρυφᾷ τὸ καινὸν τῆς κολάσεως
ὁ διώκτης. Φεῦ τοῦ θεάματος ! Φεῦ τοῦ δράματος ! Ἡ
20 ναῦς πελάγιος · τὸ θέατρον ἐπὶ ταῖς ἀκταῖς, τῶν μὲν

9, 18 φανῆναι > S₁P₁C, rest. in Pmg. manus recentior
10, 1 λαμπρὸς : πικρὸς P₁ (corr. P₂) ‖ 2 ἡμῖν > S₁ (rest. S₂) ‖
3 εἰσπραξαμένων V₁ ‖ δέ nD et Maur. ‖ 6 ὅσῳ > S₁ (rest. S₂) ὅσον Q ‖
8 γε : τε C ‖ τῶν τῶν C ‖ 9 κινήσω : νικήσω S ‖ 12 γάρ + καί T et
Maur. ‖ 15 οὐδ᾽ nS₂ et Maur. ‖ 16 ἵνα¹ : ἵν᾽ S ‖ ἵνα² : ἵν᾽ ASP ‖ 18
τὸ καινὸν nSDC : τὸ κοινόν P₁ τῷ καινῷ (fortasse P₂) Qmg. sicut
varia lectio ‖ 19 θεάματος ... δράματος ∾ T

---

1. Pathétique conforme aux procédés de style propres au panégyrique des martyrs : énumération des supplices, surenchère, ecphrase,
hyperboles, etc. ; Grégoire en est conscient et il note au passage qu'il
a à présenter les choses « aussi tragiquement qu'il convient ». Cf.
DELEHAYE, *Passions*, p. 223-224 : « On se tromperait beaucoup en
s'appuyant sur cette description comme sur un document historique... » (p. 224).

des (raffinements) supplémentaires : il leur suffisait souvent
pour se rendre illustres de paraître dépasser en cruauté
l'intention du Prince[1].

10. A peine la célèbre persécution prenait-elle fin et la
Perse nous eut-elle vengé convenablement en éliminant
le fléau et en faisant expier le sang de nombreuses victimes
dans le sang d'un seul[2], que le Vilain commence et, prenant
la défense de certains chrétiens pour prétexte de son
impiété, sévit contre les chrétiens véritables[3] ; et sa dureté
dépasse celle de son prédécesseur dans la mesure où, à
l'époque de ce dernier, la lutte était plus manifeste et plus
éclatante tandis que maintenant le mal qu'on subit est
dépourvu d'honneur, du moins aux yeux de ceux qui
n'estiment pas à leur valeur exacte les souffrances subies.

Y tenez-vous ? Par le rappel d'un seul exemple de ce
qui se produisit à cette époque-là, j'arracherai des larmes
à l'assistance, et également même à celui qui est le plus
intrépide et le plus impassible. Beaucoup peuvent attester
ce que je vais dire, car beaucoup ont eu vent de ce drame
pathétique et je crois que l'avenir répétera aussi le récit
de cet épisode. Un navire ayant pour chargement un des
prêtres — et qui n'était même pas poursuivi pour une
mauvaise action quelconque, mais à cause de la foi —
est mis à la mer, non pour le salut du passager, mais pour
sa perte. Cette « cargaison » est pleine d'ardeur, car pleine
de piété. On lui donne le feu pour compagnon de voyage
et le persécuteur jouit de la nouveauté du supplice. Quel
spectacle ! Quel drame ! Le navire est sur la mer ; les
spectateurs se trouvent sur les falaises du rivage ; les uns

2. L'empereur Julien trouva la mort au cours d'une campagne
jusque-là victorieuse contre la Perse, le 26 juin 363 : AMMIEN
MARCELLIN, XXV, 3 ; GRÉGOIRE DE NAZ., *Discours* 5, 14-15 (*P G* 35,
col. 681 A 5 - 684 B 2) ; lire STEIN, *Bas-Empire*, p. 159-170.

3. « Certains chrétiens » ... « chrétiens véritables » : opposition des
ariens favorisés par l'empereur Valens, et des orthodoxes, cf. STEIN,
Bas-Empire, I, p. 176-177.

ἐφηδομένων, τῶν δὲ ὀδυρομένων. Πῶς ἂν ἐν ὀλίγῳ τὸ πολὺ
παραστήσαιμι ; Ἀνάπτεται τὸ πῦρ, δαπανᾶται ἡ ναῦς,
συνδαπανᾶται ὁ φόρτος, πῦρ ὕδατι μίγνυται καὶ συντρέχει
τὰ ἐναντία εἰς εὐσεβοῦς κόλασιν καὶ δύο στοιχεῖα ἓν σῶμα
25 μερίζεται καὶ πυρσὸς ὑπὲρ θαλάσσης αἴρεται ξένος. Ὦ
προσῆλθε μὲν τάχα τις, ὡς ἡμέρῳ καὶ φιλανθρώπῳ ·
προσελθὼν δέ, εὗρε θέαμα ἐλεεινόν τε καὶ ἄπιστον, ἄνευ
κυβερνήτου πλοῦν, ἄνευ χειμῶνος ναυάγιον. Καὶ ὁ πρεσβύτε-
ρος κόνις, καὶ οὐδὲ κόνις, σπαρεὶς ἐν τοῖς ὕδασι. Καὶ οὐδὲ
C 30 τοσοῦτον ἡ ἱερωσύνη ὅσον τελευτῆς γοῦν εὐσχημονεστέρας
τυχεῖν · εἰ δὲ μὴ τελευτῆς, ἀλλὰ ταφῆς γε πάντως ἢ καὶ
τοῖς ἀσεβέσιν ὀφείλεται.

Τοιοῦτος ὁ τοῦ ἀσεβοῦς στόλος · τοιοῦτον τοῦ εὐσεβοῦς
τὸ τέλος. Καὶ οὐδαμοῦ πῦρ ἄνωθεν εὐαγέστερον, οὐδὲ
35 κολαστικὸν τοῦ τοιαῦτα πυρσεύοντος !

D   11. Ἀλλὰ τί μοὶ τῶν ἔξωθεν ; Ἐπ’ αὐτὴν ἤδη βαδιστέον
τὴν σὴν ἄθλησιν καὶ τοὺς σοὺς ὑπὲρ τῆς εὐσεβείας ἀγῶνας,
οὓς πᾶσι τοῖς προλαβοῦσιν ὥσπερ τινὰ σφραγῖδα καλὴν
ἐπέθηκας. Ἤκμαζε μὲν ἐν τῇ σῇ πόλει τὸ τῆς αἱρέσεως
1213 A ταύτης κακόν, ὅθεν καὶ ἤρξατο. Ἐπεὶ δὲ τὸν μὲν ἁγιώτατον
6 τῆς οἰκουμένης ὀφθαλμὸν καὶ ἀρχιερέα τῶν ἱερέων, τὸν τῆς
σῆς ὁμολογίας καθηγητὴν καὶ διδάσκαλον τοῖς ἑαυτοῦ περὶ
τῆς εὐσεβείας ἀγῶσι, τὴν μεγάλην φωνήν, τὸ τῆς πίστεως
ἔρεισμα, τὸν δεύτερον Χριστοῦ λύχνον καὶ πρόδρομον, εἰ
10 θέμις τοῦτο εἰπεῖν, ἐν γήρᾳ καλῷ κοιμηθέντα καὶ πλήρη

10, 21 τῶν — ὀδυρομένων > S₁ (S₂ restit. ‖ 26 προσῆλθεν AB ‖
28 πλοῦν : πλοῖον P mg.) ‖ 30 ἡ > T ‖ 32 ἀσεβοῦσιν Q₂WVT ‖ 33
ὁ > V ‖ τοῦ + τὰ S₁DPC
11, 1 ἤδη > W₁ (rest. W₂) + μοι DP ‖ 2 τῆς > nS₂ et Maur.
‖ 5 δή Q₂V P₁ (vel fortasse P₂) ‖ 9 δεύτερον + τοῦ W₁ (expunx.
W₂)

---

1. Récit pathétique en forme d'ecphrase complexe, typique de
cette forme littéraire ; l'écrivain recourt à tout l'arsenal des procédés
propres au genre : Mossay, La mort, p. 25-36 ; les Mauristes font

amusés, les autres gémissant. Comment me serait-il possible de présenter brièvement ce vaste tableau ? On allume le feu, le navire se consume en même temps que son chargement. Le feu s'allie à l'eau ; les contraires concourent à la torture d'un (homme) pieux et un seul corps divise deux éléments : un bûcher étrange s'élève sur la mer. Peut-être quelqu'un s'en approcha-t-il comme (d'une flamme) douce et agréable ? Mais de plus près, il trouva un spectacle pitoyable et incroyable, une croisière sans pilote, un naufrage sans tempête, et le prêtre réduit en cendres et pas même en cendres : ses restes ont été dispersés dans les eaux. Le caractère sacerdotal n'est même pas assez pour obtenir une mort plus honorable, ou si non une mort, du moins une sépulture, qui est due même aux impies[1].

Voilà l'expédition navale entreprise par l'impie ; voilà la fin de l'homme pieux. Et il n'y a absolument aucun feu d'en-haut plus mérité pour châtier celui qui allume de pareils bûchers !

11. Mais que m'importent les choses du dehors ? Il faut en venir à ta propre lutte, à tes combats pour la cause de la piété, qui sont comme un cachet de garantie que tu apposas sur tous tes actes. Dans ta ville d'origine, le mal de l'hérésie, qui y avait pris naissance, était au paroxysme du succès. Après que la Trinité a rappelé à elle celui qui avait vécu en union avec elle et qui avait risqué sa vie pour elle, l'œil très saint du monde entier, l'archiprêtre des prêtres, le professeur qui formait les confesseurs de la foi en donnant comme leçons ses propres combats livrés pour la cause de la piété, la grande voix, le pilier de la foi, le second lampadaire et précurseur de Christ, si l'on peut dire, (qui était) décédé à un âge avancé et dans la plénitude de

état d'une scolie nommant Héliodore et Théodule les deux prêtres victimes de l'exécution racontée dans cet épisode : *P G* 35, col. 1211, n. 36.

τῶν κατὰ Θεὸν ἡμερῶν, μετὰ τὰς συκοφαντίας, μετὰ τοὺς
ἄθλους, μετὰ τὴν περιβόητον χεῖρα, μετὰ τοὺς ζῶντας
νεκρούς, ἡ Τριὰς πρὸς ἑαυτὴν μετατίθησιν, ἢ συνέζησε καὶ
ὑπὲρ ἧς ἐκινδύνευσεν — Ἀθανάσιον οἶδ' ὅτι πάντες ἐν τοῖς
15 λόγοις ἀνέγνωτε — · δευτέρα δέ τις Αἰγύπτου πληγὴ καὶ
μάστιξ ᵃ ἑαυτὸν ἐπεισάγει τῇ Ἐκκλησίᾳ ὁ τῆς ἀληθείας
προδότης, ὁ τῶν λύκων ποιμήν ᵇ, ὁ διὰ τῆς αὐλῆς ὑπερβαίνων
B ληστής ᶜ, ὁ δεύτερος Ἄρειος, ἡ θολερὰ καὶ ἄποτος ἀνατροπή,
ὁ τῆς ἀθέου πηγῆς δαψιλέστερος ποταμός · ὀκνῶ μὲν τὰς
20 τότε παρανομίας εἰπεῖν καὶ μιαιφονίας, μεθ' ὧν τὸν ἅγιον
καταλαμβάνει θρόνον ὁ θὴρ καὶ τῆς πονηρᾶς εἰσόδου τὰ
προτελέσματα · ὀδύρομαι δ' ὅμως ὀλίγα ἐκ πολλῶν ἃ καὶ
ὑμεῖς ὀδύρεσθέ τε καὶ προωδύρασθε, τῷ θείῳ Δαβὶδ συγχρησάμενος. Ὁ Θεός, ἤλθοσαν ἔθνη εἰς τὴν κληρονομίαν σου,
25 ἐμίαναν τὸν ναὸν τὸν ἅγιόν σου ᵈ καὶ τὰ ἐπὶ τούτοις ·
Ἔθεντο τὰ θνησιμαῖα τῶν δούλων σου, πετεινῶν βρώματα,
καὶ θηρίων σπαράγματα ᵉ. Προσθήσω δὲ παρ' αὐτοῦ κἀκεῖνα
ἐξ ἄλλου θρήνου καὶ ἑτέρας ᾠδῆς · Ὅσα ἐπονηρεύσατο ὁ
ἐχθρὸς ἐν τῷ ἁγίῳ σου καὶ ἐνεκαυχήσαντο οἱ μισοῦντές σε
30 ἐν μέσῳ τῆς ἑορτῆς σου ᶠ. Πῶς γὰρ οὐκ ἐνεκαυχήσαντο ;
C Πῶς δ' οὐκ ἐμίαναν τὸν ναὸν τὸν ἅγιόν σου συμφοραῖς
πολυτρόποις καὶ παντοίοις κακοῖς ;

11, 14 post Ἀθανάσιον add. aliquid S₁ ‖ 20 εἰπεῖν post μιαιφονίας
V ‖ τὸν : τὸ W₁ (corr. W₂) ‖ 22 δέ P ‖ 23 προοδύρεσθε DC ‖ 23-24
συγχρησάμενοι TS₁P₁ ‖ 24 ἔλθωσαν T ‖ 26 πετηνῶν Q ‖ 31 δέ n et
Maur. ‖ σου > n eras. S₂

---

11. a. Cf. *Ex.* 11, 1 ; et 7-11.   b. Cf. *Jn* 10, 12 ; *Matth.* 7, 15 ;
Act. 20, 29 ; etc.   c. Cf. *Jn* 10, 1.   d. *Ps.* 78, 1.   e. *Ps.* 78, 2.
f. *Ps.* 73, 3-4.

---

1. « La main »..., ou « les morts bien en vie » : allusions au procès
dans lequel S. Athanase réfuta l'accusation de meurtre portée contre
lui par des faux témoins exhibant la main coupée de sa victime
présumée ; Athanase fit comparaître cette « victime » bien vivante ;

ses jours selon Dieu, après les dénonciations, les persécutions, la fameuse histoire de la main et (celle) des morts bien en vie — je sais que vous reconnaissez tous Athanase dans mes paroles —, une sorte de seconde plaie[a] pour le châtiment de l'Égypte s'introduit dans l'Église, le traître à la vérité, le pasteur des loups[b], le brigand qui escalade l'enclos[c], le nouvel Arius, le bouleversement qui rend les choses troubles et inassimilables, le fleuve charriant des flots d'impiété plus abondants[1]. Je suis confus de parler des crimes de ce temps et des meurtres grâce auxquels la bête sauvage accède au trône saint et qui préludent à sa méchante entrée[2]. J'en déplore néanmoins quelques-uns choisis parmi beaucoup d'autres que vous déplorez vous-mêmes et que vous avez déplorés et je reprends à mon compte des paroles du divin David : « Dieu, des nations étrangères ont envahi ton patrimoine, profané ton saint temple[d] », et ensuite : « Les cadavres de tes serviteurs restèrent sur place, dévorés par les rapaces et déchirés par les bêtes sauvages[e] ». Et je lui emprunte en outre ces versets d'une autre lamentation tirée d'un autre psaume : « Tout ce que l'Ennemi fit de mal à celui qui t'est consacré, ceux qui t'en veulent en ont pris plaisir en célébrant ta fête[f]. » Car comment n'y auraient-ils pas pris plaisir ? Et comment n'auraient-ils pas profané ton saint temple par des malheurs de toutes sortes et des maux variés ?

---

sur la carrière mouvementée de S. Athanase, cf. *Discours* 21, ainsi que la bibliographie, vol. I, p. 86-88. Le « nouvel Arius » est Lucius de Samosate, hérésiarque dont S. Pierre d'Alexandrie se plaint dans une lettre citée par THÉODORET, *Hist. eccl.*, IV, 22, 9-10 (éd. L. Parmentier, Leipzig 1911, p. 252, 8-22) : « un loup par la méchanceté », introduit à Alexandrie par Euzoios, évêque d'Antioche. Cf. aussi KERTSCH, *Bildersprache*, p. 12, n. 2 ; 156-157 ; et 175, n. 2.

2. « Bête sauvage » ici = l'arien Lucius, qui supplante S. Pierre sur le trône d'Alexandrie, grâce à l'appui de l'empereur Valens : cf. note précédente.

12. Ἐστρατήγει μὲν ἀνὴρ ἄθεος καὶ παράνομος οὐδὲ
ὄνομα Χριστιανισμοῦ περικείμενος — τοῦτο γὰρ τῆς ὕβρεως
τὸ δεινότατον —, ἀλλ' ἐκ τῶν εἰδώλων ἐπὶ τὸν τοῦ Θεοῦ
ναὸν ἐπειγόμενος, ἐκ τῶν ἀκαθάρτων αἱμάτων ἐπὶ τὰ
5 μυσαρώτερά τε καὶ βδελυκτότερα καὶ τοῦτο ἱερουργῶν ἴσως
τὴν καθ' ἡμῶν ὕβριν τοῖς δαίμοσι · παρετάσσετο δὲ δύναμις
θυμῷ ζέουσα, στρατὸς ἀλλόκοτος καὶ ἀνήμερος κατὰ τῶν
ἀόπλων καὶ ἀπολέμων.

Ἐξωθεῖτο μὲν ὁ τοῦ ἁγίου διάδοχος ἱερεύς, ὁ νόμῳ καὶ
D 10 τάξει Πνεύματος κεχρισμένος καὶ πολιᾷ καὶ φρονήσει
1216 A τετιμημένος · ἐβασίλευε δὲ Ταβεήλ [a], ὁ κληρονόμος τῶν
ἀλλοτρίων. Κατὰ τῶν ἁγίων ὅπλα, κατὰ τῶν ἀσύλων μιαραὶ
χεῖρες, κατὰ τῶν ᾠδῶν σάλπιγγες. Σκόπει μοι τὰ τούτοις
ἑπόμενα, πίπτοντας ἄνδρας ἐν τοῖς ἁγίοις, συμπατουμένας
15 γυναῖκας, ἔστιν ἃς καὶ μετὰ τοῦ φόρτου τῆς φύσεως, τοὺς
προώρους τόκους καὶ ἀτόκους, εἰπεῖν οἰκειότερον, διελκομένας
οἰκτρῶς παρθένους, αἰκιζομένας αἰσχρότερον — αἰσχύνομαι
καὶ γυναῖκας καὶ ἄνδρας εἰπεῖν τὸν τρόπον καὶ γυμνῶσαι
τῷ λόγῳ τὰ κρυπτὰ τῆς αἰσχύνης, οἷς καὶ τότε γυμνωθεῖσιν
20 αἰσχύνομαι —, τὰς μὲν κατὰ φρεάτων φερομένας τῶν ἔνδοθεν
τοῦ ἱεροῦ, τὰς δὲ ἐκ τῶν ὑπερῴων κρημνιζομένας ἐπὶ τῇ
ἀτοπίᾳ τῶν ὁρωμένων, τὰς δὲ ταῖς κειμέναις ἐπισωρευομένας,

12, 1 οὐδ' SDC ‖ 2 χριστιανοῦ nS₂D et Maur. ‖ 3 τοῦ θεοῦ nS₂DPC
et Maur. : κυρίου S₁ ‖ 3-4 ναὸν ante τοῦ θεοῦ DPC ‖ 11 ἐβασίλευσε P ‖
15 ἃς : ὅτε V ‖ τοῦ > S₁ (restit. S₂) ‖ 16 τόκους : τοκετούς S₁P₁ C ‖
17 οἰκτρῶς post παρθένους nS₂ et Maur. ‖ 20 ἔνδον n et Maur.

12. a. *Néh.* 2, 10-19 ; 3, 35 ; etc. ; *Is.* 7, 6.

1. Il s'agit d'Aelius Palladius, préfet d'Égypte (371-374), chargé
par Valens de soutenir la cause et la personne de l'évêque arien
Lucius contre Pierre d'Alexandrie : Théodoret, *Hist. ecclés.*, IV,
21, 1 - 22, 26 (*op. cit.*, p. 246, 24 - 258, 7, et la suite, spécialement
p. 249, 15 et 258, 2). Jones, *Prosopography*, I, p. 661.
2. Pierre d'Alexandrie, évêque de mai 373 au 14 février 381, frère
et successeur d'Athanase : cf. G. Bardy, dans Fliche et Martin,
Hist. de l'Église, III, p. 262, réf. n. 4.

12. Le gouverneur était un homme sans foi ni loi ; il
ne se targuait même pas d'être chrétien de nom — car
voilà bien le comble de l'insolence ! — ; au contraire,
passant précipitamment du temple des idoles à celui de
Dieu, des sacrifices impurs à d'autres plus abominables
et plus répugnants, il faisait également de son insolence
à notre égard un exercice religieux en l'honneur des
démons, et une puissance qui bouillonnait en lui comme
une armée horrible et cruelle se disposait à attaquer des
gens désarmés et pacifiques[1].

On expulsait le prêtre, successeur légitime du saint[2],
qui avait reçu l'onction conformément à la loi et à l'Esprit,
et avait été honoré pour son âge et sa sagesse ; mais,
l'empereur était un Tabéel[a][3] héritier d'un patrimoine
illégitime. Contre les saints, on oppose des armes, contre
les sanctuaires, des mains impures, contre les psaumes,
des trompettes militaires. Regarde-moi les suites de cela,
des hommes tombant dans les lieux saints, des femmes
piétinées, et dans certains cas, (des femmes) alourdies par
le fardeau de la nature, les naissances prématurées et plus
précisément avortées, des jeunes filles misérablement
emmenées, plus honteusement outragées — je suis gêné
de dire devant des femmes et des hommes de quelle manière,
et de découvrir par mes propos les choses que la pudeur
tient habituellement cachées et je suis gêné aussi qu'elles
aient été alors découvertes —, les unes jetées dans des
citernes qui se trouvaient à l'intérieur du saint lieu,
d'autres se précipitant elles-mêmes des parties supérieures
du temple à cause de l'horreur du spectacle, d'autres encore

---

3. Tabéel ou Tobie (personnage distinct des pieux personnages
du *Livre de Tobie*) s'opposa à la reconstruction du temple de Jérusalem
sous Néhémie, qui le présente comme un fonctionnaire inféodé à
l'étranger et hostile au peuple élu : cf. app. bibl. Son nom désigne
ici la « bête sauvage » dévastant l'Église orthodoxe, soit Aelius
Palladius ou Valens, cf. la note suivante.

186   DISCOURS

τοὺς ἐπὶ τοῖς φόνοις φόνους, τὰ ἐπὶ τοῖς πτώμασι πτώματα,
B πατούμενα βεβήλοις ποσὶ τὰ ἅγια, θυσιαστήρια καθυβριζόμενα
25 σχήμασιν ἀσελγέσι καὶ ᾄσμασιν, ὡς δὲ ἀκούω, — τί ταῦτα
ἡ τολμηρὰ γλῶσσα φθέγξεται ; — καὶ τοῖς ὑπὲρ αὐτῶν
ὀρχήμασι καὶ λυγίσμασι, δημηγορούσας ἐπὶ τῶν ἱερῶν
θρόνων γλώσσας βλασφήμους, μυστήρια κωμῳδούμενα,
σιωπωμένας ψαλμῳδίας, οἰμωγὰς ἀντεγειρομένας, αἱμάτων
30 ὀχετούς, δακρύων πηγάς, ἱερεῖς ἀγομένους, μονοτρόπους
σπαρασσομένους, πᾶσαν τῆς Ἀσσυρίων καταδρομῆς τὴν
εἰκόνα, ἥν ποτε τὴν ἁγίαν Ἱερουσαλὴμ κατέδραμον, ἣν
μήτε λόγος ἀξίως παραστῆσαι μήτε ἀκοὴ χωρῆσαι δύναται,
μόνης δὲ τῆς Ἱερεμίου b καὶ ψυχῆς καὶ φωνῆς πρὸς ἀξίαν
35 ὀδύρεσθαι · ὃς καὶ πηγὰς δακρύων ἐπιζητεῖ καὶ ἐκ τειχῶν
προκαλεῖται θρῆνον ἐπὶ τοιούτοις πάθεσι καὶ ὁδοῖς Σιὼν
ἐπιβάλλει πένθος, οὐκ ἀγούσαις τοὺς ἑορτάζοντας.

C **13.** Τοῦτο τὸ δρᾶμα εἶδε μὲν ἑῴα λῆξις, ἐθρήνησε δὲ καὶ
ἑσπέριος, ᾗ τὰ σύμβολα τῆς ἀπονοίας ὁ φυγὰς ἱερεὺς ἐθριάμ-
βευσε. Τίνα τρόπον ; Προὔθηκε τῇ Ἐκκλησίᾳ Ῥωμαίων,
ἀντὶ τῶν νεκρῶν, τὴν ἡμαγμένην ἐσθῆτα καὶ κινεῖ πάνδημα
5 δάκρυα διὰ τῆς σιωπώσης κατηγορίας, ἵνα καὶ παραστήσῃ
τὸ πάθος καὶ τῶν δεινῶν ἐπίκουρον λάβῃ, ὥσπερ οὖν καὶ
εἰληφότα ἔγνωμεν · ἐπειδὴ φιλεῖ μάλιστα κάμπτεσθαι τὸ

12, 24 ποσὶ : χερσί S ‖ 25 ἀσελγέσιν B₁ eras. ν B₂ ‖ τοῦτο nS₂P₂
et Maur. ‖ 26 ἡ : ᾗ P ‖ 30 εἰσαγομένους Q ‖ 31 σπαρασσομένους :
παρατεττομένους B ‖ 34 Ἱερεμίου : ἱεροῦ P₁ corr. P₂ ‖ 35 ὀδύρασθαι
nS₂P₂ et Maur. ‖ 36 ἐπὶ + τοῖς Q
13, 1 ἴδε AW₁D ‖ μὲν + ἡ PC ‖ καὶ + ἡ PC

12. b. Cf. *Jér.* 9, 1 ; *Lam.* 1, 1 ; etc.

1. Le parallèle entre la persécution arienne à Alexandrie, sous
Valens, et la ruine de Jérusalem a été introduit par l'évocation de
Tabéel (note précédente) ; la même situation présentée dans *Discours*
33, 3 (*PG* 36, col. 217 A 8 - C 10) et 43, 45-47 (*PG* 36, col. 553 D 2 -

entassées sur celles qui gisaient déjà sur le sol, meurtres
sur meurtres, chutes sur chutes, le sanctuaire foulé par
des pieds indignes, des autels profanés par des tenues et
des chants lubriques, d'après ce que j'entends dire —
mais, pourquoi une langue téméraire dira-t-elle ces choses-
là ? — par des danses et des contorsions provoquantes
exécutées sur ces (autels), des langues prononçant des
harangues blasphématoires du haut des trônes sacrés,
des mystères tournés en ridicule, des psalmodies réduites au
silence et des lamentations qui prennent leur place, des
ruissellements de sang, des fontaines de larmes, des
prêtres emmenés de force, des ermites dispersés, le tableau
complet de l'invasion des Assyriens qui s'abattit jadis sur
la sainte Jérusalem ; la parole ne saurait en faire un digne
récit ni l'ouïe le supporter ; il n'y a que l'âme et la voix
de Jérémie[b] qui soient capables de s'en lamenter dignement,
lui qui réclame des fontaines de larmes, invite du haut
des remparts à entonner un chant de deuil sur de telles
souffrances et fait retentir de son chagrin les routes de
Jérusalem délaissées par les cortèges de fête[b] [1].

13. L'Orient eut ce spectacle dramatique sous les yeux
et ce fut un deuil pour l'Occident aussi où le prêtre proscrit
avait fait circuler les preuves irréfutables de cette démence.
De quelle manière ? Au lieu des cadavres, il présenta à
l'Église de Rome son habit ensanglanté et il provoqua
les pleurs de tout le monde par leur accusation tacite,
(s'y prenant ainsi) dans le but d'évoquer la souffrance
endurée et de trouver un soutien dans la détresse comme
nous savons qu'il en trouve vraiment, vu que celui qui
est dans une situation meilleure aime à se pencher surtout

---

557 B 13) ; dans ces deux passages, le préfet Aelius Palladius est
appelé « un Nabuzardan », préfet des cuisiniers, prêt à menacer les
gens de son coutelas et du feu de son fourneau : JONES, *Prosopography*,
I, p. 661.

προέχον πρὸς τὸ ἀσθενὲς καὶ δι' εὐνοίας ἑκουσίου τῷ
ἐλαττουμένῳ προστίθεσθαι.

10 Τοῦτο ἤνεγκε μὲν οὐδὲ τῶν ἄλλων εὐσεβῶν οὐδὲ εἷς ·
σὲ δὲ κινεῖ καὶ πλέον, ὅσῳ καὶ τὸν λόγον τελεώτερος καὶ
τὸν ζῆλον θερμότερος. Διὰ τοῦτο πολεμεῖς μὲν ὑπὲρ τοῦ
Λόγου, πολεμῇ δὲ ὑπὸ τῆς ἀσεβείας καὶ πρὸς πολλοῖς ἄλλοις,
D οἷς ὑπὲρ τοῦ καλοῦ πράττων καὶ λέγων ἠγώνισαι, διδάσκων,
1217 A νουθετῶν, ἐξαιρούμενος, ἐλέγχων, ἐπιτιμῶν, συγχέων, ἰδιώ-
16 τας, ἄρχοντας, ἰδίᾳ, δημοσίᾳ, κατὰ πάντα καιρὸν καὶ
τόπον · τέλος, μανίᾳ συναρπασθεὶς δυσσεβοῦς ἐξουσίας,
— ὦ τῆς εὐγενοῦς σου συμφορᾶς ! ὦ τῶν ἱερῶν σου τραυμάτων ! — ξαίνῃ μὲν τὸ καλὸν σῶμα ταῖς μάστιξιν, ὥσπερ
20 δὲ ἄλλου θεατὴς πάσχοντος καὶ κάμπτῃ μὲν τὸ ὁρώμενον,
οὐ καταβάλλῃ δὲ τὸ νοούμενον · στηλιτεύεις τὴν ἀνδρείαν
ἐν ταῖς πάντων ὄψεσι · γίνῃ δὲ καὶ σιγῶν τῆς καρτερίας
διδάσκαλος, ἐπειδή γε ἡ γλῶσσα παρῆκε τὸ φθέγγεσθαι.
B 14. Εἶτα τί ; Τῆς πατρίδος ὑπερορίζῃ, ὁ μηδεμίαν εἰδὼς
οἰκείαν καὶ ἀλλοτρίαν, ἐμοὶ δοκεῖν, ἵνα καὶ ἄλλοι παιδευθῶσι
διὰ σοῦ τὴν εὐσέβειαν · Ὄασίς σοι ἦν τὸ φυγαδευτήριον, ἡ
ἀπάνθρωπος ἐρημία, τὸ διὰ σὲ λοιπὸν εὐαγὲς χωρίον.
5 Μετάδος ἡμῖν καὶ τῶν τῆς ὑπερορίας σου καλῶν, ἐπειδή

13, 11 καὶ² > VT ‖ 18 σου DPC et, ut videtur, S₁ : > n et Maur.
eras. S₂ ‖ 20 δὲ > PC ‖ 21 στηλιτεύεις + δέ (S ?)DPC ‖ 22 ἀπάντων
Maur. et for. Q (legi non potuit)
14, 2 οἰκίαν P ‖ καὶ² > S ‖ 3 ὤασις S ‖ σοι ἦν DPC : σοι nS
et Maur. ‖ τὸ : > P

---

1. Une scolie relevée par les Mauristes (PG 35, col. 1216, n. 57)
signale déjà qu'il s'agit de l'exil de S. Pierre d'Alexandrie, retiré à
Rome auprès du Pape Damase, qui le soutenait contre les ariens :
cf. Théodoret, Hist. ecclés., IV, 17, 2 ; 21, 14 ; et 22, 37 (op. cit.,
p. 238-239, 249 et 260). Quelques mois plus tard, Héron-Maxime
allait à son tour s'adresser aux évêques occidentaux assemblés au
Synode d'Aquilée (3 septembre 381) autour de S. Ambroise et les
circonvenir par des procédés analogues pour les tourner contre

vers le faible et, poussé par un mouvement de sympathie spontané à prendre le parti du plus défavorisé[1].

Pas même un seul de ceux qui ont de la piété ne supporta ce spectacle et toi-même en particulier, il t'émeut plus vivement dans la mesure où tu l'emportes sur les autres par tes qualités intellectuelles et par l'ardeur de ton zèle. Pour cette raison, tu prends fait et cause pour le Verbe, tu es à ton tour la cible des attaques de l'impiété et parmi d'autres combats que tu as engagés pour la bonne cause par l'action et par la parole, tu instruis, conseilles, encourages, contestes, réfutes et confonds des particuliers et des magistrats, en privé et en public, en toute occasion et en tout lieu : finalement, victime des emportements d'un pouvoir impie — ô noble malheur qui te frappe ! ô saintes blessures que tu subis ! —, ton beau corps est lacéré à coups de fouet et, comme si tu assistais au supplice d'un autre, on te voit te courber sous les coups, mais on se rend compte que tu n'es pas abattu intérieurement ; tu es un monument de courage aux yeux de tous, et, même sans rien dire, puisque ta langue avait perdu la faculté de parler, tu donnes encore des leçons de fermeté.

14. Et ensuite ? Toi, qui ne connais ni mère patrie ni terre étrangère, tu es proscrit de la patrie, à mon avis, pour permettre à d'autres encore de prendre des leçons de piété grâce à ton exemple[2]. Tu étais relégué dans l'Oasis, ce désert inhumain, qui grâce à toi sera dans la suite un site béni. Fais-nous partager aussi les bonnes œuvres de

---

Grégoire lui-même : Duchesne, *Histoire ancienne*, II, p. 438-442 et 473-474.

2. Le philosophe, « citoyen du monde », comme l'ascète chrétien : cf. plus haut, § 3, note 9 ; *Discours* 26, 14 (*PG* 35, col. 1248 A 3-4). Les Mauristes citent à ce propos S. Augustin écrivant que l'homme de Dieu, ainsi que Jésus lui-même, n'est étranger dans aucune région du monde... *PG* 35, col. 1111, n. 63.

γε τῶν τῆς ἐπανόδου μετέδωκας. Ποίησον ἡμῖν θέατρον
τὴν ἐπάνοδον.

Τίνας ἐκεῖ φιλοσοφεῖν ἐδίδαξας ; τίνας ἐκάθηρας τῶν
ἀσεβῶν ὑπολήψεων ; τίνας τῇ εὐσεβείᾳ προσήγαγες ; Ὁρᾶν
10 μοι δοκῶ τὸ ἐκεῖ παιδευτήριον, τὴν περὶ σὲ τελετὴν καὶ
πανήγυριν. Εἰπὲ καὶ τοῦτο. Εἴχές τινα παραμυθίαν τοῖς
λειψάνοις τοῦ σώματος ἢ καὶ τὴν πενίαν ἐφιλοσόφεις ;
Εἴχές τινας κοινωνοὺς τῆς ἀθλήσεως ἢ καὶ τοῦτο πενόμενος
C ἤνεγκας ; Ἐπόθεις τὰς ἀδελφάς, τὰς κοινωνούς σοι καὶ τῆς
15 ἁγνείας, καὶ τῆς καρτερίας ἢ καὶ τῆς τούτων συνηθείας
ἧς ὑψηλότερος ; Ἔκαμπτέ σε γηραιᾶς μητρὸς ἐρημία ἢ
καὶ λίαν ἐθάρρεις, ὡς μέγιστον εἰς ἀσφάλειαν καταλιπὼν
αὐταῖς τὴν εὐσέβειαν ;

Ἀλλ' ἐπειδή γε καλῶς ποιῶν ἐπανήκεις ἡμῖν καί σε τοῖς
20 ποθοῦσι ποθοῦντα πάλιν ἀπέδωκεν ὁ δοξάζων τοὺς δοξάζοντας
αὐτὸν ᵃ καὶ παραζηλῶν τοὺς παραζηλοῦντας ᵇ, ὁ θέλημα τῶν
φοβουμένων αὐτὸν ποιῶνᶜ καὶ τοῖς νεκροῖς ἐμπνέων ἀνάστασιν, ὁ Λάζαρον μὲν τετραήμερον ᵈ, σὲ δὲ τετραετῆ ζωοποιῶν
παρ' ἐλπίδας καὶ συνάγων ὀστᾶ πρὸς ὀστᾶ καὶ ἁρμονίαν
25 πρὸς ἁρμονίαν, τὴν Ἰεζεκιὴλ ὄψινᵉ, τοῦ προφητῶν θαυμα-
σιωτάτου καὶ ὑψηλοτάτου · ἔχου μοι πάλιν τῆς αὐτῆς

14, 8 ἐκάθιρας V ‖ 12 καὶ > P₁ rest. P₂ ‖ 14 ἐπόθησας P₁ ἐπόθης
B₁ corr. B₂ ‖ σου D ‖ καὶ > W ‖ 16 ἧς : ἧις T ‖ 22 αὐτῶν S₁ (corr.
S₂) ‖ 24-25 ἁρμονίαν πρὸς > S₁ ‖ Ἰεζεχιὴλ Maur. ἰεζεκεὴλ (ut vide-
tur) P

---

14. a. I Sam. 2, 30.   b. Deut. 32, 21.   c. Ps. 144, 19.   d. Jn
11, 39.   e. Éz. 37, 7-8 ; II Cor. 5, 1.

---

1. Faire du récit « un spectacle » : définition de l'ecphrase, cf.
MOSSAY, La mort, p. 25.
2. Littéralement « quelques consolations pour les reliques de ton
corps » ; hyperboles et périphrases conformes au style des panégyriques et aux lieux communs des passions des martyrs : DELEHAYE,
Passions, p. 223-224. Nous présumons qu'il veut dire : « avais-tu de

ton exil puisque tu as partagé avec nous celles de ton retour. Fais-nous assister au spectacle de ton retour[1] !

A qui as-tu enseigné là-bas à pratiquer la philosophie ? Qui as-tu purifié des principes de l'impiété ? Qui as-tu amené à la piété ? Il me semble voir là-bas ta chaire professorale, la fête et le public autour de toi. Dis encore ce qui suit. Avais-tu de quoi réconforter ce qui restait de ta propre personne[2] ? Ou pratiquais-tu la pauvreté en philosophe ? Avais-tu des compagnons de lutte ou supportais-tu aussi d'être privé de cela ? Regrettais-tu les sœurs qui pratiquaient comme toi la chasteté et la fermeté ou étais-tu aussi au-dessus des avantages de leur fréquentation ? L'abandon de ta mère déjà âgée te faisait-il céder ou n'étais-tu pas fortement affermi par l'idée que la piété était la chose la plus importante que tu leur avais laissée pour leur sécurité ?

Mais, bien sûr, après que tu es heureusement revenu auprès de nous, et que t'a rendu à ceux qui t'appelaient de leurs vœux[3] Celui qui glorifie ceux qui proclament sa gloire[a], se détourne de ceux qui se détournent de lui[b], accomplit les désirs de ceux qui (Le) craignent[c], et insuffle aux défunts le souffle de la résurrection, Celui qui ressuscite Lazare le quatrième jour[d] et toi-même la quatrième année, contre toute espérance, qui, dans la vision d'Ézéchiel, le plus admirable et le plus sublime des prophètes, unit les os aux os et les jointures aux jointures[e], attache-toi de nouveau fermement aux mêmes occupations avec la

---

quoi vivre ? ». J. de Billy voit dans le mot τινα un complément d'objet (« quelqu'un ») et dans παραμυθίαν un complément attributif (« pour te réconforter ») : *Praestone tibi erant, qui corporis tui reliquiis solatii aliquid afferrent ?* (*PG* 35, col. 1218 B 14-15).

3. Il s'agit du retour de Héron-Maxime dans la communauté de Constantinople (le mot ἐπάνοδον a déjà été employé deux fois un peu plus haut) ; cela implique que le *Discours* 25 est censé être prononcé au moment d'un second séjour du héros dans la capitale.

ἐργασίας καὶ παρρησίας ἵνα μὴ δόξῃς ἐγκεκόφθαι τοῖς
D πάθεσι μηδὲ προδιδόναι δειλίᾳ τινὶ τὴν φιλοσοφίαν.

1220 A   **15.** Σύγχει μὲν καὶ τὴν Ἑλλήνων δεισιδαιμονίαν, ὡς
πρότερον, καὶ τὴν πολύθεον αὐτῶν ἀθεΐαν καὶ τοὺς παλαιοὺς
θεοὺς καὶ τοὺς νέους καὶ τοὺς αἰσχροὺς μύθους καὶ τὰς
αἰσχροτέρας θυσίας πηλῷ πηλὸν καθαιρόντων, ὡς αὐτῶν
5 τινος ἤκουσα λέγοντος, λέγω δὴ σώμασι σώματα τοῖς τῶν
ἀλόγων ζῴων τὰ ἑαυτῶν, καὶ τὰ σεμνὰ πλάσματα καὶ τὰ
ἀσχήμονα τερατεύματα · οἷς εἰ μὲν τὸ Θεῖον ὁρίζονται,
τῆς κακοδαιμονίας · εἰ δὲ παραδεικνύουσι, τῆς εὐηθείας.
Διδασκέτωσαν γάρ τίς ὁ λόγος καὶ τί τὸ τῆς ἀσχημοσύνης
10 τῆς περὶ ταῦτα μυστήριον · δεῖ γὰρ μηδὲ τὰς ἐμφάσεις
τῶν καλῶν τὸ αἰσχρὸν ἔχειν. Εἰ δ' ἄλλο τι παρὰ ταῦτα
εἶναί φασι, τί τοῦτο πειθέτωσαν καὶ ἐκ ποίων λόγων ἢ
θεολόγων.

Σύγχει δὲ καὶ τὰς τῶν αἱρέσεων ἐπαναστάσεις καὶ τοσούτῳ
B θερμότερον, ὅσῳ προπέπονθας. Γενναιότερον γὰρ ἐκ τοῦ
16 παθεῖν τὸ φιλόσοφον, ὥσπερ ψυχρῷ σίδηρος ἔμπυρος, οὕτω
τοῖς κινδύνοις στομούμενον.

Ὁρίζου δὲ καὶ τὴν ἡμετέραν εὐσέβειαν, διδάσκων ἕνα
μὲν εἰδέναι Θεὸν ἀγέννητον, τὸν Πατέρα ἕνα δὲ γεννητὸν

14, 28 τινὶ > n et Maur. eras.S₂
15, 1 τὴν > S₁ ‖ 5 λέγοντος ἤκουσα nP₂ et Maur. om. λέγοντος
P₁C ‖ δὴ : δὲ C ‖ 6 ἀλόγων : λόγων D ‖ πλαίσματα P ‖ 9 τί > D ‖
11 δέ nD et Maur. ‖ 14 σύγχῃ W¹ (corr. W²) ‖ τοσοῦτο D

---

1. Sur la vision d'Ézéchiel : Mossay, *La mort*, p. 57-58 ; et
Discours 7, 21 (*PG* 35, col. 784 B 1-10 ; éd. Boulenger, p. 46-48) ;
une miniature de notre ms. B (*Parisin. gr. 510*, f. 438ᵛ) peinte en
pleine page représente le prophète et sa vision et passe pour un
chef-d'œuvre de la peinture byzantine ; elle a été reproduite notamment dans H. Leclercq, art. « Ézéchiel », dans *D.A.C.L.*, V, 1922,
col. 1051-1052 (en couleurs), et dans A. Grabar, *La peinture byzantine.
Étude historique et critique* (Les grands siècles de la peinture. Skira),
Genève, s.d. (= 1953), p. 166 (un détail) ; der Nersessian, *The
Illustrations*, p. 96-97, et II, p. 18, fig. 60.
2. Cf. Platon, *République* II, 363 d ; *Phédon*, 110 a ; 111 d.

même assurance, pour n'avoir pas l'air de t'être laissé abattre par les souffrances et de trahir par une sorte de lâcheté la philosophie[1].

15. Confonds encore, comme auparavant, la superstition des Hellènes, leur polythéisme athée, leurs dieux antiques et récents, leur vile mythologie et les sacrifices plus vils encore de ceux qui purifient la boue avec de l'autre boue — comme je l'ai entendu dire par l'un d'eux[2], et j'ajoute, (qui purifient) des corps par des corps, à savoir leurs propres corps, par ceux des animaux —, les inventions vénérables et les miracles indécents qui leur servent à définir le divin ou à le représenter — dans la première hypothèse quelle aberration, dans l'autre quelle folie ! Qu'ils (nous) instruisent, en effet, sur la raison et le mystère qui entourent cela d'indécence, car même les simagrées qui représentent les choses bonnes doivent être exemptes de ce qui peut les avilir. S'ils prétendent qu'il y a autre chose à côté de cela, qu'ils prouvent ce que c'est et quelles doctrines ou quels théologiens en sont les sources[3].

Confonds également les doctrines subversives des hérésies et avec d'autant plus d'ardeur que tu as eu à en souffrir. Car la souffrance rend le philosophe plus énergique ; comme un acier chauffé à blanc est trempé à l'eau froide, de même lui aussi sort plus fort des périls qu'il a affrontés[4].

Définis aussi notre piété en enseignant la science d'un seul Dieu non engendré, le Père, d'un seul Seigneur engendré, le Fils — à qui on donne les noms de « Dieu »

---

3. La place accordée à la polémique anti-païenne dans la catéchèse chrétienne à Constantinople, en 379-380 : Dagron, *Naissance*, p. 377-387 : « Un ' paganisme ' culturel et un ' paganisme ' politique qui se recoupent et se neutralisent » (p. 380) ; cf. aussi W. E. Kaegi Jr, *Byzantium and the Decline of Rome*, Princeton 1968, p. 59-98 (ch. 2 : réactions politiques et religieuses des païens) et p. 146-175 (ch. 4 : diversité des répliques chrétiennes) ; P. de Labriolle, *La réaction païenne. Étude sur la polémique antichrétienne du Ier au VIe siècle*, Paris 1948, p. 331-508 *passim*, spécialement p. 331-332 et 389-390.

4. Cf. Dagron, *Naissance*, p. 442-453, spécialement p. 449-453.

20 Κύριον, τὸν Υἱόν, Θεὸν μέν, ὅταν καθ' ἑαυτὸν λέγηται,
προσαγορευόμενον Κύριον δέ, ὅταν μετὰ Πατρὸς ὀνομάζηται ·
τὸ μὲν διὰ τὴν φύσιν, τὸ δὲ διὰ τὴν μοναρχίαν · ἐν δὲ Πνεῦμα
ἅγιον, προελθὸν ἐκ τοῦ Πατρὸς ἢ καὶ προϊόν, Θεόν, τοῖς
νοητῶς νοοῦσι τὰ προκείμενα, τοῖς μὲν ἀσεβέσι καὶ πολεμού-
25 μενον, τοῖς δ' ὑπὲρ τούτους νοούμενον, τοῖς πνευματικωτέροις
δὲ καὶ λεγόμενον · μήτε ὑπὸ ἀρχὴν ποιεῖν τὸν Πατέρα,
ἵνα μὴ τοῦ πρώτου τι πρῶτον εἰσαγάγωμεν, ἐξ οὗ καὶ τὸ
C εἶναι πρώτῳ περιτραπήσεται · μήτε ἄναρχον τὸν Υἱὸν ἢ
τὸ Πνεῦμα τὸ ἅγιον, ἵνα μὴ τὸ τοῦ Πατρὸς ἴδιον περιέλωμεν
30 — οὐκ ἄναρχα γὰρ καὶ ἄναρχά πως · ὃ καὶ παράδοξον ·
οὐκ ἄναρχα μὲν γὰρ τῷ αἰτίῳ · ἐκ Θεοῦ γάρ, καὶ εἰ μὴ
μετ' αὐτόν, ὡς ἐξ ἡλίου φῶς · ἄναρχα δὲ τῷ χρόνῳ · οὐ
γὰρ ὑπὸ χρόνον, ἵνα μὴ τὸ ῥέον ᾖ τῶν ἑστώτων πρεσβύτερον
καὶ τῶν οὐσιῶν τὸ ἀνούσιον —.

1221 A **16.** Μήτ' ἀρχὰς τρεῖς, ἵνα μὴ Ἑλληνικὸν ᾖ τὸ πολύθεον ·
μήτε μίαν μέν, Ἰουδαϊκὴν δὲ στενήν τινα καὶ φθονερὰν
καὶ ἀδύνατον, ἢ τὸ ἀναλίσκειν εἰς ἑαυτὴν τὴν θεότητα, ὃ
τοῖς προάγουσι μὲν ἐκ τοῦ Πατρὸς τὸν Υἱόν, εἰς αὐτὸν δὲ

15, 22 τὴν[1] > S ‖ 24 νοητῶς : νοτῶς P (per inadvertentiam ut
videtur) ‖ παρακείμενα nDP₂ et Maur. ‖ 25 δ' SP₂C > P₁ δὲ nD
et Maur. ‖ δ' ὑπὲρ — τοῖς > P₁ restit. P₂ mg. ‖ 27 εἰσάγωμεν
ABW forsan Q₂ ‖ 29 τοῦ > Maur. ‖ 31 εἰ καί n et Maur. ‖ μὴ > D₁
(restit. D₂) ‖ 34 τόν S₁

16, 1 μήτε nS₂ et Maur. ‖ ᾖ cod. : ἢ Maur. ‖ 3 τό S₁DP₁C : τῷ
nS₂P₂ et Maur. ‖ τὴν > nD et Maur. ‖ 4 ἑαυτὸν B

---

1. Les Mauristes notent à juste titre que ces considérations sont
familières à la philosophie grecque : *PG* 35, col. 1219, n. 74 ; cf.
Plotin, *Ennéades*, V, 1, 1 et V, 4, 1 (éd. E. Bréhier, Paris, V, 1931,
p. 15, 1-3 et 80), etc.

2. Sur le rôle du principe temporel exclu des relations trinitaires
et sur la métaphore de la « lumière », Kertsch (*Bildersprache*, p. 142,
n. 1 ; p. 7, n. 1) renvoie à Grégoire, *Discours* 28, 12 (*PG* 36, col. 41 B),
29, 3 (col. 77 B), 44, 4 (col. 609 D), etc. Le thème est familier dans
la théologie trinitaire alexandrine : Kertsch, id., p. 195-196.

3. Ce passage, s'il était isolé de son contexte, pourrait paraître
entaché d'antisémitisme ; ce serait exagérer la portée de cette rhéto-

lorsqu'on le considère à part, et de « Seigneur », lorsqu'on
le nomme avec le Père : dans le premier cas, en raison de
sa nature, dans l'autre à cause de l'unité de principe —,
et d'un seul Esprit Saint qui procéda ou même procède
présentement du Père, Dieu pour ceux qui saisissent
correctement la portée des propositions, combattu par les
impies, mais compris par ceux qui les dépassent, et affirmé
par ceux qui sont plus avancés dans la vie spirituelle.
(Enseigne) aussi à ne pas mettre le Père sous la dépendance
d'un principe, pour nous éviter d'introduire quelque
chose d'antérieur au premier être, ce qui aura pour résultat
de renverser l'existence de ce premier être[1] ; et (enseigne)
à ne pas présenter le Fils ou l'Esprit Saint comme dépourvu
de principe, pour nous éviter de dépouiller le Père de ce
qui lui est propre. En effet, ils ne sont pas dépourvus de
principe, mais ils le sont tout de même dans une certaine
mesure, ce qui est un paradoxe : ils ne sont pas dépourvus
de principe, en effet, en raison de la cause dont ils dépen-
dent, car ils tirent leur origine de Dieu, même s'ils ne
viennent pas après Lui, comme la lumière, du soleil ;
mais ils sont sans principe en raison du temps qui s'écoule,
car ils ne sont pas soumis au cours du temps, sans quoi
ce qui change serait antérieur aux choses qui ne changent
pas et le non-être aux êtres[2].

16. N'enseigne pas trois principes de peur de verser
dans le polythéisme hellénique, ni un seul à la manière
juive, bornée, mesquine et faible[3], ni à faire rentrer la
divinité en elle-même, (doctrine) qui plaît à ceux pour qui
le Fils vient du Père et retourne se confondre en lui ; ni,
(doctrine) qui plaît aux sages d'aujourd'hui, à détruire

rique ; on pourrait aussi bien trouver des déclarations d'apparence
« anti-helléniques » dans le contexte immédiat et cette interprétation
serait aussi excessive : cf. E. FLEURY, *Hellénisme et christianisme.*
Saint Grégoire de Nazianze et son temps (Études de Théologie
Historique), Paris 1930, p. 59-63, et 67, etc. Voir plus haut § 15 ;
DAGRON, *Thècle*, p. 94 ; et GOTTWALD, *De Gregorio platonico*, p. 7-15.

5 πάλιν ἀναλύουσιν ἤρεσεν, ἢ τὸ καταβάλλειν τὰς φύσεις καὶ
ἀλλοτριοῦν θεότητος, ὃ τοῖς νῦν ἀρέσκει σοφοῖς, ὥσπερ
δεδοικυῖαν μὴ ἀντεξάγωνται ἢ μηδὲν δυναμένην ὑπὲρ τὰ
κτίσματα · μήτε ἀγέννητον τὸν Υἱόν, εἷς γὰρ ὁ Πατήρ ·
μήτε Υἱὸν τὸ Πνεῦμα, εἷς γὰρ ὁ Μονογενής · ἵνα καὶ
10 τοῦτο θεϊκὸν ἔχωσι τὸ μοναδικόν, τὸ μὲν τῆς υἱότητος, τὸ
δὲ τῆς προόδου καὶ οὐχ υἱότητος.

Ἀλλὰ ἀληθῶς πατέρα τὸν Πατέρα καὶ πολύ γε τῶν
παρ’ ἡμῖν ἀληθέστερον, ὅτι μόνως, ἰδιοτρόπως γὰρ καὶ οὐχ
ὡς τὰ σώματα, καὶ μόνος, οὐ γὰρ μετὰ συζυγίας, καὶ
15 μόνου, Μονογενοῦς γάρ, καὶ μόνον, οὐ γὰρ Υἱὸς πρότερον,
B καὶ ὅλον Πατήρ, καὶ ὅλου, τὸ γὰρ ἡμέτερον ἄδηλον καὶ
ἀπ’ ἀρχῆς, οὐ γὰρ ὕστερον.

Ἀληθῶς υἱὸν τὸν Υἱὸν ὅτι μόνος καὶ μόνου καὶ μόνως
καὶ μόνον, οὐ γὰρ καὶ Πατήρ · καὶ ὅλον Υἱὸς καὶ ὅλου
20 καὶ ἀπ’ ἀρχῆς, οὔποτε τοῦ εἶναι Υἱὸς ἠργμένος · οὐ γὰρ
ἐκ μεταμελείας ἡ θεότης οὐδ’ ἐκ προκοπῆς ἡ θέωσις, ἵνα
λείπῃ ποτέ, τῷ μὲν τὸ εἶναι Πατέρα, τῷ δὲ τὸ εἶναι Υἱόν.

Ἀληθῶς ἅγιον τὸ Πνεῦμα τὸ ἅγιον · οὐδὲ γὰρ καὶ ἄλλο
τοιοῦτον, οὐδ’ οὕτως · οὐδ’ ἐκ προσθήκης ὁ ἁγιασμός,
25 ἀλλ’ αὐτοαγιότης, οὐδὲ μᾶλλον καὶ ἧττον, οὐδ’ ἀρξάμενον

16, 5 τό C forsan S₁ et P₁ ut videtur : τῷ nS₂DP₂ et Maur. ‖
8 γὰρ > S₁ ‖ 9 τὸν S₁ (corr. S₂) ‖ 10 τὸ S₁DC : ὁ nS₂P et Maur. ‖
12 ἀλλὰ > n et Maur. eras. S₂ ‖ 13 μόνος B ‖ 15 μόνον : μόνως B₁
corr. B₂ ‖ 21 οὐδέ n et Maur. ‖ θέωσις : θεότης Q ‖ 22 Πατέρα
coni. : π(ατ)ήρ DC π(ιατ)ρί nSP et Maur. ‖ τὸ² : τῷ W₁ corr. W₂ ‖
Υἱόν coni. : υἱός C ὑ(ιό)ς D υἱῷ nSP et Maur. ‖ 23 οὐδὲ : οὐ nS₂ et
Maur. ‖ καὶ > VT eras. Q ‖ 24 τοιοῦτο DPC ‖ οὐδέ … οὐδέ n et
Maur. ‖ 25 οὐδέ nS et Maur.

les natures et à les faire passer pour étrangères à la divinité,
comme pour éviter qu'elles ne se révoltent contre celle-ci,
qui les craindrait et ne pourrait rien faire au-delà du
domaine des créatures ; ni que le Fils est inengendré, car
le Père est unique ; ni que l'Esprit se confond avec le
Fils, car le « Fils-unique » est unique : en effet, ils doivent
aussi posséder ce caractère propre au divin, l'unicité —
dans un cas, celle de la « filiation », dans l'autre, celle de
la « procession », qui est différente de celle de la « filiation » —.

(Enseigne) au contraire que le Père est père véritablement, et beaucoup plus véritablement, bien sûr, que
selon ce qui se passe parmi nous ; en effet, il est « père »
car d'une manière particulière et différente des paternités
physiques parce que d'une manière unique ; il est le père
unique, car sans union conjugale ; il est le père d'un seul
fils, car père du « Fils-unique » ; il n'est que père, car il n'y
avait pas de Fils avant lui ; il est père totalement de la
totalité du Fils, car cette paternité évidemment n'est pas
la nôtre ; et il est père dès son principe, car ce n'est pas
ultérieurement qu'il le devient.

Enseigne que le Fils est fils véritablement, parce qu'il
est unique fils d'un père unique, qu'il l'est d'une manière
unique et qu'il l'est uniquement ; en effet, il n'est pas en
même temps père ; il est Fils totalement, de la totalité
du Père, dès le principe et sans avoir jamais commencé à
être fils, car la divinité comme nature *(théotès)* ne tire pas
son origine d'un repentir, ni la divinisation comme action
(théosis), d'un progrès, de telle sorte qu'il manquât un
jour à l'un le caractère paternel, à l'autre le caractère
filial.

Enseigne que l'Esprit Saint est véritablement saint ;
en effet, rien d'autre n'est tel, ni de cette manière, et sa
sanctification ne résulte pas d'une addition, mais elle est
la sainteté substantielle *(autoagiotès)* ; elle n'a ni plus ni
moins et, n'ayant pas eu de commencement, elle n'aura pas

χρονικῶς ἢ παυσόμενον. Κοινὸν γὰρ Πατρὶ μὲν καὶ Υἱῷ
καὶ ἁγίῳ Πνεύματι, τὸ μὴ γεγονέναι καὶ ἡ θεότης · Υἱῷ
δὲ καὶ ἁγίῳ Πνεύματι, τὸ ἐκ τοῦ Πατρός. Ἴδιον δὲ Πατρὸς
μέν, ἡ ἀγεννησία · Υἱοῦ δέ, ἡ γέννησις · Πνεύματος δέ,
C ἡ ἔκπεμψις. Εἰ δὲ τὸν τρόπον ἐπιζητεῖς, τί καταλείψεις
31 τοῖς μόνοις γινώσκειν ἄλληλα καὶ γινώσκεσθαι ὑπ' ἀλλήλων
μαρτυρουμένοις ᵃ ἢ καὶ ἡμῶν τοῖς ἐκεῖθεν ἐλλαμφθησομένοις
ὕστερον ;

17. Γενοῦ τι τῶν εἰρημένων πρότερον ἢ τοιοῦτος καὶ
τότε γνώσῃ τοσοῦτον, ὅσον ὑπ' ἀλλήλων γινώσκονται. Νῦν
D δὲ δίδασκε τοσοῦτον εἰδέναι μόνον, μονάδα ἐν Τριάδι καὶ
Τριάδα ἐν μονάδι προσκυνουμένην, παράδοξον ἔχουσαν καὶ
5 τὴν διαίρεσιν καὶ τὴν ἕνωσιν.

Μὴ φοβηθῇς τὰ πάθη, γέννησιν ὁμολογῶν. Ἀπαθὲς γὰρ
τὸ Θεῖον καὶ εἰ γεγέννηκεν. Ἐγώ σοι τούτου ἐγγυητής, ὅτι
θεϊκῶς, ἀλλ' οὐκ ἀνθρωπικῶς. Οὐδὲ γὰρ τὸ εἶναι αὐτῷ
1224 A ἀνθρώπινον. Φοβήθητι δὲ χρόνον καὶ κτίσιν. Οὐ γὰρ Θεός,
10 εἰ γέγονε, μὴ Θεῷ συνηγορῶν διακενῆς, Θεὸν ἀνέλῃς,
ὁμόδουλον ποιῶν τὸ ὁμόθεον, ὃ καὶ σὲ τῆς δουλείας ἐλευθεροῖ,
ἂν γνησίως ὁμολογῇς δεσποτείαν.

Μὴ φοβηθῇς τὴν πρόοδον · οὐ γὰρ ἀνάγκην ἔχει Θεός,
ἢ μὴ προβάλλειν, ἢ προβάλλειν ὁμοίως, ὁ πάντα πλούσιος ·
15 φοβήθητι δὲ τὴν ἀλλοτρίωσιν καὶ τὴν κειμένην ἀπειλήν, οὐ
τοῖς θεολογοῦσιν, ἀλλὰ τοῖς βλασφημοῦσι τὸ Πνεῦμα τὸ ἅγιον.

16, 31 γιγνώσκεσθαι SP
17, 2 γινώσκονται SP₁C : γιγνώσκονται D γινώσκεσθαι n et
Maur. γινώσκεται P₂ (post corr.) ‖ 8 αὐτῷ : αὐτὸ W‖ 11 ὁμόδουλον
— ὁμόθεον > D₁ rest. D₂ mg. ‖ 12 ὁμολογεῖς B ‖ δεσποτίαν BP₁ corr.
P₂ ‖ 16 τὸ² + τὸ P₁ (exp. P₂)

16. a. Cf. *Jn* 17, 3 (et 20-26 ?) ; I *Cor.* 13, 12.

1. Cf. J. H. Newman, *Apologie*, trad. française, Paris 1939, p. 357 :
« Dans les questions profondes qui n'ont jamais été pleinement
étudiées, je disais ce que je croyais, et j'allais aussi loin que je me
croyais capable d'aller. Un homme ne peut en faire davantage et
je ne considère pas comme des philosophes ceux qui essaient d'aller
au-delà. »

de fin dans le domaine du temps. En effet, Père, Fils et Saint Esprit ont en commun l'absence d'origine et la nature divine ; Fils et Saint Esprit (ont en commun) de tirer leur origine du Père. La propriété d'être inengendré est propre au Père ; celle d'être engendré, au Fils ; celle d'être envoyé, à l'Esprit. Si tu cherches à savoir de quelle manière, que laisseras-tu encore à ceux dont il est attesté qu'à eux seuls est réservée la connaissance mutuelle et réciproque[a], ou à ceux d'entre nous qui recevront plus tard l'illumination de l'au-delà[1] ?

17. Deviens quelque chose de ce que nous avons dit ou quelque chose de semblable et alors tu connaîtras aussi bien qu'ils se connaissent réciproquement ! Maintenant enseigne à se contenter de savoir seulement qu'on adore une Monade en Trinité et une Trinité en Monade, avec le paradoxe de la distinction et de l'union.

Ne crains pas les passions en admettant la génération ; car l'être divin n'est pas sujet de passions, même s'il a engendré. Je me porte garant devant toi de ceci : que c'est d'une manière divine, non humaine, vu que son être n'est pas humain. Mais crains temps et création, car Dieu n'est pas s'il a commencé à être : évite, en défendant la cause de Dieu d'une façon tout à fait illusoire, de supprimer Dieu en faisant partager ta condition d'esclave à l'être qui partage la nature de Dieu, ce qui te libère, toi aussi, de la servitude dans le cas où tu confesseras sincèrement qu'il est ton maître.

Ne crains pas la « procession » car Dieu n'est pas soumis à la nécessité de ne pas produire ou de produire son sem-blable, lui, qui dispose de toutes les richesses ; mais, crains l'altération et la menace qui pèse non sur ceux qui admettent la divinité de l'Esprit Saint, mais sur ceux qui la rejettent[2].

---

2. « Si, en effet, il faut que la procession (πρόοδον) des êtres soit continue... il est nécessaire (ἀνάγκη) que ce qui procède (τὸ προϊόν)

B   **18.** Μήτε τὴν μοναρχίαν κακῶς τιμήσῃς, συναιρῶν ἢ
περικόπτων θεότητα · μήτε τὸ τῆς τριθεΐας ἔγκλημα
αἰσχυνθῇς, ἕως ἂν καὶ ἄλλος κινδυνεύσῃ τὴν διθεΐαν.
῍Η γὰρ συνέλυσας ἢ συνηπόρησας ἢ ὁ μὲν ἐναυάγησε μετὰ
5 τῶν λογισμῶν καὶ θεότητα, σοὶ δὲ παρέμεινε θεότης, καὶ
εἰ ὁ λόγος ἠσθένησε, κρεῖσσον γὰρ κάμνειν ἐν τοῖς λογισμοῖς
μετὰ τῆς ὁδηγίας τοῦ Πνεύματος ἢ προχείρως ἀσεβῆσαι
τὴν ῥᾳστώνην διώκοντα. Διάπτυέ μοι τὰς ἐνστάσεις καὶ
τὰς ἀντιθέσεις καὶ τὴν νέαν εὐσέβειαν καὶ τὴν μικρολόγον
10 σοφίαν · καὶ διάπτυε πλέον ἢ τὰ τῶν ἀραχνίων νήματα,
μυίας μὲν κρατοῦντα, σφηξὶ δὲ ῥηγνύμενα, οὔπω λέγω
δακτύλοις οὐδ' ἄλλῳ τινὶ τῶν βαρυτέρων σωμάτων.
῍Εν δίδασκε φοβεῖσθαι μόνον, τὸ λύειν τὴν πίστιν ἐν
τοῖς σοφίσμασιν. Οὐ δεινὸν ἡττηθῆναι λόγῳ, οὐ γὰρ πάντων

18, 3 ἄλλως VP₁C₁ et fortasse Q ‖ κινδυνεύῃ nS₂P₂ et Maur.
‖ 6 γὰρ > nD et Maur. ‖ καμεῖν nD₂P₂ et Maur. ‖ 10 νήσματα D ‖
12 οὐδέ nS₂ et Maur.

(dans) chaque ordre naturel procède par le moyen d'une similitude
(δι' ὁμοιότητος προϊέναι)» : Proclus, *Théologie platonicienne*, III, 2,
21-24 (éd. et trad. H. D. Saffrey et L. G. Westerink, Paris 1978, p. 6) :
exposé des quatre postulats de la théologie platonicienne. « Il y a
donc ouverture à la problématique philosophique grecque, mais
cette ouverture n'a pas conduit la tradition patristique à intégrer
les *systèmes* philosophiques helléniques. Depuis Grégoire de Nazianze
au ive siècle jusqu'à Grégoire Palamas au xive, les représentants de
la tradition orthodoxe ont tous exprimé leur conviction que les
hérésies étaient fondées sur une acceptation non critique de la
philosophie grecque par la pensée chrétienne » : J. Meyendorf,
Initiation à la théologie byzantine. L'histoire et la doctrine, traduit
par Anne Sanglade, Paris 1975, p. 34-35. « Pour affirmer la consubstan-
tialité de l'Esprit avec le Fils et le Père, Athanase, Cyrille d'Alex.
et les Cappadociens utilisent comme argument principal l'unité de
l'action créatrice et rédemptrice de Dieu, qui est toujours trinitaire »...
(*id.*, p. 228).
     Même doctrine dans *Discours* 41, 6 (*PG* 36, col. 437 A 10 - B 9) ;
le courant théologique dit « macédonien » passe pour avoir nié la
nature divine du Saint Esprit : cf. *PG* 36, col. 1324, index *s.v. Mace-*

18. N'honore pas la « monarchie » d'une mauvaise
manière en comprimant ou en rognant la divinité, et qu'on
ne t'adresse pas le honteux reproche de trithéisme jusqu'à
ce qu'un autre accepte aussi le risque du « dithéisme »[1] ;
en effet, tu réfutas cette « monarchie » ou tu mis son
défenseur dans l'impossibilité de te répondre ou celui-ci en
rejetant tes raisonnements rejeta du même coup la divinité,
tandis que toi, tu la maintins, même si la raison fut inférieure à la tâche, car il vaut mieux raisonner avec l'Esprit
pour guide que de se laisser aller à l'impiété courante en
cherchant la facilité. Méprise-moi les objections et les
oppositions, la nouvelle piété et la sagesse à courtes vues ;
méprise-les plus que les toiles d'araignée, qui attrappent
bien des mouches, mais se font déchirer par des frelons,
je ne dis pas encore par les doigts de la main ou quelque
autre corps plus pesant.

Enseigne une seule chose : craindre seulement de dissoudre la foi dans les sophismes. Ce n'est pas terrible d'être
battu sur le terrain de l'éloquence, car celle-ci n'appartient

---

doniani, et *PG* 35, col. 1223, n. 89. Ici Grégoire n'accuse pas personnellement l'évêque Macédonios, son prédécesseur sur le siège de
Constantinople. V. Grumel, art. « Makedonios », dans *L. Th. K.*,
VI, 1961, col. 1314-1315, pense que cette accusation est formulée
la première fois par Didyme d'Alexandrie, *Traité sur la Trinité*, II,
10 (*PG* 39, col. 633) ; mais, là aussi, il s'agit de « Macédoniens »
(col. 633 B 13 - C 5) ; ce passage de Didyme reproche à Macédonius
« des erreurs christologiques » en général (col. 633 A 12 - B 1). Cf.
Dagron, *Naissance*, p. 419-425. Les Mauristes s'écartent pour ce
passage de la traduction de J. de Billy, *PG* 35, col. 1223, n. 88.

1. « Accepter le risque » : sens métaphorique du verbe ναυαγῶ
« faire naufrage » (H. Estienne, *Thesaurus*, V, col. 1369, *s.v.*).
Grégoire accusé de « trithéisme » par les hérétiques met les choses
au point : *Discours* 31, 13 (*PG* 36, col. 148 C 3-5) ; 40, 43 (col. 420 C 4).
Note grammaticale. Sur l'emploi de l'accusatif avec le verbe
κινδυνεύω, H. Estienne, *Thesaurus*, IV, *s.v.*, col. 1563, renvoie à
un usage particulier qu'il constate spécialement dans Grégoire, sans
référence. Ce passage en est une illustration.

C 15 ὁ λόγος · δεινὸν δὲ ζημιωθῆναι θεότητα, πάντων γὰρ ἡ
ἐλπίς. Ταῦτα μὲν οὖν καὶ κατὰ σεαυτὸν φιλοσοφήσεις,
οἶδ᾽ ὅτι, προθυμότερόν τε καὶ τελεώτερον · ἐγγυᾶταί μοι
τὰ σὰ τραύματα καὶ τὸ σὸν σῶμα ὑπὲρ εὐσεβείας πεπονηκός ·
καὶ ἡμεῖς δὲ συμφιλοσοφήσομεν, ὅση δύναμις.

19. Σὺ δὲ ὅταν ἐκδημῇς τὴν καλὴν ἐκδημίαν, μέμνησό μοι
τῆς Τριάδος ἐν σκηναῖς κατοικούσης, εἴπερ ὅλως ἐν χειρο-
ποιήτοις κατοικεῖ Θεός, καὶ τοῦ μικροῦ τούτου θέρους, οὐκ
ἐκ μικρῶν μὲν τῆς εὐσεβείας σπερμάτων, πλὴν ἔτι μικροῦ
5 τε καὶ πενιχροῦ καὶ κατ᾽ ὀλίγον συναγομένου. Ἐγενόμεθα
D γὰρ ὡς συνάγοντες καλάμην ἐν ἀμήτῳ, εἰ δεῖ τὸ τοῦ
1225 A Προφήτου εἰπεῖν ἐν καιρῷ καὶ ὡς ἐπιφυλλίδα ἐν τρυγήτῳ,
οὐχ ὑπάρχοντος βότρυος ᵃ. Ὁρᾷς τὴν συλλογὴν ὅση · καὶ
διὰ τοῦτο σπούδαζε πλουσιωτέραν ποιεῖν ἡμῖν τὴν ἅλω
10 καὶ τὴν ληνὸν πληρεστέραν. Διήγησαι καὶ τὴν ἡμετέραν
κλῆσιν καὶ τὴν ἄπιστον ἐπιδημίαν, ἣν οὐχ ὥστε συντρυφᾶν,
ἀλλ᾽ ὥστε συγκακοπαθεῖν, πεποιήμεθα · ἵνα τῶν δεινῶν
μετασχόντες, καὶ τῆς δόξης μετάσχωμεν.

Τοῦτόν σοι τὸν λαὸν ἔχεις συλλήπτορα ταῖς εὐχαῖς, τοῦτον
15 συνέκδημον, τὸ στενὸν ἀριθμῷ ποίμνιον καὶ οὐ στενὸν
εὐσεβείᾳ · οὗ πλέον αἰδοῦμαι τὴν στένωσιν ἢ τὴν ἑτέρων
πλατύτητα.

18, 17 ἐγγυᾶτε T ‖ 18 πεπονεκός D ‖ 19 δὲ : γε T ‖ συμφιλοσο-
φήσωμεν D
19, 1 ἐκδημήσῃς nS₂D et Maur. ‖ 3 οἰκεῖ nS₂ et Maur. ‖ 4 μὲν +
τῶν nS₂D et Maur. ‖ 5 ἐγενόμεθα S₁DPC : ἐγενήθημεν QWVTS₂
et Maur. ἐγεννήθημεν AB ‖ 6 γὰρ > C ‖ 9 σπουδάζειν C ‖ ἡμῖν ποιεῖν
VT ‖ 10 διήγησε T ‖ 12 κακοπαθεῖν SC ‖ 14 τοῦτον² + σοι D
‖ 15 στενὸν² + ἐν PC

---

19. a. Mich. 7, 1 ;

---

1. Cf. introduction, p. 137. Sur le thème des glaneurs et au sujet
du « modeste troupeau de l'Anastasia » : cf. De vita sua, v. 968-975,

pas à tous ; mais, c'est terrible que la divinité soit mise
en question, car elle est l'espérance de tout le monde.
Tu philosopheras donc personnellement toi aussi sur ces
matières, d'une manière, je le sais, plus résolue et plus
parfaite ; j'en prends pour gages les blessures que tu as
reçues et ton corps qui a souffert pour la piété ; et nous
aussi, nous nous associerons à ta philosophie, dans la
mesure de nos moyens.

19. Et lorsque toi-même tu quitteras ce séjour pour la
bonne émigration, souviens-toi, je te le demande, de la
Trinité qui campe sous des tentes — pour autant du moins
que Dieu habite totalement dans des demeures faites de
main d'homme —, ainsi que de cette petite récolte, qui est
tirée des semences de la piété — celles-ci ne sont pas petites
cependant —, mais qui est encore petite, chétive et rassem-
blée peu à peu ; en effet, nous voici devenus comme des
gens qui glanent du chaume dans un champ après la mois-
son, s'il faut citer le prophète à propos, ou comme ceux qui,
faute de grappes, grapillent après la vendange[a]. Tu vois
la quantité de ce que nous avons recueilli et, pour cette
raison, empresse-toi de garnir davantage l'aire de notre
grange et de remplir davantage notre pressoir à raisins.
Raconte aussi l'appel qui nous a été adressé et notre
incroyable venue ici où nous sommes arrivés de façon à
partager non l'opulence, mais les souffrances, dans le but
de partager aussi la gloire après les dangers.

Tu as pour toi ce peuple qui s'associe à tes vœux
comme un compagnon d'exil, le troupeau, modeste par
le nombre et non par la piété, dont j'admire le caractère
modeste plus que l'ampleur de l'autre parti[1].

---

où il est aussi question du rôle de Maxime (éd. Ch. Jungck, p. 100,
et commentaires, p. 192).

Τάδε λέγει τὸ Πνεῦμα τὸ ἅγιον · μετὰ τούτου καὶ πῦρ
διαβήσῃ καὶ θῆρας κοιμίσεις καὶ ἡμερώσεις δυνάστας[b].
20 Οὕτως ἐκδημεῖν, οὕτω στέλλεσθαι καὶ πρὸς ἡμᾶς ἐπανήκειν
πάλιν, πλουσίως πλούσιος, δεύτερος στεφανίτης, καὶ μεθ'
B ἡμῶν ᾄσων τὸν ἐπινίκιον, νῦν τε καὶ ὕστερον ἐν Χριστῷ
Ἰησοῦ τῷ Κυρίῳ ἡμῶν, ᾧ ἡ δόξα εἰς τοὺς αἰῶνας τῶν
αἰώνων. Ἀμήν.

19, 20 οὕτω : οὕτως S ‖ 23-24 τῶν αἰώνων DPC : > nS et
Maur. ‖ 24 Ἀμήν : + Εἰς Ἥρωνα (Ἥρωνα W) τὸν φιλόσοφον mAW

19. b. Cf. Ps. 65, 12 ; Lc 10, 19.

Voilà ce que dit l'Esprit Saint : avec l'assistance de
celui-ci, tu passeras à travers le feu, tu amadoueras des
bêtes sauvages, tu apaiseras la rudesse d'autorités en
place[b]. De cette façon, mets-toi en route, de cette façon,
prépare-toi au voyage et reviens-nous pourvu d'abondantes
richesses, couronné une nouvelle fois, pour chanter victoire
avec nous, maintenant et à l'avenir en Jésus-Christ notre
Seigneur, à qui la gloire dans les siècles des siècles. Amen !

DISCOURS 26

LES SOURCES UTILISÉES

I. Les témoins collationnés

A. Témoins directs

A = *Ambrosianus E 49-50 inf. (gr. 1014)* (ixᵉ s.)[1].

P. 651 b - 656 b (le texte est interrompu aux mots κατ' ἐμαυτὸν du § 8, 1 (*PG* 35, col. 1237 B 6) ; la suite se trouve p. 611 a - 619 b ; le découpage d'une miniature disparue dans le bas des pages 651-652 et la restauration ont provoqué une lacune de dix lignes au bas de la col. b de la p. 652, § 2, 22-27 (*PG* 35, col. 1229 C 1-6), du mot τινα jusqu'au mot πηλίκον). L'ornementation consiste p. 611 (marge inférieure) en une miniature représentant l'auteur méditant au bord de la mer, illustration du texte du § 8 ; p. 615, le roi Salomon, et p. 617, le roi David ; le coin inférieur droit de la p. 619 a été restauré après le découpage d'une miniature illustrant le titre du *Discours* 36.

Q = *Patmiacus gr. 44* (du xᵉ s.)[2].

F. 164-175 ; dans la marge on lit à hauteur du titre le nᵒ 13 et, l'indication ͞ια φύλλα (onze feuillets), ce qui correspond à la réalité. Le titre initial est orné d'un portique formé de neuf rosaces. Il faut remarquer l'absence de notes marginales en dehors des signes marginaux traditionnels, très rares eux aussi, l'absence de titre final et la présence d'un bandeau discret qui termine le texte.

---

1. Martini et Bassi, *Catalogue*, p. 1086.
2. Sakkelion, *Patmiaki*, p. 33.

B = *Parisinus gr. 510* (IXe s.).

F. 231^v-238^v. Le titre initial et son ornementation ont été découpés et ont disparu ; la première ligne en a légèrement souffert : on devine à peine certains mots rendus illisibles. Dans la marge, à hauteur de la restauration, le n° 27 ; à la fin du texte un mince bandeau, sans titre final[1].

W = *Mosquensis Synod. 64 (Vlad. 142)* (Xe s.)[2].

F. 276-282. Écriture, ornementation et annotations correspondent à ce qui a été dit par P. Gallay dans la description générale du ms.[3] ; le texte porte le n° 38. Un bandeau orne le titre initial ; le titre final identique au titre initial précède un bandeau torsadé, qui le sépare du texte qui suit.

V = *Vindobonensis theol. gr. 126* (XIe s.)[4].

F. 243-248^v. Tout ce qui a été dit au sujet des écritures, ornementation et diverses sortes de notes se vérifie ici[5].

T = *Mosquensis Synod. 53 (Vlad. 147)* (Xe s.)[6].

F. 318-323^v. On peut s'en tenir aux indications de P. Gallay (écritures, ornementation, notes)[7]. Il faut peut-être souligner l'extrême rareté des annotations : f. 321^v, une variante de lecture et, au f. 318, une addition de deux mots.

S = *Mosquensis Synod. 57 (Vlad. 139)* (IXe s.)[8].

F. 266-273^v. L'archimandrite Vladimir a sans doute encore pu lire le titre initial, en petites majuscules aujourd'hui illisibles[9] ;

---

1. Cf. Ch. WALTER, *Biographical Scenes of the Three Hierarchs*, dans *R.E.B.*, 36 (1978), p. 241.
2. VLADIMIR, *Catalogue systématique*, p. 148.
3. *Lettres théologiques*, p. 30.
4. DE NESSEL, *Breviarium*, p. 208-213.
5. *Lettres théologiques*, p. 30.
6. VLADIMIR, *Catalogue systématique*, p. 152-153.
7. *Lettres théologiques*, p. 30.
8. VLADIMIR, *op. cit.*, p. 143.
9. *Id.*, p. 146.

le n° du texte se lit en marge : n° 8 : il ne correspond pas à la place
qu'il occupe dans le codex, ni à celle que lui assigne le catalogue de
Vladimir, où il a le n° 36 correspondant au titre courant qu'on
relève dans les marges supérieures des feuillets. Les gloses et les
scolies en écriture d'époques diverses sont variées et parfois récentes
(f. 270, 273ᵛ) ; quelques mots sont illisibles (f. 270ᵛ, col. a, en bas =
§ 18). Pour le reste, cette section répond aux caractères généraux
décrits plus haut.

D = *Marcianus gr. 70* (xᵉ s.)[1].

F. 299-306, portant le n° 39 et un titre courant corresponaant.
Rien n'est à ajouter ici à la description générale déjà faite[2], à part
une note d'écriture très récente au f. 304 (§ 13). Pas de stichométrie.

P = *Palmiacus gr. 33* (de *941*)[3].

F. 121ᵛ-125 ; texte n° 36 dans le codex. Le titre initial est orné
d'un bandeau rectangulaire décoré de motifs stylisés et surmonté à
chaque extrémité par un dessin représentant une nichée de trois
oisillons nourris par un oiseau aux ailes déployées dont les pattes
sont sur le point de se poser sur le bord supérieur du bandeau :
illustration sans doute du § 2 : f. 121ᵛ⁴. A part les signes marginaux,
les annotations sont spécialement rares et brèves. La stichométrie
— 523 — ne correspond pas à la réalité.

C = *Parisin. Coislin. gr. 51* (xᵉ-xɪᵉ s.)[5].

F. 308ᵛ-316ᵛ, le texte porte le n° 36 ; le titre initial est dans une
petite majuscule de type arrondi et de style recherché à contrastes
prononcés des pleins et des déliés avec apex et courbures élégantes ;
il est surmonté d'un bandeau orné de cinq rosaces ressemblant très
bien au bandeau surmontant le titre du *Discours* 23 (f. 120ᵛ). Les

---

1. Morelli, *Bibliotheca*, p. 68-69.
2. *Lettres théologiques*, p. 31.
3. Kominis, *Nouveau catalogue*, p. 22.
4. Sur l'interprétation iconologique du thème ornithologique,
cf. Galavaris, *Liturgical Homilies*, p. 156-157, et les planches XVII,
fig. 108 et XLIII, fig. 239 (*cod. Parisin. gr. 533*, f. 35, et *cod. Hierosol.
Taphou gr. 14*, f. 34).
5. Devreesse, *Fonds Coislin*, p. 47-48.

signes marginaux sont rares (f. 309ʳ et ᵛ), une petite glose se lit au
f. 308ᵛ et une correction introduite par le sigle ΓΡ(ἄφεται) au
f. 310. Le titre final, ajouté au bas du f. 316ᵛ, col. b, qui comptait
déjà exceptionnellement 35 lignes au lieu de 34, est dans une petite
majuscule de type analogue à celui des rares majuscules qui se
trouvent dans le texte mêlées aux minuscules : ici le style est négligé
et hâtif.

B. Versions anciennes

1. Rufin, *In semetipsum de agro regressum*, dans *Tyranni
   Rufini Opera*, I. *Orationum Gregorii Nazianzeni novem
   interpretatio*, ed. A. Engelbrecht (*CSEL* 46), Vienne et
   Leipzig 1910, V, p. 167-189.

L'importance de ce témoin indirect mais ancien du
Discours 26 tient à la date à laquelle le texte a été traduit
du grec. L'éditeur constate que c'était fait en 401 « depuis
quelque temps déjà » *iam diu* et que la traduction pourrait
avoir été entreprise après le retour de Rufin à Aquilée,
pendant les premiers mois de l'hiver de 398/399 ou de celui
de 399/400 *initio anni vel 399 vel 400* (p. xviii). Cette
hypothèse d'Engelbrecht s'appuie sur l'interprétation
donnée aux premières lignes de l'envoi servant de préface
à l'œuvre de Rufin ; on peut y lire : « Très cher Apronianus,
mon fils, à mon départ de Rome tu insistais beaucoup
pour que malgré mon absence je continuasse à te consacrer
une part de mon activité afin que l'obligation dans laquelle
je me trouvais de m'en aller n'entravât point nos études
familières. Tu me demandais donc de te traduire Grégoire
en latin » (p. 3, 2-5). De son côté, S. Jérôme reproche à
Rufin d'avoir « dévoré des volumes grecs pendant 30 ans »
(*Contre Rufin*, III, 26). Tout cela ne permet pas de préciser
davantage le moment exact du travail du traducteur,
mais suffit pourtant pour établir qu'une vingtaine d'années
devait s'être écoulée entre le moment où le texte original
avait été composé — printemps 380 — et celui où il fut
traduit par Rufin.

Le texte grec que le traducteur avait sous les yeux en traduisant le *Discours* 26 devait déjà se trouver dans ses bagages lorsqu'il disait adieu à l'Orient en 396 ou 397, soit une quinzaine d'années après la composition de l'original grec. Cette période était assurément suffisante pour permettre à l'auteur ou à ses scribes de retoucher l'œuvre. Jusqu'à présent aucun indice n'a permis de localiser la provenance du témoin direct utilisé pour la traduction : Jérusalem ? Alexandrie ? Constantinople ? On ne précise pas non plus où il aurait été copié. Au demeurant le nombre de copies intermédiaires entre le *volumen graecum* de Rufin et l'original importe plus que le nombre d'années écoulées. Puisque la critique externe ne fournit à ce sujet aucun renseignement, on ne peut pas préciser davantage l'ascendance de la version latine.

Les données de la critique interne sont, pour leur part, tributaires de la fidélité du traducteur à son modèle. À ce sujet, Rufin lui-même éclaire son lecteur dans la péroraison du prologue en forme d'envoi dont il a été question plus haut ; il commence par lui garantir l'orthodoxie des doctrines théologiques exposées et, quant au texte, il ajoute : « Lis-le sans la moindre arrière-pensée tout en sachant néanmoins que l'éclat lumineux de la rhétorique du grec, les servitudes de la traduction le voilent considérablement. Si cela tient à la pauvreté de notre langue ou à la nature-même de la traduction, puisque tu connais les deux langues, tu auras à t'en rendre compte par toi-même ! » (*Préface*, 7, p. 5, 12-17). A. Engelbrecht commente ce passage au moyen d'un extrait de Rufin lui-même tiré de la traduction faite par ce dernier du commentaire d'Origène sur l'Épître aux Romains, où le traducteur d'Aquilée écrit : ...« Même si je parais faire quelques additions et compléter ce qui manque ou abréger les longueurs... néanmoins je ne pense pas usurper abusivement son titre à l'original... » (texte, références et commentaire, p. xviii-xix). Autant dire que sa méthode de

traduction est passablement libre... L'auteur avait conscience d'y mettre du sien. Ce qui nous intéresse ici n'est
pas de savoir *utrum nostri sermonis paupertas vel ipsa
interpretationis natura hos agat* ; mais de savoir quelle
utilisation critique l'éditeur peut faire de ce témoin si
proche de l'original, mais si peu sûr.

Instruit par l'expérience, on ne s'étonnera pas des infidélités que
Rufin, avant nous, a pu commettre dans cette traduction difficile. Il
lui arrive de pallier une déficience de la langue en employant deux
mots latins pour en traduire un seul : par ex.

§ 3, 3 : subrepticiis... et persuasoriis = συναρπακτικοῖς ;
§ 3, 22 : navem submergere = καταδῦσαι ;
§ 10, 28 : originem ducens = ἐρχόμενον.

Non seulement il abrège des passages (cf. § 18, ou § 13, 21-25
résumé en huit mots), mais certaines traductions de Rufin paraissent
des scolies qui seraient introduites dans le texte (§ 14, 2, 7-8, 9=
Rufin, p. 183, 11-12 ; 183, 17-20 ; 183, 20-24, etc.). Son témoignage
s'avère donc parfois inutile pour départager des leçons de la tradition
directe qu'il semble n'avoir pas saisies : par ex.

§ 9, 9 : θαυμασιώτατος QBWVTm : θαυμάσιος A (Ruf. : *beatus*) ;
§ 9, 29 : μέγα φρονοῦντα AQBWTD : μεγαλοφρονοῦντα VSPC
(Ruf ; *disputet*).
§ 11, 8 : ἱλέως AWTSDPC : ἡδέως BQVTmg. (Ruf. : *coronatus*) ;
§ 17, 1 : τρυφὰς B WVTSD₂ : -φὴν AD₁ -φῆς Q τροφὰς PC (Ruf. :
ministeria... et officia).

Pourtant la version latine a été plus d'une fois soit la raison
suffisante d'introduire dans le texte grec de cette édition une leçon
plutôt qu'une autre soit une confirmation utile. Voici quelques cas
où le latin a permis de préférer un mot à un autre :

§ 3, 3 : συναρπακτικοῖς AQBWVTS₂mg. D₂P₂ : σπαρακτικοῖς
S₁D₁P₁C (Ruf. : *subrepticiis... et persuasiis*) ;
§ 3, 22 : καταδῦσαι QWVT : καταλῦσαι ABSDPC (Ruf. : *navem
submergere*) ;
§ 10, 28 : ἐρχόμενον n : ἀρχόμενον m (Ruf. : *originem ducens*).

Dans d'autres cas, le latin a confirmé la présence ou l'absence
d'un mot ; notamment :

§ 8, 13 : τοιούτοις QWVTS₂ : τοιούτοις κινήμασι ABS₁DPC
(Ruf. : *talibus*) ;
§ 14, 22 : δὴ ASDPC : om. QBWVT (Ruf. : *ergo*).

Il a pu se faire que le latin permît d'opter pour une forme grammaticale et de la préférer à une autre ; à titre d'exemples, voici
quelques cas parmi d'autres :

§ 6, 9   : τινα QWVT : τινας ABm (Ruf. : *ministrum... vel sacerdotem*, au singulier) ;
§ 6, 25 : πιεζομένην AS₁DP₁C : πιεζομένου QBWVTS₂P₂ (Ruf. :
arentem siti linguam).

Parfois Rufin vient seulement confirmer une leçon imposée par
le grec ; par exemple :

§ 9, 27 : νομίζοι QBWVTS₂ : νομίζει A ὑπολαμβάνει S₁ ὑπολαμβάνοι
DPC (Ruf. : *putet*).

Si modeste que soit l'autorité du témoin, quand on a
affaire à des questions de détail purement philologiques,
le poids de la version a donc été plus d'une fois déterminant
pour décider ou confirmer la préférence donnée à une leçon.
Ses leçons figurent dans l'apparat critique avec le sigle *R*.

2. Les versions orientales

L'état des recherches préparatoires à l'édition des
versions orientales, spécialement copte et arméniennes,
a été exposé par M. l'Abbé G. Lafontaine, dans *Le Muséon*,
90 (1977), p. 281-340 ; on en était à cette époque à l'inventaire de la tradition manuscrite ; mais, on pouvait déjà
constater que le *Discours* 26 s'y présente généralement
sous le titre *Sur son retour de la campagne (In ipsum ex
agro iterum venientem)*. Bien que les recherches aient déjà
beaucoup progressé depuis 1977, ce détail reste en 1981
le seul apport positif des versions orientales à notre édition
du texte grec.

II. LE CLASSEMENT DES TÉMOINS

A. La place de A dans la tradition

L'accord de A avec QBWVTS₂ se vérifie dans un certain nombre de cas, notamment ceux-ci (TABLEAU A) :

1. § 1, 14 : μακρότερα ;
2. § 2, 14 : om. καὶ ;
3. § 5, 6 : om. αὐτῷ ;
4. § 5, 12 : om. ὑμῶν ;
5. § 6, 9 : λειτουργούντων τῷ θυσιαστηρίῳ ;
6. § 8, 10 : φθέγγομαι ;
7. § 10, 1 : λόγους ;
8. § 11, 12 : οὐδὲ ;
9. § 12, 15 : ἑτέραν ;
10. § 15, 19 : ἐγινωσκόμεθα.

L'unanimité du groupe n c'est-à-dire l'accord de A avec QBWVT est réalisé notamment dans les cas suivants (TABLEAU B) :

1. § 3, 18 : σπαράξαι n : διασπαράξαι m ;
2. § 4, 8 : μέμνησθε n : μέμνησθαι S₂DPC μενεῖσθαι S₁;
3. § 10, 28 : ἐρχόμενον n : ἀρχόμενον m.

Un ou plusieurs témoins du groupe m adoptent parfois la leçon attestée par l'ensemble du groupe n unanime ; cela se vérifie notamment dans les cas ci-dessous (TABLEAU C) :

1. § 3, 18 : καὶ n + D ;
2. § 9, 10 : λέγειν n + S₂DP₂ ;
3. § 12, 1 : πεινᾷ n + S₂D ;
4. § 12, 4 : (six mots) ὁ — πηγάσει n + S₂DP ;
5. § 12, 4 : τὸν n + S₂DP₂ ;
6. § 13, 8 : ὥσπερ n + S₂D ;
7. § 15, 14 : ἐν n + S₂DP₂ ;
8. § 15, 19 : ἐγινωσκόμεθα n + S ;
9. § 15, 20 : τὸ n + S₂D.

À cette liste s'ajoutent notamment des cas tels que les
deux suivants, qui manifestent que Q et V ont une certaine
autonomie par rapport aux autres témoins du groupe n :

1. § 6, 3 : ὅτι ABWVTS₂D : ὅτι καὶ Q(S₁)PC ;
2. § 9, 33 : μεγαφρονοῦντα AQBWTD : μεγαλοφρ- VSPC.

Les apparentements de A avec les branches du groupe n
contre la leçon commune du groupe m plus ou moins
unanime sont ainsi assez nombreux. Mais on peut aussi
remarquer fréquemment que A s'oppose à l'ensemble ou
à une partie du groupe n et adopte la leçon de l'ensemble
ou d'un rameau du groupe m (TABLEAU D) ; cela se vérifie
notamment dans les cas ci-dessous :

1. § 1, 3 : ἀδελφοί > ABSDC ;
2. § 1, 8 : καὶ τὸ ASDPC ;
3. § 1, 13 : οὔτε ABS₁C ;
4. § 1, 18 : καὶ χαίρουσιν AS₁PC ;
5. § 1, 20 : Εὐρίπῳ AQVTSPC ;
6. § 2, 10 : (add. 10 mots) ἤ — ἔχει/η ABSDPC ;
7. § 2, 10 : +καὶ πολυχρόνιον AS₁DPC ;
8. § 3, 16 : ὃ καὶ ABSDPC ;
9. § 3, 20 : καταλῦσαι ABSDPC ;
10. § 5, 1 : +οὖν AD ;
11. § 6, 4 : ὑμᾶς ABSDP₁C ;
12. § 6, 9 : τινας ABSDPC ;
13. § 6, 18 : εὐαγγελίζεσθαι ABSDPC ;
14. § 6, 22 : +τινὶ AS₂DPC ;
15. § 6, 24 : μόνον ASDPC ;
16. § 6, 25 : πιεζομένην AS₁DP₁C ;
17. § 7, 17 : ἐμῆς ABSDPC ;
18. § 8, 13 : +κινήμασι AB(S₁)DPC ;
19. § 8, 17 : ὑψηλὴν ABW₁TDPC ;
20. § 8, 17 : φυκίαι AQDPC ;
21. § 8, 19 : +τε AS₁DPC ;
22. § 10, 3 : νομίσητ(ε) A(S₁)DPC ;
23. § 10, 15 : οὐκ > AS₁DC ;
24. § 10, 26 : ἔστι ABS₁DPC ;
25. § 11, 6 : νεύσει AS₁DPC ;
26. § 11, 10/11 : κάλλει τὸ κάλλος ASDPC ;
27. § 11, 13 : +ἐστι AS₁DPC ;

28. § 12, 3 : καμψάκης AQ₂SPC ;
29. § 12, 12 : τὸ ABSDC ;
30. § 12, 18 : πρῶτος AD ;
31. § 13, 22 : ὡς ABSDPC ;
32. § 14, 3 : (+quatre mots) τὰς — φύλασσε AP ;
(33. § 14, 6 : δ' ASDPC) ;
34. § 14, 11 : ἀπεθέμην ABS₁DPC ;
35. § 14, 14 : ἐμοὶ AS₁DPC ;
36. § 14, 15 : οὗτος ASDC ;
37. § 14, 19 : τὸ¹ ABS₁DPC ;
38. § 14, 22 : σὺ δὲ δὴ AS₁DPC ;
39. § 15, 3 : ἡδεῖς ABS₁DPC ;
(40. § 16, 3 : οὐδ' ASDPC) ;
41. § 17, 14 : ὧν AS₁DP₁C ;
42. § 17, 15 : φέρο/ωμεν ASDPC ;
43. § 17, 16 : καὶ > ATS₁PC ;
44. § 17, 18 : +μου ADPC ;
45. § 18, 19 : εὕροιμι AS₁PC ;
46. § 19, 14 : ἐκζητήσασι ASDPC.

Les tableaux A et D permettent d'établir que A appartient à une branche de la tradition distincte de celle à laquelle appartiennent QBWVT S₂ d'une part, S₁DPC d'autre part : A s'accorde tantôt avec l'un des deux rameaux de cette branche tantôt avec l'autre. Les choses se passent comme si les affinités de A avec l'autre branche remontaient à un archétype situé plus haut que la séparation de ces deux rameaux, soit selon le schéma ci-dessous :

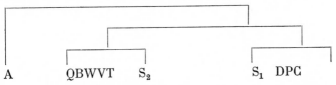

A   QBWVT   S₂   S₁   DPC

Une seconde constatation se dégage des tableaux ABCD. A a des affinités particulières avec B ; ce témoin se singularise plus d'une fois par rapport aux autres membres du rameau QBWVT S₂ pour suivre A quand celui-ci s'accorde avec l'ensemble ou avec une partie du rameau S₁DPC (tableaux C et D). Il faut maintenant analyser le cas de B.

B. La place de B dans la tradition

L'indépendance de B vis-à-vis de A apparaît dans les tableaux ABCD ci-dessus. Elle est déjà établie. Par rapport à QWVTS$_2$, elle est aussi nette dans un certain nombre de cas, notamment dans un certain nombre de ceux qui ont été relevés dans le tableau D (n^{bs} 1, 3, 6, 8, 9, 11, 12, 13, 17, 18, 24, 29, 31, 34, 37, 39) ; on peut y ajouter les suivants :

§ 10, 7   : παρὰ τῷ AB : om. QWVT m ;
§ 10, 10 : οὖν BDPC : om. AQWVTS ;

Le même témoin B se trouve parfois seul contre tous les autres ; par exemple dans les cas suivants :

§ 11, 5   : εἰ B : εἰ γὰρ cett. ;
§ 12, 15 : σιαγόνα B : om. cett. ;
§ 16, 1   : θυσιαστήριον B : -ηρίων cett. ; ἄλλο B : καὶ ἄλλο cett. ;
§ 17, 2   : πλεῖστον B : καὶ πλείστω(ν) PC πλείστων cett. ;
§ 18, 8   : τὰ B : τὸ cett. ;
§ 18, 10 : εἰ καὶ B : καὶ εἰ cett. ;
§ 19, 5   : μόχθον B : -χθων cett.

Quelquefois on le trouve isolé avec V ou T contre tous les autres :

(§ 13, 24 : σπουδάζουσιν BV : -ζουσι cett.) ;
§ 14, 7   : νικασήτωσαν BT : νικάτωσαν cett.

Ces constatations permettent de marquer la place de B à côté du reste du rameau QBWVTS$_2$ c'est-à-dire suivant le schéma suivant :

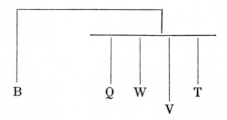

C. La place de QW et celle de VT

La solidarité générale du rameau QWVT ayant été mise en lumière, il faut analyser le comportement des deux témoins W et Q ; ils sont souvent d'accord entre eux, mais ils se trouvent assez fréquemment opposés l'un à l'autre, soit parce qu'ils adoptent des leçons communes à des groupements de témoins différents soit parce l'un ou l'autre se trouve isolé et atteste une leçon qui l'oppose à l'ensemble de la tradition.

Les désaccords entre Q et W sont donc nombreux ; l'apparat critique en rend compte notamment dans les cas suivants :

1. § 1, 20 : Εὐρίπῳ Q : -ππῳ W ;
2. § 2, 5 : ὄντως Q : οὕτως W ;
3. § 2, 17 : ἀπέλιπεν Q : κατέλειπεν W ;
4. (§ 2, 22 : καλίαν Q : καλλίαν W ;)
5. § 4, 16 : ὑπέστην Q : ἐπέστην W ;
6. § 5, 33 : τιθέμενος Q : διατιθέμενος W ;
7. § 6, 1 : καὶ Q : > W ;
8. § 7, 8 : ἐνεφιλοσόφει Q : ἐφιλ- W ;
9. § 10, 27 : ὃ Q : ᾧ W ;
10. § 10, 28 : ἀρχόμενον Q : ἐρχ- W ;
11. § 11, 8 : ἡδέως Q : ἱλέως W ;
12. § 11, 11-12 : τὸ τῆς … τῷ τοῦ Q : τῷ της … τὸ τοῦ W ;
13. § 11, 18 : νουθετήσει > Q : habet W ;
14. § 11, 29 : πινόντων Q : πεινώντων W ;
15. § 12, 6 : τρέφονται Q : τρέφοντα W ;
16. § 12, 9 : ποσόν Q : πόσον W ;
17. § 12, 10 : ὁ > Q : habet W ;
18. § 13, 13 : τῷ Q : τὸ W ;
19. § 13, 16 : τοῦτον Q : τούτῳ W ;
20. § 13, 20 : καὶ μὴ Q : μὴ καὶ W ;
21. § 14, 10 : ῥακία Q : ῥάκκη W ;
22. § 15, 16 : ἀνθρώπων Q : ἄνθρωποι W ;
23. § 17, 3 : προκαλουμένων Q : προσκαλ- W ;
24. § 19, 6 : τὸ > Q : habet W.

Parmi les cas qui viennent d'être relevés, il y en a plusieurs dans lesquels Q s'oppose tout seul à l'ensemble de

la tradition (cas nᵒˢ 4, 5 et 11) et d'autres où W s'oppose
seul à tous les autres témoins (cas nᵒˢ 19, 20, 21, 22 et 23) ;
on en trouvera d'autres encore dans notre apparat critique
(par ex. : Q seul contre tous : 3, 9 ; 4, 1 ; 4, 20 ; 6, 15 ;
8, 18 ; 15, 22 ; 17, 1 ; 17, 13 (deux fois) ; 18, 13 ; ou W seul
contre tous : 9, 27 ; 11, 4 ; 11, 18 ; 17, 7).

Ces relevés mettent assez en lumière l'individualité des
deux témoins concernés, Q et W. Le comportement des
deux partenaires de QW dans le rameau QWVT manifeste
une solidarité caractéristique des deux témoins, VT,
contre QW au sein du rameau auxquels ils appartiennent.
Un accident assez important et significatif marque VT et
trahit une ascendance commune : il s'agit du déplacement
de neuf mots constaté au § 10, de 10, 23 à 10, 32/33.
D'autre part, l'indépendance de l'un vis-à-vis de l'autre
apparaît plus d'une fois, et notamment en § 10, 27 ;
§ 17, 3 - 4 ; et 19, 6 et 7. L'affinité entre V et T est encore
confirmée par le cas de notre tableau D (voir ci-dessus) où
AQVTS PC s'opposent à BWS D. Elle est patente dans une
note marginale du § 11, 8 : ἵλεως QmgWTSDPC ἱλέως A
ἡδέως QBVTmg. Des notes marginales se lisent dans Qmg
Vmg et Tmg. Dans les cas de Qmg et de Tmg, la note
indique soit une leçon variante soit une glose, que le caractère désuet du mot ἵλεως pouvait rendre nécessaire[1] ;

---

1. Cf. Liddell, Scott et autres, *Lexicon*, p. 827, *s.v.* ἱλαρός
(« ἱλαρός = ἵλεως in later Greek ») ; Estienne, *Thesaurus*, IV,
col. 579-583, *s.v.* ἵλαος, ἱλαρός et ἱλάω. Un copiste ayant sous les
yeux ΙΛΕΩΣ (= ἵλεως ou ἱλέως) en majuscules (et peut-être sans
accentuation) au moment de la translittération a pu lire ἡδέως,
parce qu'il était distrait, parce que le Λ ressemblait au Δ, et parce
qu'il n'employait plus ἱλέως couramment, mais ἡδέως ou ἱλαρῶς.
Cf. A. Dain, *Les manuscrits* (Collection d'études anciennes), Paris
1949¹, p. 39-40 ; et M. Coens, *En fréquentant les manuscrits. Codico-
logica*, I. *Théories et principes*, Leyde 1976, p. 23. Un accident analogue
est relevé par le card. A. Mai, *Scriptores veteres...*, II, Rome 1825-
1838, p. 609, dans le texte de Nic. Blemmyde, *De regiis officiis* (éd.
L. Allati, dans *PG* 142, col. 657 B 1-2).

mais dans le cas de V, on trouve ἡδέως *in textu et in mg* !
Ici la présence de la note ne s'explique pas autrement que
par la fidélité servile et mécanique à un modèle de V qui
était analogue à celui de T.

La position que nous attribuons aux ms Q, W, V et T
par rapport à l'ensemble de la tradition peut donc se
résumer dans le schéma que voici :

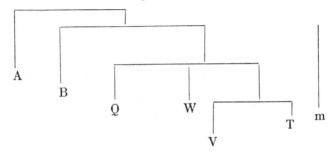

D. Classement de S, S_1 et S_2

Les photographies et microfilms dont l'Institut des
Sources chrétiennes a disposé pour cette édition n'ont pas
permis — dans le cas du *Discours* 26 comme dans ceux
des autres œuvres éditées dans ce volume — de discerner
les mains des correcteurs qui ont pu intervenir pour modi-
fier le texte primitif de S. Il faut rappeler ici que S désigne
le texte dans tous les cas où il est sûrement vierge de
correction, S_1 le texte primitif dans la mesure où on croit
pouvoir le deviner, ou le lire, dans les lieux où une correction est évidente, et S_2 sert à indiquer n'importe quelle
modification relevée. Le manque de précision de S_2 peut
assurément entacher les conclusions tirées des observations
faites. Il est bon de répéter, avant d'avancer dans l'exposé
de la situation de ce témoin, que tout ce qui concerne S_2
doit donc être traité avec un coefficient d'approximation
assez relatif. Pourtant dans la mesure où des corrections
peuvent être constatées avec certitude, celles-ci ont généralement pour résultat non seulement de s'écarter de la

leçon commune du groupe m, mais encore d'adopter une lecture attestée dans le groupe n. Les exceptions sont si rares que l'on peut parler à ce sujet d'une règle générale : ce qui veut dire que les exceptions à cette règle appellent des explications.

L'apparat critique foisonne d'exemples où S_2 s'apparente soit à QBWVT, soit à ABWVT ; dans le plus grand nombre de cas, le noyau WVT apparaît comme ayant avec S_2 des affinités privilégiées. On le constate notamment dans les cas particulièrement significatifs suivants : § 6, 12 : προσεδρεύωσι WVTS$_2$; § 8, 13 : τοιούτοις QWVTS$_2$; § 8, 17 : ψιλὴν QVS$_2$; § 10, 23 (+neuf mots) VTS$_2$; § 15, 3 ἡδίους QWVTS$_2$P$_2$. On rattache donc S_2 à ce rameau QWVT du groupe n. Mais non sans nuance, car le (ou les) correcteur(s) manifeste(nt) assez d'indépendance notamment dans les cas de plusieurs accidents qui, sans être graves, sont assez significatifs pour indiquer que les rapports constatés entre S_2 et le rameau QWVT ne sont pas directs et immédiats (par ex. : § 8, 17 et § 10, 23).

D'autre part, lorsqu'il est possible de lire, conjecturer ou deviner avec assez de certitude des leçons de S_1 opposant celui-ci à d'autres témoins, S_1 se range généralement du côté de C, de P$_1$C, de PC ou de DPC.

Les constatations qui précèdent peuvent se résumer dans un schéma comme suit :

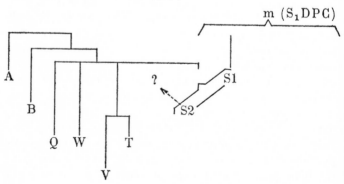

E. La place de D et celle de P et de C

L'ensemble des collations manifeste l'accord assez général de D avec S ou S_1, avec P ou P_1 et avec C. Il arrive
néanmoins que D s'écarte de la leçon du groupe m et
adopte celle de la branche QBWVT ou celle du groupe
n, par exemple : § 1, 3 ; § 1, 20 ; § 12, 3 ; § 13, 13 ; etc.
L'ascendance de D s'apparente ici à l'ascendance commune
du groupe n. Contamination directe ou indirecte ? Fidélité
à la souche commune ? Le rôle que D joue dans la tradition analysée se présente conformément au schéma suivant :

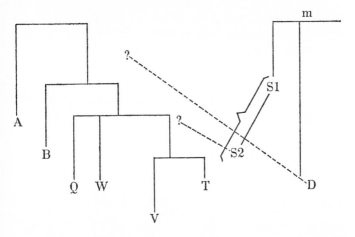

Dans la plupart des cas, il est fort hasardeux de chercher
à préciser si une leçon relevée dans les collations appartient
à la main de P_1 ou C_1 ou à l'une de celles que nous appelons,
faute de pouvoir mieux dire, P_2 ou C_2. Il faut donc s'en
tenir à des constatations assez sommaires, mais tout de
même relativement nettes. Par exemple, on constate
l'accord très fréquent de SDPC contre le reste de la tradition (notamment § 1, 14 ; § 3, 2 ; § 5, 6 ; § 5, 12 ; (§ 14, 15) ;
§ 19, 6) ; l'accord est aussi assez fréquent entre SDPC et

A ou AB contre le reste de la tradition (par exemple :
§ 2, 10 ; § 3, 22 ; § 4, 5 ; § 4, 12 ; § 6, 4 ; § 6, 22 ; § 6, 24 ;
§ 6, 25 ; § 8, 20 ; § 10, 26 ; § 11, 10-11 ; § 11, 13 ; § 14, 22 ;
§ 16, 10 ; § 17, 14 ; etc.). Ceci a déjà été noté plus haut
dans l'analyse du comportement d'autres rameaux de la
tradition. On a aussi remarqué comment des contaminations ont pu se produire à Patmos entre P_2 et W. On peut
présumer que C est proche du noyau le plus représentatif
d'un archétype commun du groupe SDPC.

À défaut de pouvoir attendre une exploration complète
et une analyse exhaustive de la tradition du *Discours* 26,
l'hypothèse la plus acceptable que l'on peut fonder sur
l'ensemble des observations et des incertitudes qui viennent
d'être exposées, peut être présentée sous forme du schéma
ci-dessous destiné à rendre compte des règles adoptées
pour établir le texte :

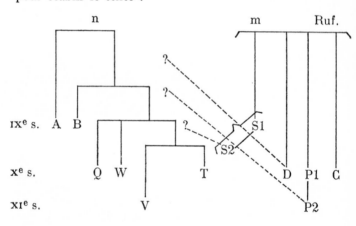

III. Les règles de l'édition

I. Trois branches représentent la tradition directe dans le cas du *Discours* 26. La tradition indirecte, version latine de Rufin (= R), ne permet pas de choisir *a priori* entre les trois branches de la tradition grecque directe. On accordera donc le même poids à chacune des trois branches représentées respectivement par A, par QBWVT S_2 et par S_1DPC.

2. Au sein de la branche S_1DPC, C tire avantage de sa fidélité plus rigoureuse au modèle dont le groupe est issu. Mais, il n'y aurait pas moins de raison d'accorder le même poids à S, D ou P dans la mesure où l'on peut être assuré qu'un lieu quelconque est à l'abri des contaminations. C'est une chose que l'on n'a pas le moyen de présumer dans tous les cas, étant donné les moyens auxquels le travail s'est volontairement limité.

3. Dans tous les cas, l'apparat critique rend compte des leçons rencontrées et de l'état des sources, s'il y a lieu. L'édition a résolu les problèmes qui se sont présentés en tenant compte de raisons qui paraîtraient parfois futiles : elles sont de bonne foi, mais il ne faut pas leur accorder une autorité qu'elles n'ont pas. Il a parfois fallu trancher alors qu'une leçon ne s'imposait pas pour des motifs indiscutables.

4. En revanche, des leçons défendables se trouvent plus d'une fois reléguées dans l'apparat critique ; celui-ci sera plus souvent positif que ce n'était le cas dans l'édition des *Discours* 20-23 et 24-25. La complexité de la tradition manuscrite sera, espère-t-on, compensée par la netteté des notes critiques.

1228 A   **1.** Ἐπόθουν ὑμᾶς, ὦ τέκνα, καὶ ἀντεποθούμην τοῖς ἴσοις μέτροις. Πείθομαι γάρ, εἰ δεῖ καὶ πίστιν προσθεῖναι τῷ λόγῳ, Ναὶ νὴ τὴν ὑμετέραν καύχησιν, ἀδελφοί, ἣν ἔχω ἐν Χριστῷ Ἰησοῦ τῷ Κυρίῳ ἡμῶν[a]. Τοῦτον γάρ μοι πεποίηκε
5 τὸν ὅρκον τὸ Πνεῦμα τὸ ἅγιον, ᾧ πρὸς ὑμᾶς κεκινήμεθα, ἵνα κατασκευάσωμεν Κυρίῳ λαὸν περιούσιον[b].

Σκοπεῖτε τὴν πίστιν ὅση · καὶ τὸ ἐμαυτοῦ πείθω, καὶ τὸ ὑπὲρ ὑμῶν διατείνομαι. Καὶ θαυμαστὸν οὐδέν. Ὧν γὰρ κοινὸν τὸ Πνεῦμα, κοινὸν καὶ τὸ πάθος · οἷς δὲ τὸ πάσχειν
10 ἴσον, ἴσον καὶ τὸ πιστεύειν. Ὁ γὰρ μή τις πέπονθεν, οὐδ᾽ ἂν ἑτέρῳ πιστεύσειεν · ὁ δὲ παθών, εἰς συγκατάθεσιν ἑτοιμότερος, μάρτυς ἀόρατος ἀοράτου πάθους, μορφῆς ἀλλοτρίας
B οἰκεῖον ἔσοπτρον. Διὰ τοῦτο οὐδὲ ἠνεσχόμην ἀποφοιτῆσαι

Titulus, εἰς AWVSDR : τοῦ αὐτοῦ εἰς QTPC (B legi non potuit)
‖ ἑαυτόν nos : + ἐξ ἀγροῦ ἐπιστάντα S + καὶ τὸν λαὸν καὶ τοὺς ποιμένας ἐξ ἀγροῦ ἐπιστὰς μετὰ κατὰ Μάξιμον A ἐξ ἀγροῦ ἐπιστὰς (vel ἐπιστάντα Q vel ἐπανήκοντα Maur.) μετὰ τὰ κατὰ Μάξιμον (+ ἐρρέθη ἐν ΚΠόλει P) QWVTPC addunt insuper numerum ordinis λϛ̅ (= 36) Pmg.Cmg. *In semetipsum ex agro regressum* R et codd. versionis Armeniacae)

1, 1 καὶ cod. : quia et R ‖ 3 ναὶ : > D eras. S₂ ‖ ἀδελφοί > ABSDC ‖ 4-5 τὸν ὅρκον πεποίηκε D ‖ 5 τὸ Πν. : τῷ Πν. B ‖ 6 ἵν᾽ P₁ ‖ 7 τὸ + ὑπὲρ A τῷ D ‖ 8 τὸ > QBWVT ‖ 9 καὶ > A ‖ 9-10 ... πάσχειν ... πιστεύειν ∾ R ‖ 13 οὐδὲ : οὔτε ABS₁C

---

1. a. *I Cor.* 15, 31.   b. Cf. *Deut.* 7, 6.

---

1. Un certain nombre de mss grecs titrent : *Sur lui-même, à son retour de la campagne et après les choses (dirigées) contre Maxime* ;

DISCOURS 26

Deuxième Sermon sur lui-même[1]

1. Vous me manquiez, mes enfants, et de votre côté, vous me regrettiez tout autant. C'est, en effet, ma conviction et s'il faut ajouter une garantie à ce que je viens de dire, « je le jure, par la fierté que j'éprouve à votre sujet, frères, dans le Christ Jésus, notre Seigneur[a] ». Car l'objet de ce serment est pour moi l'œuvre de l'Esprit Saint, qui nous a inspiré de venir chez vous afin de préparer pour le Seigneur un peuple d'élection[b].

Considérez l'importance de cette garantie : en attestant mon sentiment, j'atteste également le vôtre[2]. Et cela n'est nullement étonnant, car ceux qui communient dans l'Esprit communient aussi de cœur et ceux qui ont autant de cœur ont aussi autant de foi. En effet, ce qu'on n'a pas éprouvé, on ne pourrait pas non plus en faire crédit à son prochain ; tandis que celui qui a éprouvé un sentiment est plus enclin à partager le sentiment d'autrui : il est un témoin invisible d'un invisible sentiment et il a en lui-même un miroir reflétant l'image d'autrui. C'est pourquoi, je ne pouvais même pas supporter de prolonger

---

plusieurs emploient la formule : *Sur lui-même, les laïques et les évêques, à son etc.* La traduction latine de Rufin adopte *In semetipsum de agro regressum (Sur lui-même à son retour de la campagne)* : l'apparat critique de cette version dans l'éd. de Vienne mentionne un seul ms. donnant pour titre final *In semetipso de agro regresso.* Les versions arméniennes ont pour titre : *Sur lui-même à son retour de la campagne* (Lafontaine, *Version arménienne*, p. 319). Le *Premier sermon sur lui-même* est le *Discours* 10 (*PG* 35, col. 828-832).

2. Même thème et formule identique dans *Discours* 25, 2.

ὑμῶν μακρότερα, καίτοιγε ἱκανῶς τοῖς ἐνταῦθα δυσχεραίνων
15 τε καὶ ἀχθόμενος · οὐχ οἷς αἱ πόλεις φέρουσι μόνον, δήμοις,
θορύβοις, ἀγοραῖς, θεάτροις, πλησμοναῖς, ὕβρεσιν, ἄγουσι
καὶ ἀγομένοις, ζημιοῦσι καὶ ζημιουμένοις, πενθοῦσι καὶ
πενθουμένοις, κλαίουσι, χαίρουσι, γαμοῦσι, θάπτουσιν, εὐφη-
μουμένοις, βλασφημουμένοις, ὕλη κακίας, κόσμου βράσματι,
20 ταῖς ἀγχιστρόφοις μεταβολαῖς, ὥσπερ ἐν Εὐρίπῳ καὶ
πνεύμασιν, ἀλλὰ καὶ τούτοις ἤδη τοῖς σεμνοτέροις καὶ
1229 A τιμιωτέροις, τοῖς περὶ τὸ βῆμα τοῦτο λέγω καὶ τὴν ἁγίαν
τράπεζαν · ὧν ἡμεῖς τὸ κράτος ἔχειν δοκοῦντες καὶ τῶν
ἐγγιζόντων ὄντες Θεῷ, δέδοικα μὴ κακῶς ἐγγίζωμεν καί,
25 ὡς καλάμη πυρί, πῦρ οὐ φέροντες.

2. Πλὴν ἐπανῆλθον ὑμῖν, βίᾳ μὲν ἀποδραμών, οὐ βίᾳ δὲ
προσδραμών, ἀλλὰ καὶ μάλα προθύμως, καὶ αὐτομάτοις ποσί,
τὸ τοῦ λόγου, τοῦ Πνεύματος οὕτως ἄγοντος, καθάπερ τι
ῥεῦμα, πρὸς μὲν τὸ ἄναντες βιαζόμενον, εἰς δὲ τὸ πρανὲς
5 ἐπειγόμενον. Ὄντως ἡμέρα μία, βίος ὅλος ἀνθρώπου, τοῖς

1, 14 μακρότερον S₁DPC ‖ καίτοι S₁ ‖ 15 φέρουσι : χαίρουσι
AS₁DPC ‖ 17-18 ζημιοῦσι — πενθουμένοις > S₁ corr. S₂ mg. ‖ 18 καὶ
χαίρουσι AS₁PC ‖ καὶ θάπτουσι S₁ ‖ 19 βλασφημουμένοις > P καὶ
βλασφημουμένοις A ‖ ὕλης κακία A ‖ 20 Εὐρίππῳ BWD ‖ καὶ > P
‖ 21 τούτοις > D ‖ τοῖς : ante ἤδη D > P ‖ 22 τοῦτο > P ‖ λέξω
C ‖ 24 δέδοικα + μὲν P ‖ ἐγγίζοντες A
2, 3 τὸ > D ‖ λόγου + καὶ D ‖ 5 ὄντως : οὕτως WS ‖ ὁ βίος
DP

1. L'auteur revient de la campagne, comme il le dit plus explicitement plus loin (§ 2).
2. L'évocation suggestive de la vie populaire de Constantinople
donne une idée de la dimension sociale des problèmes auxquels
l'Église était confrontée dans la Nouvelle Rome, en 380-381 : cf.
DAGRON, Naissance, p. 298, et 488-489. Sur les aspects populaires
de la pastorale chrétienne évoqués ici : DAGRON, idem, p. 448 :
« Cette anarchie religieuse et cette théologie de la rue sont les vraies
caractéristiques de Constantinople à cette époque. » L'Euripe, détroit
situé à proximité de l'Eubée, est connu pour être perpétuellement
agité par des courants marins ; pour cette raison, il passe tradition-

mon séjour loin de vous[1]. Pourtant j'en ai assez de ce qui
se passe ici : cela me chagrine et me pèse ; (il y a) non
seulement les ennuis qui sont le lot normal des (grandes)
cités, masses populaires, tumultes, marchés, théâtres,
opulences, arrogances, meneurs et menés, auteurs et
victimes de sanctions, les gens qui ont du chagrin et ceux
qui le provoquent, ceux qui pleurent, ceux qui sont
joyeux, ceux qui se rendent à des mariages, ceux qui se
rendent à des enterrements, ceux qu'on félicite, ceux qu'on
maudit, matière à méchanceté, bouillonnement mondain
aux vicissitudes perpétuelles aussi inconstantes que
l'Euripe et les vents[2] ; mais, (il y a aussi) ces choses méritant
déjà davantage vénération et respect, je parle de ce qui
entoure l'autel et la sainte table. Nous qui paraissons
détenir l'autorité là-dessus et qui sommes de ceux qui
s'approchent de Dieu[3], je crains que nous en approchions
d'une mauvaise manière et que nous le fassions comme
de la paille qui approche du feu sans être à même de
supporter le feu.

2. Mais, me voici de retour parmi vous. Contraint de
m'en aller, revenu sans contrainte, au contraire même,
(revenu) avec beaucoup d'empressement ; mes pas m'ont
ramené d'eux-mêmes, comme on dit, sous la conduite de
l'Esprit : c'est comme une eau courante qui ne remonte
vers l'amont que si on l'y force, alors qu'elle s'écoule
d'elle-même dans le sens de la pente. Réellement une seule
journée vaut une vie d'homme tout entière pour ceux que

nellement pour un symbole de l'instabilité des choses de ce monde :
KERTSCH, *Bildersprache*, p. 14-15 ; cf. GRÉGOIRE DE NAZ., *Discours* 6,
19 (*PG* 35, col. 748 A 4).

3. Le poème autobiographique *De vita sua* (*Carmina* II, 1, 11,
v. 1494, éd. Ch. Jungck, p. 126) : ... « je parle seulement de ceux qui
exercent un ministère, qui s'approchent de Dieu ». Il s'agit, là comme
ici, du clergé de Constantinople — trop attaché à l'argent, selon
Grégoire — après la proclamation de l'orthodoxie et la condamnation
de l'arianisme par Théodose.

B πόθῳ κάμνουσιν. Τὸ γὰρ τοῦ Ἰακὼβ οὐχ ἑτέρως ἔχειν μοι
φαίνεται · ὃς ἔτη δεκατέσσαρα δουλεύων τῷ Σύρῳ Λάβαν
ὑπὲρ τῶν δύο παρθένων οὐκ ἔκαμνεν · Ἦσαν γὰρ αὐτῷ,
φησίν, αἱ πᾶσαι ἡμέραι, ὡς ἡμέρα μία, διὰ τὸ ἀγαπᾶν
10 αὐτάς[a]. Ἴσως ὅτι ἐν ὄψεσιν ἦν τὸ ποθούμενον. Οὕτως τὸ
ἕτοιμον εἰς ἐξουσίαν, ἀργὸν εἰς ἐπιθυμίαν, ὥς τις ἔφη τῶν
πρὸ ἡμῶν. Ἐγὼ γοῦν ἡνίκα παρήμην, ἐλάχιστα τοῦ πάθους
ἐπαισθανόμενος, ἡνίκα ἐχωρίσθην, ἔγνων τὸν πόθον τὸν
γλυκὺν τύραννον · καινὸν δὲ οὐδέν.
15   Εἰ γὰρ τοσοῦτον ὀδύρεται καὶ βουκόλος μόσχον τῆς ἀγέλης
ἀποφοιτήσαντα, καὶ ποιμὴν πρόβατον ἐλλεῖψαν δεκάδι[b],
C καὶ ὄρνεον νοσσιάν, ἣν πρὸς ὀλίγον ἀπέλιπεν, ὥστε οἱ μὲν
τὰς σύριγγας λαβόντες, ἐπί τινα σκοπιὰν ἀνελθόντες, πληροῦσι
τῆς ἀθυμίας τοὺς δόνακας, καὶ ἀνακαλοῦνται, ὡς λογικά,
20 τὰ πλανώμενα · κἂν ὑπακούσωσι, χαίρουσι μᾶλλον ἢ πᾶσιν
ὁμοῦ τοῖς ἄλλοις, ὧν οὐκ ἐφρόντισαν · τὸ δὲ τρύζον ἐπὶ
τὴν καλιὰν ἵεται καὶ τρύζουσι προσπίπτει τοῖς νεοσσοῖς
καὶ περιέπει ταῖς πτέρυξι · πηλίκον ἂν εἴη δεξιῷ ποιμένι
λογικὰ θρέμματα καὶ ὧν τι προεκινδύνευσεν, ἐπεὶ καὶ τοῦτο
25 τῷ φίλτρῳ προστίθησιν ;
D   3. Ὡς ἐγὼ δέδοικα μὲν τοὺς βαρεῖς λύκους, μὴ τὴν

2, 6 οὐχ AQBWSDPC et R in textu > VT Maur. et nonnulli
codices rufiniani ‖ 8 δύο C ‖ 9 φησίν > S₁ add. S₂ mg. ‖ 10 ἴσος B
‖ ποθούμενον + ἢ ὅτι κοῦφον τὸ κάμνειν ἔρωτι κἂν ἡ ἀναβολὴ τὸ
λυπηρὸν ἔχῃ (vel ἔχει BS) ABSDPC Maur. add. insuper καὶ
πολυχρόνιον AS₁DPC ‖ οὕτως : οὗτος B ὄντως DC ‖ 12 ἡνίκα + μὲν
Maur. ‖ 13 ἡνίκα + δὲ Maur. ‖ 14 καὶ καινόν S₁PC ‖ δέ : > SPC
δ’ D ‖ 16 ἐλλεῖψαν : ἐνλεῖψαν D ἐν λεῖψαν C ‖ 17 νοσσίαν (scrips.
νοσίαν ABSD) AQBWVTSDP₂C : νεοσσίαν P₁ νενοσσίαν P₂ ‖
ἢν + καὶ S₁ expunx. S₂ ‖ ἀπέλιπεν AQVT : κατέλιπεν BDPC
κατέλειπεν WS (reliquerat R) ‖ 18-23 τινα — πτέρυξι legi non
potuit in A ‖ 19 τῆς > S₁PC ‖ 22 καλλίαν W ‖ νεοσοῖς B ‖ 24 ἐπεὶ :
ἔπειτα VT

---

2. a. Gen. 27, 26.   b. Cf. Lc 15, 6.

tourmente le désir ! En effet, ce qu'on raconte de Jacob
ne paraît pas être autre chose que cela : lui qui, pendant
quatorze ans passés au service du Syrien Laban, n'éprou-
vait aucun tourment au sujet des deux filles (de celui-ci),
« car à cause de l'amour de celles-ci, tous les jours qu'il
passa furent pour lui comme un seul[a] » ; également parce
qu'il avait sous les yeux l'objet de ses désirs. Ainsi, comme
l'a dit un Ancien, « ce qui se trouve à discrétion fait languir
l'inclination[1] ». De fait, pour ma part, alors que, étant près
de vous, je me rendais fort peu compte des sentiments que
j'éprouvais, lorsque je fus à distance, je fis connaissance
avec le doux tyran qu'est le regret des absents. Mais, ce
n'était pas quelque chose de neuf.

En effet, si un bouvier se lamente tant au sujet d'un veau
qui s'est échappé du troupeau, un berger parce qu'un
mouton sur dix manque à l'appel[b], et un oiseau à cause
du nid qu'il vient de quitter il y a peu, au point que
les premiers, ayant escaladé quelque rocher avec leurs
pipeaux, emplissent les tiges de roseau des accents de leur
mélancolie et rappellent à eux comme des êtres doués de
raison les bestiaux égarés — et, si ceux-ci répondent à
leurs appels, ils (en) ont plus de joie que de tout le reste du
cheptel, qui ne leur avait causé aucun souci[2] — ; quant à
l'oiseau, il regagne son nid en pépiant, se pose sur une nichée
pépiante et l'abrite sous ses ailes. Quelle importance
auraient, pour le bon pasteur, des brebis douées de raison
et pour lesquelles il a pris des risques, puisque ceci renforce
encore l'attachement !

3. Comme je crains, moi, que les loups cruels ayant

---

1. PLINE LE JEUNE, *Lettre* XX, *Ad Gallum* (éd. M. Nisard, p. 660) :
« omnium rerum cupido languescit, cum facilis occasio est ».

2. Aux thèmes pastoraux traditionnels, particulièrement en
faveur dans les poèmes bucoliques alexandrins, Grégoire associe
celui du bon pasteur : cf. *Jn* 10, 11-16. MÉNANDRE, *De gen. demonstrativo*, éd. Spengel, III, p. 393, 5-9, recommande les emprunts aux
classiques en raison de leur célébrité littéraire.

σκοτόμαιναν ἡμῶν τηρήσαντες[a], τὴν ποίμνην σπαράξωσι
1232 A λόγοις συναρπακτικοῖς καὶ βιαίοις · ἐπειδὴ τὰς ἀκαιρίας
τηροῦσι, τὸ φανερῶς ἰσχύειν οὐκ ἔχοντες.

5 Δέδοικα δὲ τοὺς λῃστὰς καὶ κλέπτας, μὴ διὰ τῆς αὐλῆς
ὑπερβάντες ἢ ἀναιδείᾳ συλήσωσιν ἢ δι' ἀπάτης κλέψωσιν[b],
ὥστε θῦσαι καὶ ἀποκτεῖναι καὶ ἀπολέσαι, ἁρπάζοντες
ἁρπάγματα, ψυχὰς κατεσθίοντες, ὥς τις ἔφη τῶν προφητῶν[c].
Δέδοικα δὲ τὴν παράθυρον, μή τις ἄκλειστον εὑρὼν[d] τῶν
10 χθὲς ἡμετέρων καὶ πρώην, εἶτα ὡς ἴδιος εἰσελθών, ἐπιβου-
λεύσῃ ὡς ἀλλότριος. Πολλαὶ γὰρ καὶ ποικίλαι τοῦ τὰ
τοιαῦτα ἐνεργοῦντος αἱ μεθοδεῖαι · καὶ οὐδεὶς οὕτως ἀρχι-
τέκτων οὐδενὸς τῶν ποικίλων, ὡς σοφιστὴς κακίας ὁ
ἀντικείμενος.

15 Δέδοικα δὲ ἤδη καὶ κύνας, ποιμένας εἶναι βιαζομένους,
ὃ καὶ παράδοξον, οὐδὲν εἰς ποιμαντικὴν εἰσενεγκόντας ἢ
B τὸ κεῖραι κόμας ἃς κακῶς ἤσκησαν · οἳ μήτε κύνες ἔμειναν,
μήτε ποιμένες γεγόνασι, πλὴν τοῦ σπαράξαι καὶ διασπεῖραι
καὶ διαλῦσαι κόπον ἀλλότριον. Ἐπειδὴ ῥᾷον ἀεὶ τὸ διαφθείρειν
20 τοῦ συντηρεῖν · καὶ γεννᾶται μὲν ἄνθρωπος κόπῳ, φησὶν ὁ

3, 2 σκοτόμηναν C σκοτομ.ναν A ‖ 3 συναρπακτικοῖς AQBWVTS₂
mg. D₂P₂R : σπαρακτικοῖς S₁D₁P₁C (*subrepticiis... et persuasoriis*
R) + τε Maur. ‖ ἀκαρίας S₁P₁C₁ corr. S₂P₂C₂ ‖ 6 ἀναιδείᾳ :
ἀνεδείᾳ A ‖ 8 ὥς τις : ὅστις AD ‖ 9 δέ > Q ‖ 10-11 ἐπιβουλεύσει
AS₁P₁ C corr. S₂P₂ ‖ 12 μεθοδίαι ASDP₁ ‖ 15 δὲ : δ' S₁DPC ‖ 16
ὃ καὶ ABSDPCR : καὶ τὸ QWVT et Maur. (*quod et* R) ‖ 18
σπαράξαι AQBWVT : διασπαράξαι SDPC ‖ καὶ > SP₁C ‖ 20 ἐν
κόπῳ A

3. a. *Act.* 20, 29 ; cf. *Matth.* 7, 15.   b. Cf. *Jn* 10, 10.   c. *Éz.*
22, 25 ; cf. *id.* 34, 2-10.   d. *Jn* 10, 1-2 ; cf. *I Cor.* 16, 9.

1. Les philosophes cyniques sont couramment désignés sous le
sobriquet de « chiens » : « Socrate étant mort, Antisthène se mit à
enseigner dans le gymnase du Cynosarge, destiné, paraît-il, aux
demi-Athéniens comme lui. C'est du nom de ce gymnase qu'Antisthène
et les siens tirèrent leur sobriquet de Cyniques (κύνες, κυνικοί). Ils
ne tardèrent pas, d'ailleurs, à s'en faire honneur » : CROISET, *Littérature*,
IV, Paris 1899, p. 246. Cf. *Discours 25*, 6. Le même sobriquet désigne
aussi métaphoriquement une personne exerçant la profession de

profité de l'obscurité[a] qui nous environne ne déchirent notre troupeau par le prosélytisme et le fanatisme de leurs doctrines, puisqu'ils cherchent à profiter des circonstances malheureuses, vu qu'ils ne sont pas en mesure de s'imposer au grand jour !

Je crains aussi que les brigands et les voleurs s'étant introduits par escalade dans l'enclos (du troupeau) ne s'emparent de celui-ci[b] sans se cacher ou ne le dérobent par tromperie de façon à le sacrifier, le massacrer et le détruire, se couvrant de butin, comme dit le prophète, « en dévorant les âmes[c] ».

Je crains enfin que l'un de ceux qui hier encore ou naguère étaient des nôtres, ayant trouvé ouvert le portillon et étant entré ensuite comme s'il était de la maison, n'exécute un mauvais coup comme s'il était un étranger[d]. Car elles sont nombreuses et variées les astuces de celui qui inspire ce genre de choses, et aucun architecte ne met autant d'habileté à construire aucun édifice splendide que l'adversaire à mettre au point quelque malice.

Mais je crains déjà aussi des « chiens », qui se sont fait admettre envers et contre tout comme pasteurs et qui, ce qui est aussi un paradoxe, n'avaient présenté aucun titre au pastorat que d'avoir tonsuré leur chevelure à laquelle ils avaient malhonnêtement accordé tous leurs soins[1]. Ces gens-là ne restèrent pas les « chiens » qu'ils étaient, et ils ne sont pas devenus des pasteurs, sauf pour déchirer, disperser et tourner à rien la peine qu'autrui s'est donnée : il est toujours plus aisé de détruire que

---

« gardien » ou possédant un caractère de « chien de garde » (LIDDELL et SCOTT, p. 1015, *s.v.* II, 2 et 3). Le mot se prête donc à des jeux de mots associant aisément la philosophie stoïcienne et le thème du « bon pasteur ». PLUTARQUE, *Erotikos*, 16 (759 D), présente comme un thème de la philosophie cynique celui de l'amoureux ballotté par le « flot de la passion ». Lucien a souvent pris les « Chiens » pour cibles de ses satires : *Banquet* LXXI, 12-19 (III, 425-432) ; *Le Cynique* LXXV (III, 539-551).

Ἰώβ[e], καὶ ναυπηγεῖται ναῦς καὶ οἰκία συνίσταται · ἀποκτεῖναι δὲ ἢ καταδῦσαι ἢ ἐμπρῆσαι, τοῦ βουλομένου παντός. Ὥστε μηδὲ νῦν μέγα φρονείτωσαν οἱ τῇ ποίμνῃ τοὺς κύνας ἐπαναστήσαντες, οἳ πρόβατον μὲν ἓν οὐκ ἂν ἔχοιεν εἰπεῖν,

25 ὡς προσήγαγον ἢ διέσωσαν · οὐ γὰρ ἔμαθον καλὸν ποιεῖν, πονηρίαν ἀσκήσαντες. Εἰ δὲ τὴν ποίμνην ταράσσουσι, τοῦτο καὶ ζάλη μικρά, τοῦτο καὶ νόσος ὀλίγη, τοῦτο καὶ θηρίον ἓν ἀθρόως ἐπιπεσόν.

Στήτωσαν οὖν οἱ τῇ ἑαυτῶν αἰσχύνῃ μεγαλαυχούμενοι ·

C 30 καὶ παυσάμενοι τῆς κακίας, ἂν ἄρα δύνωνται, προσκυνησάτωσαν καὶ προσπεσέτωσαν καὶ κλαυσάτωσαν ἐναντίον Κυρίου τοῦ ποιήσαντος αὐτοὺς[f] καὶ τῇ ποίμνῃ μιχθήτωσαν, ὅσοι μὴ παντελῶς ἀνίατοι.

4. Ταῦτα ὁ δειλὸς ἐγὼ ποιμὴν καὶ περιεσκεμμένος, καὶ διὰ τοῦτο τὴν ἀσφάλειαν ὡς ῥαθυμίαν ἐγκαλούμενος. Οὐ γάρ εἰμι ποιμὴν ἐκείνων τις τῶν τὸ γάλα κατεσθιόντων καὶ τὰ ἔρια περιβαλλομένων καὶ τὸ παχὺ σφαζόντων καὶ

5 μόχθῳ κατεργαζομένων ἢ ἀπεμπωλούντων[a] καὶ λεγόντων ·

D Εὐλογητὸς Κύριος, καὶ πεπλουτήκαμεν[b] · ποιμαινόντων ἑαυτούς, οὐ τὰ πρόβατα, εἴ τι τῶν προφητικῶν φωνῶν μέμνησθε, δι' ὧν ἐκεῖνοι τοὺς κακοὺς ποιμένας ἐλαύνουσιν[c] · ἀλλ' ἐκείνων μᾶλλον τῶν δυναμένων εἰπεῖν μετὰ Παύλου ·

1233 A Τίς ἀσθενεῖ, καὶ οὐκ ἀσθενῶ ; τίς σκανδαλίζεται, καὶ οὐκ

3, 22 δὲ : δ' SDC ‖ καταδῦσαι Q WVT et R (*navem submergere*) : καταλῦσαι ABSDPC et Maur. ‖ 23 μηδὲν S ‖ 31 προσπεσάτωσαν P
4, 1 ὁ > Q ‖ 3-4 καὶ — σφαζόντων post κατεργαζομένων D ‖ 5 ἀπεμπωλούντων A₁BDP₁C : -πολούντων QWVTSA post corr. P₁ et Cmg. tamquam varia lectio ‖ 6 καὶ : ὅτι A ‖ 8 μέμνησθε AQBWVT : -σθαι SDPC ‖ δι' : δεῖ D

---

3. e. *Job* 5, 7.   f. *Ps.* 94, 6.
4. a. *Éz.* 34, 3 ; cf. 2-23, *passim.*   b. *Zach.* 11, 5.   c. *Éz.* 34, 2 ; cf. *Zach.* 10, 3.

---

1. La métaphore de la « bête sauvage » est souvent appliquée par Grégoire pour désigner les hérétiques et particulièrement les

d'entretenir. Comme le dit Job, c'est dans la peine que l'homme naît, que le navire se construit et que la maison s'édifie[e] ; mais, massacrer ou couler ou incendier sont à la portée de tout amateur. De sorte qu'ils n'ont même pas à se flatter maintenant, ceux qui ont lancé les « chiens » contre le troupeau, et ils n'auraient sans doute même pas le droit de dire qu'ils ramenèrent ou sauvegardèrent une seule brebis : en s'entraînant à la méchanceté, ils n'ont pas appris à faire le bien. Mais, s'ils troublent le troupeau, cela aussi ne sera qu'un petit orage, cela aussi ne sera qu'une maladie bénigne, cela aussi ne sera que l'attaque d'une seule bête sauvage survenant à l'improviste[1].

Qu'ils s'en tiennent donc là ceux qui se vantent de leur propre déshonneur ; mettant un terme à leur malice, si du moins ils en sont capables, qu'ils s'agenouillent, qu'ils se prosternent, qu'ils pleurent devant le Seigneur qui les a faits[f], et qu'ils prennent place au sein du troupeau, tous ceux qui ne sont pas totalement incurables.

4. Voilà (ce que j'avais à dire), moi, berger timide et circonspect, qui, à cause de cela, suis taxé de lâcheté pour ma prudence. Car je ne suis pas l'un de ces bergers-là qui consomment le lait, se font des vêtements avec la laine, égorgent et abattent avec cruauté le bétail engraissé ou le vendent au marché[a], et disent « Loué soit le Seigneur, car nous nous sommes enrichis[b] » ; ils veillent sur leur propre pâture, non sur celle de leurs brebis, si vous vous rappelez un mot qu'on lit dans les Prophètes, qui écartent par là les mauvais pasteurs[c]. (Non, je ne suis pas de ceux-là), mais, je suis plutôt de ceux qui peuvent dire avec Paul : « Qui est faible, que je sois faible ! Qui est scandalisé, qu'un feu ne me brûle[2]... et que je ne m'in-

---

ariens (*Discours 25*, 11), comme nous l'avons montré ailleurs : Mossay, *La date*, p. 179-181.

2. Trad. P. Osty.

11 ἐμὴ πύρωσις, ἢ φροντίς ᵈ ; Οὐ γὰρ ζητῶ τὰ ὑμῶν, ἀλλ' ὑμᾶς ᵉ.
Καί · Ἐγενόμην συμφλεγόμενος τῷ καύσωνι τῆς ἡμέρας,
καὶ τῷ παγετῷ τῆς νυκτὸς πιεζόμενος ᶠ · πατριάρχου φωνὴ
ποιμένος, οὗ τὰ ἐπίσημα πρόβατα, καὶ ταῖς ἐκεῖθεν ληνοῖς
15 ἐγκισσᾶν μελετήσαντα ᵍ.

Οὕτω μὲν οὖν καὶ διὰ ταῦτα ἐπέστην ὑμῖν καὶ οὕτως
ἔχουσιν. Ἐπεὶ δὲ ἐπέστην, δῶμεν λόγον ἀλλήλοις, ὧν μεταξὺ
κατωρθώσαμεν. Ἐπειδὴ καλὸν μὴ ῥήματος μόνον καὶ
πράξεως, ἀλλὰ καὶ καιροῦ παντὸς καὶ ὥρας αὐτῆς τοῦ
20 ἀκαριαίου καὶ λεπτοτάτου οἴεσθαι ἀπαιτεῖσθαι λόγον ἡμᾶς,
ὑμεῖς μὲν ἀπαγγείλατέ μοι τὴν ἐργασίαν τὴν ὑμετέραν · ἐγὼ
δὲ εἰς μέσον θήσω, ἃ καθ' ἡσυχίαν ἐμαυτῷ συγγενόμενος
ἐφιλοσόφησα.

B 5. Τίνα μὲν θεωρίαν τῶν ὑψηλῶν ἢ παρ' ἐμοῦ λαβόντες
ἐφυλάξατε ἢ παρ' ὑμῶν αὐτῶν εἰσηνέγκατε ἢ περὶ θεολογίας
ἢ περὶ τῶν ἄλλων δογμάτων, ἃ πολλὰ καὶ πολλάκις ὑμῖν
παρεθέμην ; Ζητῶ γὰρ οὐ τὸ δάνειον μόνον, ἀλλὰ καὶ τὸν
5 τόκον · οὐ τὸ τάλαντον μόνον, ἀλλὰ καὶ τὴν ἐργασίαν.
Μή τις κατακρύψας καὶ καταχώσας τὸ πιστευθέν, ἔτι καὶ

4, 11 ἐμὴ : ἐμοὶ S₂PC > A ‖ πύρωσις : ἐγὼ πυρεῦμαι A ‖ ἢ φροντίς :
φροντίσιν A ‖ 12 συμφλεγόμενος ABSDPC et Vmg. tamquam varia
lectio : συγκαιόμενος QWVT ‖ 16 ἐπέστην : ὑπ- Q ἐπέστη S₁ corr.
S₂ ‖ 17 λόγον > T rest. T₂ mg. ‖ 18 κατωρθώσαμεν + ἕκαστος A ‖
20 οἴεσθε Q ‖ ἀπαιτεῖσθαι : ἐπαιτῆσθαι (= -εῖσθαι) A post λόγον
AQWVT et Maur. ‖ ἡμᾶς : ὑμᾶς S₁ ‖ 21 ἀπηγγείλατε S ‖ 22 δ'
SDC ‖ συγγινόμενος A
5, 1 μὲν + οὖν AD ‖ 2 εἰσενέγκατε W ‖ 6 πιστευθὲν + αὐτῷ
S₁DPC eras. S₂

---

4. Cf. d. *II Cor.* 11, 29.   e. *II Cor.* 12, 14.   f. *Gen.* 31, 40.
g. Cf. *Gen.* 30, 32-43.

---

1. Trad. P. Osty.
2. Nous nous écartons de l'interprétation donnée par J.-M. Szymusiak, *Théologie*, p. 16. Voir plus loin, § 5, note 3.
3. Nous pensons devoir nous écarter de la traduction de

quiète ? [d] »... « Car je ne recherche pas vos biens, mais vous[e1] », et encore : « Je me suis laissé brûler par la chaleur du jour et ankyloser par la gelée nocturne[f] », selon les termes du patriarche et pasteur, dont les brebis portant le signe entraient en chaleur devant les célèbres mangeoires[g].

Voilà dans quelles dispositions et pour quelles raisons je vins à vous, qui êtes aussi dans des dispositions analogues ; et, puisque me voici venu, dressons de part et d'autre le bilan des bonnes choses que nous avons accomplies dans l'entretemps. Comme il est bon de penser que c'est le moment de nous demander des comptes non seulement de chaque propos et de chaque acte, mais encore de tout moment, et même de l'instant le plus insignifiant et le plus petit d'une heure même, mettez-moi au courant de vos activités, et de mon côté, j'exposerai quelle « philosophie » j'ai pratiquée seul à seul avec moi-même retiré dans un ermitage[2].

5. Premièrement, quelle vision des réalités d'En-haut avez-vous gardée après l'avoir reçue de moi ou introduite de votre propre initiative, au sujet soit de la « théologie »[3] soit des autres doctrines que je vous ai transmises en grand nombre et fréquemment ? Car je ne réclame pas seulement le capital prêté, mais aussi les intérêts, ni seulement le talent, mais aussi ce qu'il a rapporté. Est-ce qu'après avoir dissimulé dans une

J.-M. Szymusiak, *Théologie*, p. 16 : « Je vous ai (naguère) introduits à des considérations très hautes (θεωρίαν τῶν ὑψηλῶν), en avez-vous gardé quelqu'une ? Ou bien en avez-vous élaboré d'autres à ajouter à votre connaissance de Dieu (περὶ θεολογίας) soit aux autres dogmes que je vous ai plus d'une fois présentés en détail ? ». Le commentaire du savant exégète de Grégoire note le sens nuancé donné ici au mot « théologie », qui signifie la « compétence dans les choses divines » ; mais il remarque aussi qu'il faut voir dans ce passage « une allusion assez claire aux *Discours théologiques* ».

καταψεύδεται τοῦ πιστεύσαντος, ὡς σκληροῦ τε καὶ τῶν ἀλλοτρίων ἐπιθυμοῦντος ᵃ.

Τίνα δὲ πρᾶξιν τῶν ἐπαινουμένων ; Ἢ μηδὲ τῆς ἀριστερᾶς
10 γινωσκούσης ᵇ, ἐκαρποφορήσατε ἢ ὥστε λάμπειν τὸ φῶς ὑμῶν ἔμπροσθεν τῶν ἀνθρώπων ᶜ · ἵν' ἐκ τοῦ καρποῦ τὸ δένδρον δειχθῇ ᵈ καὶ διὰ τῶν μαθητῶν ὁ διδάσκαλος γνωρισθῇ
C καὶ εἴπῃ τις τῶν ἐποπτευόντων τὰ ἡμέτερα — πολλοὶ δέ εἰσιν, οἱ μὲν δι' εὐδοκίαν, οἱ δὲ καὶ περιέργως —, ὅτι ὄντως
15 Θεὸς ἐν ὑμῖν ἐστιν, οὐ κηρυσσόμενος ὑγιῶς μόνον, ἀλλὰ καὶ λατρευόμενος ᵉ ;

Ὡς γὰρ οὐκ ἔστι χωρὶς πίστεως πρᾶξις ἔγκριτος ἐπειδὴ καὶ δόξης ἕνεκεν οἱ πολλοὶ τὸ καλὸν ἐπιτηδεύουσι, καὶ φύσεως οὕτως ἔχοντες · οὕτω καὶ πίστις χωρὶς ἔργων
20 νεκρά ᶠ. Καὶ μή τις ὑμᾶς ἀπατάτω κενοῖς λόγοις ᵍ τῶν πάντα συγχωρούντων ἑτοίμως, ὑπὲρ ἑνὸς τοῦ ἀσεβεῖν ἐν τοῖς δόγμασι, καὶ φαῦλον καταβαλλόντων μισθὸν φαύλου πράγματος. Δείξατε οὖν ἐκ τῶν ἔργων τὴν πίστιν, τῆς χώρας ὑμῶν τὸ γόνιμον, εἰ μὴ εἰς κενὸν ἐσπείραμεν, εἰ
25 δράγμα τι ἐν ὑμῖν, τοῦ ποιῆσαι ἄλευρα ἰσχὺν ἔχον καὶ ἀποθηκῶν ἄξιον, ἵνα καὶ προθυμότερον ὑμᾶς γεωργήσωμεν.

5, 7 καταψεύδεται QBWVTSDPC et R (-[ne quis]... argumentatur adversum) : -δηται A Maur. ‖ ὡς : ὢ P₁ ‖ 9 ἢ : ἣν V ‖ 11 ἔμπροσθεν : -σθε B ‖ 12 διδάσκαλος + ὑμῶν AS₁DPC eras. S₂ ‖ γνωρίσθη : -θην P ‖ 13 εἴπῃ : -ποι S ‖ 14 ὄντως + ὁ ABT ‖ 17 χωρὶς πίστεως : ∽ S₁ corr. S₂ ‖ ἔγκριτος : ἔκκ- VT ‖ 19 οὕτω : -τως BP ‖ καὶ + ἡ Maur. ‖ χωρὶς + τῶν AD ‖ 22 καὶ — μισθὸν > S₁ add. S₂ ‖

---

5. a. Cf. Matth. 25, 18-25 ; Lc 19, 20. b. Matth. 6, 3. c. Matth. 5, 16. d. Matth. 7, 20 ; cf. id. 7, 15-20. e. Cf. I Cor. 14, 25. f. Jac. 2, 20. g. Cf. Éphés. 5, 6.

---

1. L'expression entremêle plusieurs images (semailles, récolte, engrangement, mouture) qu'on trouve développées dans l'Évangile : parabole du semeur (Matth. 13, 4-23 ; Lc 8, 5-16), allégorie des greniers célestes (Matth. 3, 12 ; 13, 30), parabole du bon grain et des épis vides (Matth. 13, 24-30), etc. S. Paul emploie plus d'une fois l'image des semailles pour parler de son ministère et de sa prédication

cachette ou enfoui en terre le dépôt qui a été confié, on trompe encore le prêteur sous prétexte qu'il est dur et convoite ce qui n'est pas à lui[a] ?

Deuxièmement, comment avez-vous pratiqué les vertus que je vous ai recommandées ? Est-ce avec un profit que même votre main gauche ignore[b] ? Ou de telle sorte que votre lumière brille à la face des hommes[c], pour qu'on distingue l'arbre à ses fruits[d], pour qu'on reconnaisse le maître à ses disciples, et pour qu'en observant ce qui se passe chez nous — ce que plus d'un font tantôt par sympathie, tantôt par curiosité —, on dise que vraiment, parmi vous, Dieu est non seulement proclamé comme il faut, mais servi[e] ?

Car, comme il n'y a pas de pratique valable en dehors de la foi, puisque la masse pratique le bien pour l'honneur ou par penchant naturel, de même aussi une foi sans œuvres est morte[f]. Et il ne faudrait pas vous laisser berner par les vains propos des gens[g] qui sont prêts à tout excuser et à abaisser encore le prix qu'ils réclament malhonnête-ment pour une malhonnêteté pourvu qu'on commette seulement l'impiété dans le domaine doctrinal. Montrez donc votre foi par vos œuvres ! (Montrez) la fécondité de votre terrain, si nous ne l'avons pas ensemencé en vain et s'il y a en vous une gerbe ayant la force de donner de la farine et digne des greniers, afin que nous remplissions avec encore plus de courage notre rôle de cultivateur parmi vous[1] ! Qui produit cent pour un ? Qui soixante ?

(I *Cor.* 9, 11 ; 15, 37 et 42-44 ; II *Cor.* 9, 6 et 10 ; etc.). Le thème du cultivateur se prête à divers développements relatifs à la diffusion de l'Évangile, à la catéchèse en général ou au progrès spirituel : cf. I *Cor.* 3, 6-8 ; on en trouve d'innombrables applications dans l'Ancien et dans le Nouveau Testaments. Grégoire s'adresse ici à un public pour qui ce langage est rendu familier par la liturgie et par la Bible. Si certaines phrases font manifestement allusion à des passages précis de l'Écriture (cf. appar. bibl.), d'autres telles que celle-ci évoquent un univers poétique moins précis.

D Τίς εἰς ἑκατὸν καρποτοκεῖ, τίς εἰς ἑξήκοντα, τίς τὸ τελευταῖον
κἂν εἰς τριάκοντα · ἢ τίς ἔμπαλιν ἀπὸ τοῦ τριάκοντα εἰς τὸν
ἑξήκοντα προελθὼν — ἔχομεν γὰρ καὶ ταύτην ἐν τοῖς
30 Εὐαγγελίοις τὴν τάξιν[h] —, εἰς τὸν ἑκατὸν ἐτελεύτησεν ·
ἵνα προβαίνων, ὡς ὁ Ἰσαάκ[i], μέγας γένηται, πορευόμενος
ἐκ δυνάμεως εἰς δύναμιν[j] καὶ τὰς ᾠδὰς τῶν Ἀναβαθμῶν
ᾄδων καὶ ἀναβάσεις ἐν τῇ καρδίᾳ διατιθέμενος[k] ;

1236 A **6.** Ζητῶ τὸν καρπὸν τὸν πλεονάζοντα εἰς λόγον ὑμῶν.
Ὑμέτερον γάρ, οὐκ ἐμόν, τὸ κέρδος · εἰ δὲ καὶ ἡμέτερον,
ὅτι ὑμέτερον, ἀντιστρεφούσης τῆς ὠφελείας ἀφ᾽ ὑμῶν εἰς
ἡμᾶς, ὥσπερ ἐν ταῖς αὐγαῖς τῶν ἀντανακλάσεων. Εἰ ἐπτω-
5 χοτροφήσατε, εἰ ἐξενοδοχήσατε, εἰ ἁγίων πόδας ἐνίψατε[a],
εἰ τρυφῶντες τῇ καταργουμένῃ γαστρὶ[b] — δεδόσθω γάρ —,
καὶ διὰ τῶν ἐντολῶν ἐτρυφήσατε, ὡς οὐκ ἔστι ταύτης
τρυφή τις ἀμείνων, οὐδὲ μονιμωτέρα τοῖς τρυφᾶν ἐθέ-
λουσιν, εἴ τινας τῶν λειτουργούντων τῷ θυσιαστηρίῳ,
10 καὶ καλῶς πενομένων — δότε γάρ μοι καὶ τοῦτο εἰπεῖν —,
εἰς δύναμιν ἀνεπαύσατε, ἵν᾽ ἀπερισπάστως μᾶλλον τῷ
θυσιαστηρίῳ παρεδρεύωσι καὶ μεταλαμβάνοντες τῶν ὑμετέ-
ρων, τὰ παρ᾽ ἑαυτῶν ἀντεισφέρωσιν, ὡς αἰσχρὸν ταῦτα καὶ
B ἡμᾶς ἀπαιτεῖν, καὶ μὴ παρέχειν ὑμᾶς ! Οὐκ ἐνουθέτητα δὲ
15 ταῦτα, ἵν᾽ οὕτως ἐν ἐμοὶ γένηται · καλὸν γάρ μοι μᾶλλον

5, 27 καρποτοκεῖ : γεωργεῖ C_1 exp. et corr. mg. C_2 ‖ 28 ἢ — τριάκοντα > C ‖ τοῦ > P ‖ 29 ἔχομεν : -ωμεν B ‖ 30 ἑκατὸν : -τοστον W_2 ‖
31 Ἰσαάκ : Ἰσάκ S_1 Ἰακώβ A ‖ 33 διατιθέμενος AWDR (dispo-
nunt) : τιθέμενος QBVTSPC (quod mendosum puto haplographiae
causa) et Maur.

6, 1 τὸν > Maur. ‖ 3 ὅτι + καί QPC forsan S_1 ‖ ὑμῶν : ἡμῶν
BSDPC ‖ 4 ἡμᾶς : ὑμᾶς ABSDP₁C ‖ 9 τινα QWVT et R (« ministrum... vel sacerdotem ») : τινας ABSDPC et Maur. ‖ λειτουργούντων
τῷ θυσιαστηρίῳ : λειτουργῶν τοῦ θυσιαστηρίου S₁DPC corr. S_2
mg. ‖ 12 θυσιαστηρίῳ + καὶ καλῶς P ‖ παρεδρεύωσι : προσεδρεύωσι
WVTS₂ ‖ 13 τὰ > P₁ ‖ 15 ἵνα WVT et Maur. ‖ ἐν > Q

---

5. h. *Matth.* 13, 8 ; cf. *Mc* 4, 20.   i. *Gen.* 26, 13 ; cf. *id.* 26,
12-22.   j. *Ps.* 83, 8 ; cf. *Os.* 8, 7.   k. Cf. *Ps.* 83, 6.
6. a. *I Tim.* 5, 10.   b. Cf. *I Cor.* 6, 13.

Qui finalement, peut-être même trente pour un ? Ou
bien, au contraire, qui passa des trente aux soixante et
finalement aux cent pour un — car nous avons aussi cette
catégorie dans les Évangiles[h] — afin de progresser comme
Isaac[i], et de devenir grand en allant de l'avant de son
mieux[j], en chantant les psaumes des Montées et en situant
des « Montées » au-dedans de son cœur[k] !

6. Je réclame le bénéfice, qui est abondant à votre actif ;
car le profit est pour vous non pour moi, même s'il est à
nous parce qu'il est à vous en vertu de la réciprocité des
avantages entre vous et nous, comme cela se produit
pour les rayons lumineux réfléchis de part et d'autre par
un jeu de miroirs[1]. Si vous avez nourri des pauvres, si
vous avez hébergé des sans-abri, si vous avez lavé les
pieds de saintes gens[a], si, prenant plaisir dans la mortification du ventre[b] — souhaitons, en effet, que cela se soit
produit —, vous avez aussi trouvé dans les commandements un plaisir tel qu'aucun autre plaisir surpassant
celui-là ni même plus stable n'est à la portée des amateurs de leur plaisir, si vous avez soulagé de votre
mieux quelques-uns de ceux qui accomplissent la liturgie
à l'autel et qui sont fort pauvres — permettez-moi en
effet d'ajouter ceci — afin de leur permettre d'être davantage à leur poste près de l'autel sans interruption, et de
vous procurer en retour les avantages de leur service en
échange de vos biens dont ils reçoivent leur part, comme
il serait choquant pour nous de vous demander cela, et,
pour vous, de ne pas l'offrir spontanément ! Je ne vous ai
pas suggéré ceci afin de bénéficier d'un pareil traitement

---

1. Cf. KERTSCH, *Bildersprache*, p. 193, n. 1 : la même idée dans
BASILE, *Traité du Saint-Esprit*, 21, 164 b (éd. B. Pruche, *SC* 17,
Paris 1945, p. 207-208), où la formule est tirée de I *Thess.* 3, 12-13
(= *PG* 32, col. 164 B 11-12).

ἀποθανεῖν ἢ κενωθῆναί μου τὸ καύχημα καὶ ἄμισθόν μοι γενέσθαι τὸ Εὐαγγέλιον ἐνταῦθα καρπωσαμένῳᶜ · τὸ μὲν γὰρ εὐαγγελίζεσθαι τῆς ἀνάγκης · ἡ φιλοτιμία δέ, τὸ ἀδάπανονᵈ · ἀλλ' ἵν' ὑμεῖς μάθητε Χριστὸν εὖ ποιεῖν, διὰ
20 τοῦ καὶ τῶν μικρῶν τινα εὖ ποιεῖνᵉ. Ἐπειδή, ὡς πάντα ὅσα ἐγώ, πλὴν ἁμαρτίαςᶠ, ἐγένετο δι' ἐμέ · οὕτω καὶ τὰ ἐλάχιστα τῶν ἐμῶν εἰς ἑαυτὸν ἀναδέχεται · κἂν στέγης μεταδῷς, κἂν ἐνδύματος, κἂν ἐν φυλακῇ ἐπισκέψῃ, κἂν ἀρρωστοῦντα ἴδῃς · τὸ φαυλότατον, κἂν ποτηρίῳ ψυχροῦ μόνον καταψύξης
25 γλῶσσαν πιεζομένην, ὥσπερ ἐδεῖτο Λαζάρου τοῦ πένητος ὁ κάμνων ἐν τῇ φλογὶ πλούσιος καί τι τῆς ἐνταῦθα τρυφῆς
C ἀντιλαβὼν καὶ τοῦ περιορᾶν Λάζαρον πεινῶντα καὶ ἠλκωμένον, τὸ ἐκεῖθεν δεῖσθαι Λαζάρου καὶ μὴ τυγχάνεινᵍ.

7. Ἃ μὲν οὖν ὑμᾶς ἀπαιτοῦμεν, ταῦτά ἐστι · καὶ οἶδ' ὅτι οὐκ αἰσχύνεσθε, οὔτε παρ' ἡμῶν ἀπαιτούμενοι λόγον, οὔτε παρὰ τῆς τελευταίας ἡμέρας, εἰς ἣν πάντα συνάγεται τὰ
1237 A ἡμέτερα, κατὰ τὸ εἰρημένον · Κἀγὼ ἔρχομαι τὰ βουλεύματα
5 καὶ τὰς πράξεις ὑμῶν συναγαγεῖνᵃ · καί, Ἰδοὺ ἄνθρωπος καὶ τὸ ἔργον αὐτοῦ καὶ ὁ μισθὸς αὐτοῦ μετ' αὐτοῦᵇ.

Τὰ δὲ ἡμέτερα καὶ ἃ παρὰ τῆς ἐρημίας ὑμῖν κομίζομεν. Ἐπειδὴ καὶ Ἡλίας ἡδέως ἐνεφιλοσόφει τῷ Καρμήλῳ καὶ Ἰωάννης τῇ ἐρήμῳᶜ καὶ Ἰησοῦς αὐτός, τὰς μὲν πράξεις
10 τοῖς ὄχλοις, τὰς εὐχὰς δὲ τῇ σχολῇ καὶ ταῖς ἐρημίαις, ὡς

6, 16 μοι : > A μου DC ‖ 18 εὐαγγελίζεσθαι : -σασθαι QWVT ‖ 19 ἵνα A ‖ 20 τῶν : τῷ B ‖ τινα > S₁P₁C ‖ ὅσα > S₁ ‖ 22 στέγης + τινὶ AS₂DPC + τινὰ S₁ ‖ 24 ψυχροῦ : -χρῷ DC ‖ μόνον ASDPC : μονῷ QBWVTP₂ et Maur. ‖ καταψύξης : κατάψυξις P₁ corr. P₂‖ 25 πιεζομένην AS₁DP₁CR (arentem siti linguam) : πιεζομένου QBWVTS₂P₂ et Maur.
7, 2 αἰσχύνεσθε : -εῖσθε (sic) D ‖ 5 ὑμῶν : post συναγαγεῖν ASDPC ‖ καὶ² + τὸ SC ‖ 7 δ' DPC ‖ 8 Ἡλίας : Ἡλίας WV ‖ ἐφιλοσόφει WV

6. c. Cf. I Cor. 9, 15-16.   d. Cf. I Cor. 9, 18.   e. Cf. Matth. 25, 40.   f. Cf. Hébr. 4, 15.   g. Cf. Lc 16, 19-31.
7. a. Is. 66, 18.   b. Is. 40, 10.   c. Cf. III Rois 18, 19 ; Lc 1, 80.

car je préférerais mourir plutôt que voir réduit à rien ce
qui fait mon point d'honneur[c], et l'évangile sans profit
pour moi après avoir reçu mon salaire ici-bas ; car, s'occu-
per de prêcher l'évangile est une nécessité à laquelle on
ne peut se soustraire, et la gloire qu'on en retire tient à son
caractère désintéressé[d] ; mais, (je vous ai suggéré cela)
pour que vous appreniez, vous, à faire du bien au Christ
en faisant aussi du bien à l'un ou l'autre des petits[e].
Puisqu'il s'est ainsi fait, à cause de moi, semblable à moi
en tout à part le péché[f], de même, il accueille aussi comme
s'adressant à lui-même les plus petites choses qui me
concernent : même si tu partages ton toit ou ton manteau,
si tu visites un prisonnier ou si tu vas voir un malade, la
chose la plus vulgaire, même rafraîchir d'un simple verre
d'eau froide une langue altérée, comme le riche le deman-
dait au pauvre Lazare, lui qui était tourmenté dans le feu
et qui, en retour du plaisir de ce monde et de son mépris
pour Lazare, l'affamé couvert d'ulcères, subissait un châtiment consistant à prier Lazare dans l'autre monde
sans obtenir satisfaction[g].

7. Voilà donc les comptes que nous vous demandons,
et je sais que cela ne vous gêne pas d'être invités à nous
rendre des comptes à nous-mêmes ni au dernier jour, où
aura lieu le bilan de tous nos biens, selon la parole : « Moi
aussi je viens dresser le bilan de vos desseins et de vos
actes[a] » et aussi : « Voici l'homme avec son ouvrage et son
salaire[b]. »

Nous vous présentons aussi le bilan de ce que nous
avons fait dans la solitude. En effet, Élie aussi était heureux
de s'adonner à la « philosophie » sur le Carmel, et Jean,
dans le désert[c], et Jésus lui-même partageait généralement sa vie en deux parts : ses activités étaient pour les

τὰ πολλά, προσένεμεν ᵈ. Τί νομοθετῶν ; Ὡς οἶμαι, τὸ
χρῆναί τι καὶ ἡσυχάζειν, ὥστε ἀθολώτως προσομιλεῖν τῷ
Θεῷ καὶ μικρὸν ἐπανάγειν τὸν νοῦν ἀπὸ τῶν πλανωμένων.
Οὐ γὰρ αὐτὸς ἐδεῖτο ἀναχωρήσεως — οὐδὲ γὰρ εἶχεν εἰς
15 ὅ τι συσταλῇ, Θεὸς ὢν καὶ πάντα πληρῶν —, ἀλλ᾿ ἵν᾿ ἡμεῖς
μάθωμεν καὶ πράξεως καιρὸν καὶ ἀσχολίας ὑψηλοτέρας ᵉ.
B Τίνα οὖν τὰ τῆς ἐμῆς ἐρημίας ; Βούλομαι γάρ, ὡς ἀγαθὸς
ἔμπορος καὶ πανταχόθεν κερδαίνων ᶠ, κἀντεῦθέν τι προσενεγ-
κεῖν ὑμῖν ἀγώγιμον.
8. Ἐβάδιζον οὕτω κατ᾿ ἐμαυτόν, ἤδη κλινούσης ἡμέρας.
Ἀκτὴ δὲ ἦν ὁ περίπατος · καὶ γάρ πως εἴωθα τοὺς πόνους
ἀεὶ ταῖς τοιαύταις διαλύειν ἀνέσεσιν · ἐπεὶ μηδὲ νευρὰ φέρει
τὸ σύντονον ἀεὶ τεινομένη, καὶ δεῖταί τι μικρὸν τῶν γλυφίδων
5 ἐκλύεσθαι, εἰ μέλλοι ταθήσεσθαι πάλιν καὶ μὴ ἄχρηστος
ἔσεσθαι τῷ τοξότῃ μηδὲ ἀνόνητος ἐν καιρῷ χρήσεως.
Ἐβάδιζον οὖν, καὶ οἱ μὲν πόδες ἐφέροντο, ἡ δὲ ὄψις εἶχε
C τὴν θάλασσαν. Ἡ δὲ ἦν θέαμα οὐχ ἡδύ, καίτοιγε ἄλλως

7, 11 προσένεμεν : προένεμεν P₁ ‖ 12 ὥστ᾿ D ‖ 13 ἐπανάγειν :
-αγαγεῖν A ‖ 14 γὰρ² > SPC ‖ 17 ἐμῆς > QWVT ‖ 18 κερδαίνων :
-νειν T
8, 2 δ᾿ S₁DPC ‖ 4 τινομένη P₁ ‖ 5 μέλλει PC₁ corr. C₂ ‖ 7 δ᾿ SDPC

---

7. d. Cf. *Lc* 5, 16.   e. Cf. *Eccl* 3, 1-8.   f. Cf. *Matth.* 13,
44-47 (?).

---

1. Cf. *Carmina* 1, 2, 14, v. 1-4 (*PG* 37, col. 755-756) : « Hier,
tourmenté par mes chagrins, seul, loin des autres, j'étais assis dans
un coin ombreux, rongeant mon cœur. Car, je ne sais pourquoi,
j'aime ce remède à ma souffrance, de m'entretenir en silence avec
mon propre cœur » (trad. A. Puech, *Littérature...*, IV, p. 380). A. Puech
note que le principal mérite des poèmes de Grégoire est d'avoir pu
puiser dans la conception chrétienne de l'homme une fraîcheur
d'inspiration qui renouvelle les thèmes depuis longtemps traditionnels
de la poésie alexandrine ou des versificateurs plus tardifs, et d'avoir
exprimé ces « pensers nouveaux » en les encadrant — comme c'est
aussi le cas dans ce chapitre du *Discours* 26 — dans des tableaux
élégiaques (*id.*, p. 380).

foules, ses prières réservées à la tranquilité et aux solitudes[d].
Que rappelait-il par là ? À mon avis, la règle suivante :
qu'un peu de tranquilité est indispensable pour s'adresser
à Dieu calmement et détacher un peu son esprit de tout
ce qui est en dehors du droit chemin. En effet, il n'avait
pas besoin de retraite, lui, car il n'y avait même pas moyen
qu'il s'isolât en un endroit puisqu'il était Dieu et remplis-
sait toutes choses ; mais, c'était pour que nous apprenions
qu'il y a un moment pour l'activité et un autre pour une
occupation plus haute[e].

Qu'ai-je donc fait dans la solitude ? À la manière d'un
négociant avisé qui va cherchant du profit de tous côtés[f],
je veux vous livrer une cargaison de biens ramenés de
là-bas.

8. Seul à seul avec moi-même, je flânais ainsi à l'heure
où déjà le jour baisse ; le lieu de ma promenade était une
falaise : car c'est comme une habitude que j'ai prise de
me reposer toujours de mes fatigues par ce genre de
distractions[1], puisque même une corde d'un arc toujours
bandé ne supporte pas la tension continue[2], et si on doit
encore le tendre à l'avenir, il exige qu'on lui donne un peu
de mou sinon l'archer ne pourra plus l'utiliser et il ne sera
d'aucun secours au moment de l'emploi. Je flânais donc
et marchais à grands pas en regardant la mer.

---

2. Cf. *Carmina*, II, 1, 39, v. 37-42 (*P G* 37, col. 1332) : « ...Aux
jeunes gens, et à ceux qui ont le grand amour des lettres, je veux
offrir comme un doux breuvage, et, par la persuasion, les conduire
à des pensées plus utiles, en adoucissant par l'art l'âpreté des
préceptes. La corde de la lyre, elle aussi, aime que sa tension se
relâche » (trad. A. Puech, *Littérature*, p. 377). NORDEN, *Antike
Kunstprosa*, p. 30, voit dans l'usage en prose d'un style et de procédés
propres au style poétique, un trait caractéristique de la rhétorique
du temps de Grégoire et de la seconde sophistique en général. Cf.
TACITE, *Dialogue*, XX, 5 (éd. H. Goelzer et autres, Paris 1922,
p. 46) : « Exigitur iam ab oratore etiam poeticus color ». MOSSAY,
La mort, p. 1-3.

244 DISCOURS

ἥδιστον οὖσα, ὅταν γαλήνῃ πορφύρηται καὶ προσπαίζῃ ταῖς
10 ἀκταῖς ἡδύ τι καὶ ἥμερον. Ἀλλὰ τί τότε — φθέγγομαι
γὰρ ἡδέως καὶ τὰ ῥήματα τῆς Γραφῆς — ; Ἀνέμου μεγάλου
πνέοντος, διηγείρετό τε καὶ ἐπωρύετο ᵃ · τῶν δὲ κυμάτων,
ὃ φιλεῖ συμβαίνειν ἐν τοῖς τοιούτοις, τὰ μὲν πόρρωθεν
ἀνιστάμενα καὶ κατὰ μικρὸν κορυφούμενα, εἶτ' ἐλαττούμενα,
15 πρὸς ταῖς ἀκταῖς ἐλύετο · τὰ δὲ ταῖς γείτοσι πέτραις
προσπίπτοντα καὶ ἀποκρουόμενα, εἰς ἄχνην ἀφρώδη καὶ
ὑψηλὴν ἐσκορπίζετο. Ἔνθα κάχληκες μὲν καὶ φυκία καὶ
κήρυκες καὶ τῶν ὀστρέων τὰ ἐλαφρότατα ἐξωθεῖτο καὶ
ἀπεπτύετο · ἔστι δὲ ἃ καὶ ἡρπάζετο πάλιν, ἀναχωροῦντος
20 τοῦ κύματος. Αἱ δὲ ἦσαν ἄσειστοι καὶ ἀτίνακτοι, οὐδέν
γε ἧττον ἢ διοχλοῦντος οὐδενός, πλὴν ὅσον τοῖς κύμασι
D βάλλεσθαι.

9. Ἐντεῦθεν οἶδά τι πρὸς φιλοσοφίαν ὠφεληθείς, καὶ
— οἷος ἐγὼ πάντα συντείνων πρὸς ἐμαυτόν, καὶ μάλιστα
1240 A εἰ τύχοιμι πρός τι τῶν συμβαινόντων ἰλιγγιάσας, ὃ καὶ
νῦν πέπονθα — οὐ παρέργως ἐδεξάμην τὸ ὁρώμενον · καί
5 μοι τὸ θέαμα παίδευμα γίνεται. Ἢ γὰρ οὐκ, ἔφην ἐγώ,
θάλασσα μὲν ὁ ἡμέτερος βίος καὶ τὰ ἀνθρώπινα — πολὺ
γὰρ κἂν τούτῳ τὸ ἁλμυρὸν καὶ ἄστατον —, πνεύματα δὲ
οἱ προσπίπτοντες πειρασμοὶ καὶ ὅσα τῶν ἀδοκήτων ; Ὅ μοι

---

8. 10 φθέγγομαι : -γξομαι DPC ‖ 11 καὶ > B ‖ καὶ ἀνέμου C ‖ 12
διεγείρετο (sic) A ‖ 13 τοιούτοις QWVTS₂ et R (*(in) talibus*) : + κινήμασι AB (S₁ ut videtur) DPC et Maur. ‖ 14 εἶτα SDC ‖ 17 ὑψηλὴν
ABW₁TDPC et R (*in altum*) : > S₁ ψιλὴν QVS₂ Maur. et W₂ corr.
rustica manu et valde recentiori ‖ ἐσκορπίζετο : -ζοντο D ‖ φυκία :
-ίαι AQDPC ‖ 18 τῶν > Q ‖ ἐλαφρότατα : -ώτατα D ‖ 19 δ' SDPC ‖
20 δ' D ‖ καὶ : τε καὶ AS₁DPC ‖ 21 γε : δὲ A > S₁ δ' DC
9, 2 οἷος : οἷς ASP₁C ‖ συντείνων : -νω QBWTS ‖ 7 κἂν QWVTPCR
(*in*) : καὶ ἐν A κἂν BD κ' ἂν S ‖ τούτῳ : -τοις P₁ -του D

---

8. a. *Jn* 6, 18.

---

1. La même image est évoquée dans le *Poème sur la colère:
Carmina* I, 2, 25, v. 477-478 (*P G* 37, col. 846) ; et dans *Discours* 24, 5 ;

Mais celle-ci était un spectacle sans agrément, alors qu'il est des plus charmants en d'autres circonstances, lorsque la bonace renforce son éclat et qu'elle se joue avec une sorte d'agréable douceur tout le long des falaises. Mais à ce moment-ci, que se passait-il ? Je répète volontiers les paroles de l'Écriture ; sous l'effet d'un vent violent, elle se soulevait et s'agitait[a]. Comme cela se produit d'ordinaire en de telles circonstances, des lames se dressaient en s'élançant en avant, soulevaient un moment des paquets de mer, s'écroulaient ensuite et s'évanouissaient au pied des falaises ; d'autres déferlaient sur les récifs proches, s'y brisaient et s'éparpillaient en gerbes d'écume blanche projetée en l'air. Ici elles entraînaient avec elles et rejetaient des galets, des algues et des coquillages, ainsi que les huîtres les plus légères ; et il arrivait aussi qu'une vague les reprît et les entraînât avec elle en refluant. Quant à ces (rocs), eux, ils restaient néanmoins sans broncher ni faiblir comme si rien ne les dérangeait malgré autant de coups lancés par les vagues[1].

9. Je sais que je tirai de là une utile leçon de philosophie. Étant donné mon penchant à tout rapporter à ma situation personnelle, et surtout s'il m'arrive par hasard d'avoir été bouleversé par l'un ou l'autre incident fortuit, ce qui est encore le cas pour le moment[2], le tableau que j'avais sous les yeux ne me laissa pas indifférent et ce spectacle prend à mes yeux la valeur d'une leçon de choses. Je me disais en effet ceci : « la mer ne représente-t-elle pas notre vie et les choses humaines, où se mêlent aussi beaucoup d'amertume et d'instabilité ? Et les vents, ne sont-ce pas les épreuves et tous les contretemps qui fondent sur

---

et ailleurs : cf. Kertsch, *Bildersprache*, p. 111, n. 1. Le § suivant explique la portée du tableau décrit ici.

2. On peut présumer qu'il s'agit d'un épisode du différend opposant Grégoire à Maxime et à d'autres ecclésiastiques de Constantinople ou d'ailleurs : cf. l'introduction.

δοκεῖ καὶ ὁ θαυμασιώτατος Δαβὶδ κατανοήσας, Σῶσόν με,
10 Κύριε, λέγειν, ὅτι εἰσῆλθοσαν ὕδατα ἕως ψυχῆς μου ᵃ · καί,
'Ρῦσαί με ἐκ τῶν βαθέων τῶν ὑδάτων ᵇ. ῏Ηλθον δὲ εἰς
τὰ βάθη τῆς θαλάσσης, καὶ καταιγὶς κατεπόντισέ με ᶜ.

Τῶν δὲ πειραζομένων οἱ μὲν ἐδόκουν μοι ὡς τὰ κουφότατα
καὶ ἄπνοα παρασύρεσθαι, καὶ οὐδὲ μικρὸν ἀντέχειν πρὸς
15 τὰς ἐπηρείας · οὐδὲ γὰρ ἔχειν ἐν ἑαυτοῖς στερρότητα καὶ
βάρος λογισμοῦ σώφρονος καὶ τοῖς προσπίπτουσιν ἀντι-
B βαίνοντος · οἱ δὲ εἶναι πέτρα, τῆς πέτρας ἐκείνης ἄξιοι,
ἐφ' ἧς βεβήκαμεν καὶ ᾗ λατρεύομεν ᵈ, ὅσοι φιλοσόφῳ
χρώμενοι λόγῳ καὶ ὑπεραναβεβηκότες τὴν τῶν πολλῶν
20 ταπεινότητα, πάντα φέρουσιν ἀσείστως καὶ ἀτινάκτως, καὶ
διαγελῶσι μέν, ἢ ἐλεοῦσι τοὺς σειομένους — τὸ μὲν ὑπὸ
φιλοσοφίας, τὸ δὲ ὑπὸ φιλανθρωπίας — · αὐτοὶ δὲ τῶν
αἰσχρῶν τίθενται, ἀπόντα μὲν τὰ δεινὰ περιφρονεῖν, μᾶλλον
δὲ μηδὲ δεινὰ οἴεσθαι, παρόντων δὲ ἡττᾶσθαι, καὶ ταῦτα,
25 τίνων ; τῶν παρερχομένων, ὡς ἱσταμένων · καὶ τοῦ καιροῦ
μὲν ἔξω φιλοσοφεῖν, ἐν δὲ ταῖς χρείαις ἀφιλοσόφους φαί-

9, 9 θαυμασιώτατος : θαυμάσιος A beatus R ‖ 10 λέγειν : -γει S₁P₁C
‖ εἰσηλθοσαν : -θωσαν ATD ‖ 11 δ' D ‖ 15 ἐπηρίας A ‖ 21 ἐλεοῦσι : -ῶσι
QWVT ‖ μὲν² + μᾶλλον T ‖ 22 δὲ¹ : δ' S₁DPC ‖ 24 μηδὲ : μὴ δὲ W ‖
δὲ² : δ' SDPC

---

9. a. Ps. 68, 2.   b. Cf. Ps. 68, 15.   c. Ps. 68, 3.   d. I Cor.
10, 4. Cf. Matth. 16, 18.

---

1. Ce passage est commenté par KERTSCH, Bildersprache, p. 93,
n. 3 ; on y trouve des rapprochements avec le Discours 19, 1 (PG 35,
col. 1045 A 6-8), où les choses de ce monde sont présentées comme
un flot instable et mouvant, des parallèles avec S. Athanase,
Philon, etc., ainsi qu'une bibliographie relative au symbolisme de
la tempête dans Grégoire de Nazianze. Cf. M. AUBINEAU, Grégoire de
Nysse, Traité de la virginité... (SC 119), Paris 1966, p. 447, n. 5.
2. La composition générale des § 8 et 9 peut être rapprochée de
celle du Poème cité plus haut, § 8, n. 1 : Carmina I, 2, 14, Sur la
nature humaine (PG 37, col. 755-765), où l'on trouve un tableau
élégiaque de la nature champêtre au centre de laquelle l'écrivain
médite (v. 1-14), suivi de réflexions sur l'homme et son destin (v. 15-

nous ? »[1] C'est ce que David, le plus surprenant des sages,
me semble avoir compris, lorsqu'il dit : « Sauve-moi,
Seigneur, parce que des eaux m'ont envahi jusqu'à l'âme[a] »
et aussi : « Retire-moi du fond des eaux[b] », et : « La tempête
m'a englouti et j'ai coulé dans les profondeurs de l'océan[c]. »
Parmi ceux qui subissent des épreuves, les uns me
paraissaient se laisser ballotter de-ci de-là comme les objets
les plus légers, sans souffle et sans opposer la moindre
résistance aux attaques, car il n'y a en eux ni la fermeté ni
la gravité d'une sage raison capable de faire face à ce qui
leur arrive. Les autres sont (comme) un roc. Ils méritent
d'être comparés à ce roc sur lequel nous avons posé nos
pas et que nous vénérons[d], nous tous, qui, grâce à la raison
« philosophique », nous sommes élevés au-dessus de la
médiocrité générale : ils supportent tout sans broncher ni
faiblir ; quant à ceux qui se laissent ébranler, tantôt ils
les méprisent, inspirés en cela par la « philosophie »,
tantôt ils les plaignent, inspirés en ceci par la charité ;
mais eux-mêmes trouvent honteux de dédaigner les difficultés sérieuses et plus encore de ne même pas les prendre
au sérieux quand elles ne sont pas là et de se laisser vaincre
par elles lorsqu'elles se présentent[2]. De quoi s'agit-il ici ?
Des choses passagères traitées comme si elles étaient
permanentes, d'une manière de pratiquer la « philosophie »
hors de propos, mais de s'en montrer dépourvu quand les

132) : « Qu'ai-je été ? Que suis-je ? Que serai-je ? ... ». — Le développement de la comparaison est compliqué et, par endroits, peu clair,
du moins dans les mots ; la comparaison des chrétiens avec un rocher
se double de la métaphore de la pierre, fondement de l'Église, avec
allusion biblique et amplification allégorique : l'Église nous élève
au-dessus de la masse comme un récif dressé au-dessus du niveau de
la mer. Ce style surchargé, qui paraît lourd et recherché, est apparenté
aux compositions allégoriques alexandrines que les lettrés grecs du
Bas Empire connaissaient bien, notamment par l'Anthologie grecque :
cf. *Anth. Palatine*, VIII, *passim* ; il est aussi dans la ligne du style
de S. Paul et des Psaumes. Un peu plus loin (§ 10, *in initio*), Grégoire
s'explique en disant que l'Écriture recourt aussi à de tels procédés.

νεσθαι · ὥσπερ ἂν εἴ τις ἄριστον ἑαυτὸν νομίζοι τῶν
ἀθλητῶν, μηδὲ καταβαίνων εἰς στάδιον · ἢ κυβερνήτην τῶν
C εὐδοκίμων, ἐν μὲν ταῖς εὐδίαις τῇ τέχνῃ μέγα φρονοῦντα, ἐν
30 δὲ ταῖς ζάλαις μεθιέντα τοὺς οἴακας.
   10. Ἐπεὶ δὲ ἅπαξ εἰς τούτους κατέστην τοὺς λόγους
καὶ πρὸς ἑτέραν ἦλθον εἰκόνα, σφόδρα τοῖς παροῦσι συμβαί-
νουσαν. Τάχα με γέροντα καὶ μυθολόγον νομίσετε, ἂν καὶ
ὑμῖν ταύτην γνωρίσω · γνωριστέον δ᾽ οὖν, ἐπεὶ καὶ τὴν
5 Γραφὴν οἶδα πολλάκις τοιούτοις χρωμένην εἰς σαφεστέραν
δήλωσιν.
   Ἔστι τι μύθῳ φυτόν, ὃ θάλλει τεμνόμενον καὶ πρὸς τὸν
D σίδηρον ἀγωνίζεται · καὶ εἰ δεῖ παραδόξως εἰπεῖν περὶ
παραδόξου πράγματος, θανάτῳ ζῇ καὶ τομῇ φύεται καὶ
1241 A αὔξεται δαπανώμενον. Ταῦτα μὲν οὖν ὁ μῦθος καὶ ἡ αὐτονομία
11 τοῦ πλάσματος · ἐμοὶ δὲ δοκεῖ σαφῶς τοιοῦτον εἶναί τι ὁ
φιλόσοφος. Ἐνευδοκιμεῖ τοῖς πάθεσι καὶ ὕλην ἀρετῆς
ποιεῖται τὰ λυπηρὰ καὶ τοῖς ἐναντίοις ἐγκαλλωπίζεται ·
μήτε τοῖς δεξιοῖς ὅπλοις τῆς δικαιοσύνης αἱρόμενος, μήτε
15 τοῖς ἀριστεροῖς καμπτόμενος · ἀλλ᾽ ὁ αὐτὸς οὐκ ἐν τοῖς
αὐτοῖς ἀεὶ διαμένων, ἢ καὶ δοκιμώτερος, ὥσπερ ἐν καμίνῳ
χρυσός, εὑρισκόμενος.

9, 27 ἄριστον ἑαυτόν ∽ W ‖ νομίζοι QBWVTR (putet) S₂ :
νομίζει/οἴ (?) A ὑπολαμβάνει S₁ ὑπολαμβάνοι DPC ‖ 28 μηδὲ : μὴ δὲ
W ‖ εἰς + τὸ B(W ?)SPC ‖ 29 μέγα φρονοῦντα AQBWTD :
μεγαλοφρονοῦντα VSPC (disputet R)
10, 1 δ᾽ S₁DPC ‖ λόγους : λογισμοὺς S₁DPC ‖ 3 νομίσετε : -σητε
A -σητ᾽ DPC et forsan S₁ ‖ 3-4 ταύτην καὶ ὑμῖν D ‖ 5 τοῖς τοιούτοις
AD ‖ 6 δήλωσιν cod. et R : διήγησιν Maur. ‖ 7 τι + παρὰ τῷ AB
‖ 10 οὖν > AQWVTS (quidem R) ‖ 11 σαφῶς > B ‖ τοιοῦτον : -οῦτο
S P₁ corr. P₂ post τι Q ‖ 12 ἐνευδοκιμεῖ cod. et R (in... reviviscit) :
εὐδοκιμεῖ Maur. ‖ 14 μήτε : μηδὲ W ‖ 15 οὐκ > AS₁DC ‖ 16 ἀεὶ > W

1. Selon les Mauristes (PG 35, col. 1240, n. 73), allusion aux
paraboles évangéliques. Cf. I Cor. 10, 4 et 6 : «... le roc était le
Christ... mais, tout cela est devenu une figure de ce qui nous
concerne ».
2. Cf. HORACE, Odes IV, 4, v. 57-60 (éd. F. Villeneuve, Paris 1946,
p. 161) :

circonstances l'exigeraient, on pourrait comparer cela à quelqu'un qui se croirait un champion d'athlétisme alors qu'il ne descend même pas au stade, ou (qui se croirait) un pilote expérimenté et qui se vanterait de son habileté sur des itinéraires sans difficulté alors qu'il passe la barre à d'autres par gros temps.

10. Une fois que je me fus arrêté à ces considérations, je passai à une seconde image très bien adaptée aux circonstances actuelles. Peut-être trouverez-vous que je me fais vieux et que je radote si je vous en fais part aussi. La raison de vous en faire part c'est donc que l'Écriture, je le sais, recourt souvent à des procédés analogues pour rendre plus clair un exposé[1].

Il y a une plante légendaire qui se met à pousser quand on la coupe et qui défie la lame de fer[2] ; et, s'il faut recourir au paradoxe pour parler d'une chose paradoxale, elle vit par (la) mort, elle croît quand on la coupe et se développe quand on l'amoindrit. Voilà donc la légende et la libre fantaisie de la fiction ; mais, à mon avis, le « philosophe » ressemble nettement à cela. Il acquiert son renom par les souffrances qu'il supporte, fait des afflictions la matière de la vertu et s'honore des contrariétés (qu'il rencontre) ; il ne se hausse pas par les armes de la justice qui lui sont favorables, et ne se laisse pas fléchir par celles qui lui sont contraires, mais il reste toujours égal à lui-même dans des situations changeantes, ou même sa valeur s'en accroît comme de l'or dans un four d'orfèvre.

> ... duris ut ilex tonsa bipennibus
> nigrae feraci frondis in Algido,
> per damna, per caedes ab ipso
> ducit opes animumque ferro

« ... comme l'yeuse qu'on émonde à coups de haches à double tranchant sur le (mont) Algide couvert d'une sombre frondaison, à travers les dégâts et les mutilations qu'elle subit tire du fer lui-même ses ressources et son énergie » (cité dans *PG* 35, col. 1240, n. 74).

Σκοπῶμεν δὲ οὕτως. Εὐπατρίδης ἐστίν ; ἀντεπιδείξεται
τὴν εὐτροπίαν τῷ αἵματι · ὥστε διχόθεν εὐδοκιμεῖν καὶ
20 γενεαλογούμενος καὶ ὁρώμενος. Δυσγενὴς τὸν ἀνδριάντα καὶ
τὸν πηλὸν — εἴπερ τι μέγα πηλὸς πηλοῦ διαφέρει — ;
Ἀντεισοίσει τὴν νοουμένην εὐγένειαν, καὶ ἣν ἕκαστος ἑαυτὸν
B διαπλάττει πρὸς τὸ χεῖρον ἢ βέλτιον · τὴν δὲ ἄλλην παραγρά-
ψεται, ὅση σπείρεται ἢ γράφεται, ὡς οὐδενὸς ἀξίαν καὶ
25 κίβδηλον.

Ἔστι γάρ τι γένος τρισσόν · τὸ μὲν ἄνωθεν ἠργμένον
ᾧ πάντες ἐσμὲν εὐγενεῖς ἐπ᾽ ἴσης, ἐπεὶ κατ᾽ εἰκόνα Θεοῦ
γεγόναμεν ᵃ · τὸ δὲ ἀπὸ σαρκὸς ἀρχόμενον, οὐκ οἶδ᾽ εἴ τις
εὐγενής, τοῦτο φθορᾷ συνιστάμενον · τὸ δὲ ἀπὸ κακίας ἢ
30 ἀρετῆς γνωριζόμενον, οὗ μᾶλλον καὶ ἧττον μεταλαμβάνομεν,
ὅσον ἄν, οἶμαι, ἢ τηρήσωμεν τὴν εἰκόνα ἢ διαφθείρωμεν.
Ταύτην ἀγαπήσει τὴν εὐγένειαν ὅγε ἀληθῶς σοφὸς καὶ
φιλόσοφος. Τὸ γὰρ τέταρτον γένος, τότε ἀξιώσω λόγου, τὸ
ἐν γράμμασι καὶ προστάγμασιν, ὅτ᾽ ἂν καὶ κάλλος ἀποδέξωμαι
35 τὸ ἐν χρώμασι καὶ πίθηκον αἰδεσθῶ λέοντα εἶναι κεκελευ-
σμένον.

C   11. Νέος ἐστί ; Κατὰ τῶν παθῶν ἀνδρισθήσεται, καὶ
τοῦτο ἀπολαύσει τῆς νεότητος, τὸ μὴ τὰ νέων παθεῖν, ἀλλὰ
δεῖξαι πρεσβυτικὴν φρόνησιν ἐν ἀκμαίῳ τῷ σώματι · καὶ

10, 18 δὲ : δ᾽ Α δὴ S₁DPC ‖ ἐστίν : τίς ἐστι Α ‖ 23 βέλτιον + ταύτην
ἀγαπήσει τὴν εὐγένειαν ὅγε ἀληθῶς σοφὸς καὶ φιλόσοφος VTS₂ et
P₂ add. mg. ‖ δὲ : δ᾽ ASDPC ‖ 26 τι QWVTS₂ (prosapiam (generis)
R) : ἔστι ABS₁DPC ‖ 27 ᾧ WTSDCR (quo...) : ὃ AQBVP et Maur.
‖ ἐπ᾽ ἴσης : ἐπίσης AWTPC ‖ 28 δ᾽ D ‖ ἀρχόμενον QSDPC (originem ducens R) : ἐρχόμ- ABWVT ‖ οἶδα B ‖ 29 τούτῳ W ‖ δ᾽
DPC ‖ 32-33 ταύτην — φιλόσοφος > VT ‖ 34 καὶ προστάγμασιν > S₁
‖ ὅτ᾽ ἂν : ὅταν TDP et Maur. ‖ 35 εἶναι + καὶ S

---

10. a. *I Cor.* 10, 4.

---

1. Les mots grecs γένος « race », εὐγενής « noble » (= littéralement
« de bonne race »), εὐγένεια « noblesse » permettent à l'écrivain des
effets de mots qu'on pourrait rendre en traduisant εὐγενής par

Examinons cela comme suit. Est-il un patricien ? Il aligne la noblesse de la conduite sur celle du sang, de sorte qu'il en a le double mérite, celui de la lignée et celui de l'exemple (qu'il donne). Est-il de basse origine pour ce qui regarde la statue de limon — pour autant qu'il y ait grande différence entre le limon de l'un et celui de l'autre — ? Il fera valoir à la place (de cette noblesse-là) celle de l'intelligence et celle par laquelle chacun se fait lui-même pire ou meilleur ; il répudiera toute autre, (noblesse) de naissance ou de titre, comme sans valeur et faux-semblant.

En effet, trois choses constituent la race[1]. La première, par laquelle nous sommes tous également nobles, vient d'en-haut puisque nous sommes faits à l'image de Dieu[a]. La seconde ayant une origine charnelle, et je ne sais pas si quelqu'un est noble en ceci, qui s'associe à une corruption. La troisième est reconnue d'après le vice et la vertu ; nous en avons chacun une part plus ou moins grande, à mon avis, selon que nous conservons intacte ou que nous altérons l'image (de Dieu en nous) : cette noblesse-ci, celui qui est vraiment sage et « philosophe » y sera attaché. Car la quatrième espèce de race, celle qui se fonde sur des écrits et décrets, celle-là vaudra la peine que j'en parle lorsque j'admettrai que le maquillage tient lieu de la beauté, et quand j'aurai de la considération pour un singe qu'on a dressé à faire le lion.

11. Est-il jeune encore ? Il manifestera sa maturité en résistant à ses passions ; et l'avantage qu'il tirera de sa jeunesse sera de ne pas céder aux passions du jeune âge, mais d'allier la raison de l'âge mûr à un physique à la fleur de l'âge. Il tirera plus de satisfaction de sa victoire que

---

« racé » au lieu de « noble », etc. On rencontre dans Grégoire de nombreux passages relatifs à la parenté de l'homme avec Dieu : cf. É. des PLACES, *Syngeneia*, p. 202-204 (avec les références et la bibliographie), où ce passage-ci n'est cependant pas relevé.

χαιρήσει τῇ νίκῃ πλέον ἢ οἱ ἐν Ὀλυμπίᾳ στεφανούμενοι ·
5 νικήσει γὰρ ἐν κοινῷ θεάτρῳ τῇ οἰκουμένῃ, καὶ νίκην
ἄπρατον. Νεύει πρὸς γῆρας ; Ἀλλ᾽ οὐχὶ γηράσει καὶ τὴν
ψυχήν · δέξεται τὴν διάλυσιν, ὡς προθεσμίαν ἀναγκαίας
ἐλευθερίας · ἵλεως πρὸς τὰ ἑξῆς μεταβήσεται, ἔνθα οὐκ
ἔστιν ἄωρος οὐδὲ πρεσβύτης, ἀλλὰ πάντες τὴν πνευματικὴν
10 ἡλικίαν τέλειοι[a]. Ὥρας ἔλαχεν ; Ἀντιστίλψει τὸ κάλλος τῷ
κάλλει, τὸ τῆς ψυχῆς τῷ τοῦ σώματος. Παρῆλθε τὸ ἄνθος
D ἀνεπηράαστον ; Νεύει πρὸς ἑαυτόν, οὐδὲ οἶδεν ὁρώμενος ;
1244 A Αἰσχρὸς τὸ φαινόμενον ; ἀλλ᾽ εὐφυὴς τὸ κρυπτόμενον, ὥσπερ
ἐν κάλυκι ῥόδον ἀνθηρὸν οὐκ ἀνθηρᾷ καὶ ἀνόδμῳ τὸ εὐωδέ-
15 στατον. Ὡραῖος κάλλει παρὰ τοὺς υἱοὺς τῶν ἀνθρώπων[b] ·
οὐδὲ καιρὸν δίδωσι τὸ ἐκτὸς καθορᾶσθαι, μεταστρέφων τὸν
θεατὴν πρὸς τὸν ἐντὸς ἄνθρωπον[c]. Εὐεκτεῖ ; Χρήσεται τῇ
ὑγιείᾳ πρὸς τὸ βέλτιστον · νουθετήσει[d], πλήξει, λόγῳ
παρρησιάσεται[e], ἀγρυπνήσει, χαμευνήσει, νηστεύσει, κενώσει
20 τὴν ὕλην, θεωρήσει τὰ ἐπίγεια καὶ τὰ οὐράνια, κατὰ πᾶσαν
σπουδὴν μελετήσει τὸν θάνατον. Ἀρρωστήσει ; Μαχήσεται ·
ἂν δὲ ἡττηθῇ, νικήσει λαβὼν τὸ μηκέτι μάχεσθαι. Πλούσιός
ἐστι ; Φιλοσοφήσει τὸ ἀποπλουτεῖν, μεταδώσει τῷ δεομένῳ
τῶν ὄντων, ὡς οἰκονόμος τῶν ἀλλοτρίων · ἵν᾽ ἐκεῖνός τε
25 εὖ πάθῃ τῇ μεταλήψει καὶ αὐτὸς πρὸς Θεὸν συναχθῇ, μηδὲν

11, 4 χαιρήσει : scriptum χαρήσει WS₁D₁ vel χαρίσει P₁C corr.
S₂D₂P₂ ‖ Ὀλυμπίᾳ : -πίῳ W ‖ 6 ἄπρατον : ἄπρακτον AD ‖ νεύει : -σει
AS₁DPC corr. S₂ ‖ 7 ψυχήν + καὶ D ‖ δέξεται : δέξαι B + καὶ A ‖ 8
ἵλεως WTm et Qmg. : ἰλέως A ἠδέως QBVTmg. Vmg. et Maur. (coronatus : R) ‖ 10-11 τὸ κάλλος post κάλλει ASDPC ‖ 11 τὸ τῆς : τῷ τῆς
AWD ‖ τῷ τοῦ : τὸ τοῦ AWD ‖ 12 νεύει : -σει PC ‖ οὐδ᾽ : S₁DPC
‖ 13 αἰσχρὸς + ἐστι AS₁DPC ‖ 14 ἀνθηρὸν : -ρότερον AP ‖ οὐκ : καὶ
οὐκ D ‖ ἀνθηρᾷ : -ρῷ W ‖ 16 μεταστρέφων : -φον D ‖ 18 ὑγιείᾳ :
ὑγείᾳ W ‖ νουθετήσει > Q ‖ 20 ἐπίγεια ... οὐράνια ∞ S₁ ‖ καὶ τὰ : κατὰ
P₁ corr. P₂ ‖ 21 μελετήσει : μελήσει P₁ ‖ μαχήσεται : -χέσεται S₁DP
‖ 22 δ᾽ SDPC ‖ 23 ἀποπλουτεῖν : ἀπλουτεῖν S ‖ 24 τε : τὸ AC ‖
25 συναχθῇ : ἀναχ- S₂

11. a. Cf. *Éphés.* 4, 13.   b. *Ps.* 44, 3.   c. Cf. *Rom.* 7, 22 ;
Éphés. 3, 16.   d. *I Thess.* 5, 14.   e. *Act.* 9, 28.

ceux qui remportent des couronnes à Olympie, car sa
victoire aura le monde entier pour théâtre et ne sera pas
une victoire vénale[1]. Penche-t-il déjà vers le grand âge ?
Oui, mais son âme échappera encore au vieillissement,
elle accueillera la dissolution (qu'est la mort) comme le
gage d'une liberté nécessaire. Il passera de bon cœur
dans l'état qui suit (la mort), où l'on ignore précocité et
longévité et où tous connaissent au contraire la perfection
de leur âge spirituel[a]. Est-il justement dans la fleur de
l'âge ? Une beauté, celle de l'âme, rehaussera l'autre, celle
du corps, de son éclat. A-t-il passé la fleur de l'âge sans en
subir les effets ? Se replie-t-il sur lui-même et ne sait-il
même pas qu'on le voit ? Est-il laid physiquement ? Il
possède néanmoins une élégance dissimulée, comme une
rose, la fleur au parfum exquis, sur le point de s'épanouir
et enclose dans un bouton fermé et inodore : « Par le charme
de sa beauté, il l'emporte sur les fils des hommes[b]. »
Détournant l'attention vers l'homme intérieur, il ne donne
même pas l'occasion d'arrêter les regards sur son extérieur[c].
Est-il en bonne santé ? Il tirera de la santé le meilleur
parti : il encouragera[d], rappellera à l'ordre, aura son franc-
parler[e], passera les nuits en prière, couchera sur la dure,
jeûnera, réduira la puissance de la matière, contemplera les
réalités terrestres et célestes et mettra tout son zèle à méditer sur la mort. Aurait-il une mauvaise santé ? Il luttera.
S'il est vaincu, il remportera au moins la victoire qui
consiste à ne plus avoir à lutter. Est-il riche ? Sa « philosophie » consistera à se défaire de la richesse ; il partagera
ce qu'il a avec l'indigent, comme s'il administrait les
biens d'autrui afin que l'autre soit heureux du partage et

---

1. Lieu commun déjà traité plus haut, cf. *Discours* 24, 19 et note 3.

B ἔχων πλὴν τοῦ σταυροῦ καὶ τοῦ σώματος. Πένεται ;
Πλουτήσει Θεὸν καὶ τὸ καταγελᾶν τῶν ἐχόντων, ὡς ἀεὶ
μὲν κτωμένων, ἀεὶ δὲ πενομένων, τῷ δεῖσθαι τοῦ πλείονος,
καὶ πινόντων ἵνα πλέον διψήσωσιν.

12. Πεινῇ ; Μετὰ τῶν ὀρνέων τραφήσεται, οἷς ὁ βίος
ἄσπορος καὶ ἀνήροτος[a] · μετὰ Ἡλίου ζήσεται παρὰ τῇ
Σαραφθίᾳ · Ὁ καμψάκης τοῦ ἐλαίου οὐκ ἐκλείψει, καὶ ἡ
ὑδρία τοῦ ἀλεύρου οὐκ ἐλαττονήσει[b] · ὁ μὲν ἀεὶ πηγάσει,
5 ἡ δὲ γεωργήσει πλουσίως, ἵνα τιμηθῇ χήρα φιλόξενος, καὶ
C τρέφῃ τὸν τρέφοντα[c]. Διψήσει ; Κρῆναι τούτῳ καὶ ποταμοὶ
τὸ ποτόν, ποτὸν οὐ μεθύσκον[d] οὐδὲ μετρούμενον · ἂν πάντα
ἐπιλείπῃ δι' ἀνομβρίαν, χειμάρρῳ τυχὸν ποτισθήσεται[e].
Ῥιγώσει ; Τοῦτο καὶ Παῦλος, ἀλλ' ἐπὶ πόσον[f]. Ἔστι τι
10 καὶ πέτρας ἔνδυμα · πειθέτω σε ὁ Ἰὼβ λέγων · Παρὰ τὸ
μὴ ἔχειν αὐτοὺς σκέπην, πέτραν περιεβάλοντο[g]. Σκόπει μοι
καὶ τὰ τελεώτερα. Λοιδορηθήσεται ; Νικήσει τῷ μὴ ἀντιλοι-
δορεῖσθαι. Διωχθήσεται ; Ἀνέξεται. Βλασφημηθήσεται ;
Παρακαλέσει. Διαβληθήσεται ; Προσεύξεται. Τὴν δεξιὰν
15 ῥαπισθήσεται ; Παρέξει καὶ τὴν ἑτέραν · εἰ τρίτην εἶχε,
καὶ ταύτην ἂν προεβάλετο, ἵνα μᾶλλον διδάξῃ μακροθυμεῖν
τὸν παίοντα, ἔργῳ παιδεύων, ἃ μὴ λόγῳ δυνατὸς ἦν[h].
D Ὀνειδισθήσεται ; Τοῦτο καὶ ὁ Χριστός · τιμηθήσεται τῇ

11, 27 πλουτήσει : πλουτίσει P ‖ 28 τῷ : τὸ A ‖ 29 πινόντων :
πεινῶντων WS₂
12, 1 πεινῇ : -νᾷ S₁ (corr. S₂) PC Maur. ‖ τῶν > T ‖ 2 ἡλίου :
ἡλίου ATS ἡλιοῦ (B ?)WV ‖ 3 καψάκης Q₁BWVTD ‖ ἐλέου A ‖ 4
ὁ — πηγάσει > S₁C ‖ 6 τρέφῃ : -φει QC S₁ corr. S₂ ‖ τὸν > S₁P₁C
add. mg. S₂P₂ ‖ τρέφοντα : -ται Q ‖ τούτῳ : -το S₁ corr. S₂ ‖
8 ἐπιλείπῃ : -λίπῃ TS Maur. et forsan P ut videtur ‖ 9 ῥιγώσει :
-άσει A ‖ ποσόν QBV ‖ 10 ὁ > AQ ‖ 11 αὐτοὺς > S₁PC post σκέπην
ADS₂ mg. ‖ πέτρα V ‖ περιεβάλλοντο C ‖ 12 τῷ : τὸ ABSDC ‖ 12-13
ἀντιλοιδορεῖν A ‖ 15 ῥαπισθήσεται + σιαγόνα B Maur. R ‖ ἑτέραν :
ἀριστεράν DPC et forsan S₁ ‖ 17 ἃ : ὃ S₂DC ‖ 18 καὶ + ὁ PC Maur.

12. a. Cf. *Matth.* 6, 26.   b. I *Sam.* 17, 14.   c. Cf. I *Sam.* 17,
1-16.   d. Cf. *Lc* 1, 15.   e. Cf. I *Sam.* 17, 4.   f. Cf. *II Cor.* 11,
27 ; *Act.* 28, 2.   g. *Job* 24, 8.   h. Cf. *Lc* 6, 29 ; *Matth.* 6, 39.

1. Sur le thème d'Élie assoiffé et du « torrent spirituel », lieux

lui-même uni à Dieu, n'ayant rien d'autre à lui que sa croix
et son corps. Est-il pauvre ? Dieu sera sa richesse, ainsi
que son droit de rire de ceux qui détiennent leur avoir
comme s'ils devaient en rester perpétuellement proprié-
taires, alors qu'ils sont perpétuellement pauvres parce que
le principal leur fait défaut, et que plus ils boivent plus ils
ont soif[1].

12. A-t-il faim ? Il se nourrira avec les oiseaux, qui
vivent sans rien semer ni cultiver[a]. Il vivra avec Élie chez
la dame de Sarepta : « La cruche à l'huile ne se videra pas
et le pot à la farine ne diminuera pas[b]. » La première ne
cessera pas d'épancher son liquide et l'autre de fournir
un produit plantureux en l'honneur de la veuve hospita-
lière, pour lui permettre de nourrir le (prophète) nourricier[c].

Aura-t-il soif ? Fontaines et cours d'eau, voilà la boisson,
boisson ni enivrante[d] ni mesurée ; si tout se tarit par l'effet
d'une sécheresse, il se désaltérera sans doute à un torrent[e].

Aura-t-il froid? Paul fut aussi dans le même cas, mais
pour quelle grande cause[f] ! Il y a aussi moyen de chercher
l'abri d'un rocher. Tu dois en croire Job, qui dit : « Parce
qu'ils manquaient d'un toit, ils se servaient d'un rocher
comme abri[g]. »

Attention aussi aux choses plus parfaites ! Sera-t-il en
butte aux reproches ? Il aura le dessus en évitant de
répliquer. À la persécution ? Il sera patient. À la malédiction ? Il consolera (d'autres). À la calomnie ? Il priera.
On lui soufflètera la (joue) droite ? Il présentera l'autre
aussi ; s'il en avait une troisième, il avancerait encore
celle-ci pour mieux enseigner le sang-froid à celui qui le
frappe, par une leçon pratique qu'il ne lui serait pas
possible de donner oralement[h]. Lui fera-t-on affront ? Le
Christ aussi (a connu) cela : il sera honoré de partager sa

communs familiers de Grégoire : KERTSCH, *Bildersprache*, p. 99-100.
Sur la soif spirituelle des âmes privilégiées (lieu commun de la
catéchèse grégorienne) : *Discours* 14, 33 (*PG* 35, col. 904 A 10-15) ; 28,
12 (*PG* 36, col. 40 D 5 - 41 A 2) ; etc. KERTSCH, *Bildersprache*, p. 21.

κοινωνίᾳ τοῦ πάθους. Κἂν « Σαμαρείτης » ἀκούσῃ, κἂν
20 δαιμονᾶν ἐγκληθῇ, μετὰ Θεοῦ πάντα δέξεται[i]. Πολλὰ ἔτι
λείψει, κἂν πολλὰ πάθῃ, ὄξος, χολή, στέφανος ἀκάνθινος,
σκῆπτρον καλάμινον, χλαμὺς κοκκίνη, σταυρός, ἧλοι, λῃσταὶ
1245 A συσταυρούμενοι, παριόντες ὑβρίζοντες[j]. Δεῖ γὰρ πλέον ἔχειν
Θεόν, ἐν τῷ πλεῖον φέρειν ἀτιμαζόμενον[k].
13. Οὐδὲν ἀναλωτότερον φιλοσοφίας, οὐδὲν ἀληπτότερον.
Πάντα ἐνδώσει πρότερον ἢ φιλόσοφος. Ὄνος ἐστὶν ἄγριος
ἐν ἐρήμῳ, φησὶν ὁ Ἰώβ, ἄνετος καὶ ἐλεύθερος, καταγελῶν
πολυοχλίας πόλεως, μέμψιν φορολόγου μὴ ἀκούων. Μονό-
5 κερώς ἐστι, ζῷον αὐτόνομον. Εἰ βουλήσεταί σοι δουλεῦσαι ;
εἰ δήσεις αὐτὸν ἐπὶ φάτνης ; εἰ ὑπὸ ζυγὸν ἀχθήσεται[a] ;
Ὅτ' ἂν πάντων ἐξείργηται τῶν ἐπὶ γῆς, κατεσκεύασται
αὐτῷ πτέρυγες ὥσπερ ἀετοῦ καὶ ἐπιστρέψει εἰς τὸν οἶκον
B τοῦ προεστηκότος αὐτοῦ, πρὸς Θεὸν ἀναπτήσεται[b]. Εἴπω τι
10 κεφάλαιον · Δύο ταῦτα δυσκράτητα, Θεὸς καὶ ἄγγελος ·
καὶ τὸ τρίτον φιλόσοφος, ἄϋλος ἐν ὕλῃ, ἐν σώματι ἀπερίγραπτος, ἐπὶ γῆς οὐράνιος, ἐν πάθεσιν ἀπαθής, πάντα
ἡττώμενος πλὴν φρονήματος, νικῶν τῷ νικᾶσθαι τοὺς
κρατεῖν νομίζοντας.
15 Ἐπεὶ δὲ τὸν φιλόσοφον ἡμῖν ὁ λόγος ἔγραψεν, ὅθεν εἶπον
ἀρξάμενος, φέρε, παρὰ τοῦτον τὰ ἡμέτερα θεωρήσωμεν ·

12, 19 ἀκούσει B ‖ 20 ἐγκλιθῇ B ‖ δέχεται A ‖ 23 παριόντες :
-ρόντες S₁ ‖ πλέον : πλεῖον BDPC
13, 3 φησὶν : ἔφησεν S₁DC ‖ 6 ὑπὸ ζυγὸν : ἐπιζυγόν A ‖ 7 ὅταν
DP Maur. ‖ 8 ὥσπερ : ὡς S₁PC ‖ καὶ DR (et) > cet. cod. Maur. ‖
ἐπιστρέψει : -φει PC ‖ 9 τι : τὸ D ‖ 13 τῷ : τὸ ABWD ‖ 15 ἐπεὶ
δὲ : ἐπειδὴ PC ‖ ἡμῖν post λόγος ‖ 16 τοῦτον : τούτῳ W τούτων DC

12. i. Cf. Jn 8, 48 ; cf. id. 8, 47-59.   j. Cf. Matth. 27, 27-49 ;
Mc 15, 16-36 ; Lc 23, 32-49 ; Jn 19, 29-30.   k. Cf. Hébr. 10, 5-10.
13. a. Cf. Job 39, 5-11.   b. Cf. Ps. 77, 69.

1. Le « monocéros » (« unicornis » des Mauristes : PG 35, col. 1246
A 9 ; ou « rhinocéros » de la Vulgate, loc. cit.) ou licorne, animal
fabuleux, est représenté par les Anciens avec le corps d'un cheval,
la tête d'un cheval ou d'un cerf et une corne unique (ROBERT,
Dictionnaire, 1976, IV, p. 97) ; dans les légendes, l'iconographie et
parfois l'héraldique médiévales, il est emblème de pureté et de

passion. S'il s'entend traité de « Samaritain », accusé d'être
un possédé, il acceptera tout cela avec Dieu[i] ; et même s'il
a beaucoup à souffrir, il lui manquera encore beaucoup de
choses, vinaigre, fiel, couronne d'épines, sceptre fait d'un
roseau, manteau rouge, croix, clous, brigands crucifiés
avec lui, passants outrageusement insolents[j]... Car Dieu
doit l'emporter dans le fait de subir plus de mépris[k] !

13. Rien n'est plus imprenable, plus inexpugnable que
la « philosophie ». Tout fléchira plutôt qu'un « philosophe ».
« Dans le désert », dit Job, « il y a un âne sauvage, farouche
et libre, qui se rit des embarras urbains et ne prête pas
l'oreille à la semonce de celui qui perçoit les taxes : c'est
la licorne, animal indépendant. Est-ce qu'il voudra tra-
vailler à ton service ? Est-ce que tu l'attacheras à une
mangeoire ? Est-ce qu'il se laissera amener à accepter
le joug[a] [1] ? » Lorsqu'il a été exclu de toutes les choses
terrestres, il a été pourvu d'ailes semblables à celles de
l'aigle et il retournera à la maison de celui qui est son
maître : il s'envolera chez Dieu[b]. Résumons-nous. Ces
deux réalités l'emportent invinciblement sur toutes
choses : Dieu et l'ange ; et, au troisième rang, le « philosophe », immatériel dans la matière, infini dans un corps,
céleste sur terre, impassible au milieu de passions, inférieur
en toutes choses sauf la raison, vainqueur en se laissant
vaincre par ceux qui pensent l'emporter sur lui.

Jusqu'ici mon discours vous a fait le portrait du « philosophe » — c'était la première partie : Allons ! À la lumière

virginité. Ici Grégoire imagine une licorne ailée. La *LXX* et la
Vulgate associent apparemment au « monocéros » l'âne sauvage ou
l'onagre, le buffle et divers volatiles (cf. *Job* 39, 5-30), ou la maison
située dans le ciel (*Ps.* 77 (78), 69). Cf. M.-T. et P. Canivet, « La licorne
dans les mosaïques de Huarte-d'Apamène (Syrie). ive-ve siècles »,
dans *Byzantion*, 48 (1979), p. 57-87. Comme on l'a noté dans l'introduction littéraire au *Disc. 26*, le thème répond ici à la recherche
du charme ou du « plaisir » littéraire, suivant les procédés recom-
mandés par Ménandre le Rhéteur, *De genere demonstrativo* (éd.
L. Spengel, *Rhet. gr.*, III, Leipzig 1856, p. 393, 1-2).

δοκῶ γὰρ κἀγὼ Πνεῦμα Θεοῦ ἔχειν[c], καὶ εἴ τινι τούτων
τρωτὸς ἐγὼ καὶ ἁλώσιμος · ἵν' εἰ μὲν ἡττώμενον εὑρίσκοιεν
οἱ μισοῦντες καὶ πολεμοῦντες, συγγινώσκοιντο γοῦν τῆς
20 ἐγχειρήσεως, εἰ καὶ μὴ τῆς προαιρέσεως · εἰ δὲ κρείττονα
τῶν πολεμούντων καὶ ὑψηλότερον, ἢ τῆς κακίας ἀπαλλαγεῖεν
ἢ καινοτέραν ὁδὸν τῆς ἀδικίας ἐπινοήσαιεν, ὡς τῆς παρούσης
C καταφρονουμένης, καὶ μὴ πρὸς τῇ κακίᾳ καὶ ἄνοιαν ἐγκα-
λοῖντο, ὡς ἀνομοῦντες διακενῆς, καὶ οὐδὲ εἰδότες ἀδικεῖν
25 ὃ σπουδάζουσιν.

14. Τί γὰρ δὴ καὶ λυπήσουσιν ἐπὶ πάντα ἐλθόντες ;
Ἴδωμεν ὅσα ἂν ἀδικηθείη παρὰ ἀνθρώπων ἄνθρωπος.
Ἀπαίδευτον ὀνομάσουσιν ; Μίαν σοφίαν οἶδα, τὸ φοβεῖσθαι
Θεόν. Ἀρχή τε γὰρ σοφίας, φόβος Κυρίου[a] · καὶ τέλος
5 λόγου, τὸ πᾶν ἄκουε, τὸν Θεὸν φοβοῦ[b]. Ταῦτα Σολομὼν ὁ

13, 17 τινι : τι W ‖ 18 τρωτὸς : πρῶτος AD ‖ 19 καὶ πολεμοῦντες
bis scrips. P ‖ συγγιγν- P ‖ 20 καὶ μὴ ∽ W ‖ 21-25 ἢ — σπουδάζουσιν : contrahit R (*vel propositum revereantur, si nondum
perfectionem operis pertimescunt*‖ 22 ἐπινοήσειεν : -σαιεν C ‖ ὡς
> QWVT ‖ 24 ἀνομοῦντες : -τος C ‖ οὐδ' S₁DPC ‖ 25 σπουδάζουσιν BV
14, 1 δὴ : δὲ S₁ corr. S₂ ‖ 2 ἴδωμεν + τὸ ὅσα πρὸς τὸ πάντα
ἀποδοτέον Smg. Dmg. Pmg. (R : *praemeditemur apud nosmet
ipsos semper et ipsi nos probris odientium confutemus* ‖ 3 σοφίαν
οἶδα ∽ B ‖ 4 τὸν Θεόν S₁D₁P ‖ 5 τὸν + γὰρ W ‖ φοβοῦ + τὰς ἐντολὰς
αὐτοῦ φύλασσε AP ‖ Σολομῶν VTSP

---

13. c. *I Cor.* 7, 40b.
14. a. *Prov.* 1, 7.   b. *Eccl.* 12, 13.

---

1. Commentant ce passage, KERTSCH, *Bildersprache*, p. 171, n. 3,
remarque que, dans le début de ce chapitre, Grégoire envisage la
« philosophie » comme une forme de vie parfaitement chrétienne et
ensuite comme l'idéal cynico-stoïcien placé par lui juste au-dessous
du niveau de Dieu et des anges ; thème familier de Grégoire (« vivre
dans la matière comme si on était immatériel ») : *Discours* 2, 69
(*P G* 35, col. 477 C 13-15) ; *Lettre* 6, 3 (éd. P. Gallay, I, 1966, p. 7) ; etc.
Les penseurs du paganisme d'époque chrétienne mettent cette
conception en rapport avec la doctrine de l'émanation : cf. JULIEN,

de celui-ci examinons notre propre conduite[1] ! Car, il semble que je possède, moi aussi, l'Esprit de Dieu[c], même si l'un ou l'autre des détails de ce portrait me met mal à l'aise et me prend en défaut. Notre but est d'une part, dans le cas où mes rivaux et mes adversaires me trouveraient dépassé, qu'on leur pardonne leurs attaques, sinon leur parti-pris ; d'autre part, s'ils me trouvent meilleur et supérieur à mes adversaires, qu'ils renoncent à la malice ou qu'ils inventent un moyen plus neuf d'arriver à faire du tort, en constatant qu'on ne fait aucun cas de l'actuel ; et qu'ils n'encourent pas, outre le reproche de malice, celui de sottise, en se rendant compte que leur mauvaise conduite est sans résultat et qu'ils ne savent même pas faire le tort qu'ils cherchent à faire.

14. Car enfin quel chagrin pourront-ils causer en recourant à tous les moyens ? Passons en revue tout ce que des humains pourraient faire de mal à un humain[2]. Lui donner le nom d'ignorant ? Je ne connais qu'une seule sagesse, craindre Dieu, car « le principe de la sagesse est la crainte du Seigneur[a] » ; et « fin du discours, le tout entendu : crains Dieu[b] ». Ce sont les termes du très sage Salo-

l'empereur, *À Thémistius*, 10 (éd. et trad. G. Rochefort, Paris 1963, p. 27, 265 a-b) : « Quant à l'acquisition de croyances justes sur Dieu, elle est l'œuvre non seulement d'une vertu parfaite, mais encore on serait en droit de se demander s'il faut appeler celui qui la possède un homme ou un Dieu, car s'il est vrai, comme on dit, que chacun est naturellement disposé à être connu de ceux qui ont une affinité avec lui, que serait-on en droit de penser vraisemblablement d'un intellect qui connaît l'essence divine ? ». Commentant ce passage M. Kertsch, *Bildersprache*, p. 48-50, note qu'on y reconnaît un thème familier de la diatribe et un cliché de la sophistique. Nous y trouvons aussi une observation commune de la sagesse universelle : cf. Pascal, *Pensées*, *passim*.

2. Le contexte indique clairement que « l'humain » visé ici est Grégoire lui-même.

σοφώτατος. Δειξάτωσαν οὖν ἄφοβον, καὶ νικάτωσαν · τῆς
D δ' ἄλλης σοφίας, τὴν μὲν παρέδραμον, τὴν δὲ προσλαβεῖν
εὔχομαι καὶ ἐλπίζω, θαρρῶν τῷ Πνεύματι[c].

Πενίαν ἐγκαλέσουσι, τὴν ἐμὴν περιουσίαν ; Εἰ γὰρ ἀπο-
10 δυσαίμην καὶ τὰ ῥάκια ταῦτα, ἵνα γυμνὸς διαδράμω τὰς
1248 A ἀκάνθας τοῦ βίου[d] · εἰ γὰρ καὶ τὸν βαρὺν ἀπεθέμην χιτῶνα
τοῦτον ὡς τάχιστα, ἵνα λάβω κουφότερον[e].

Φυγόπατριν ἀποκαλέσουσιν ; Ὡς μικρὰ φρονοῦσι περὶ
ἡμῶν ὄντως ὑβρισταὶ καὶ μισόξενοι ! Ἔστι γάρ μοι πατρίς,
15 ὦ οὗτοι, περιγραπτός, ᾧ πᾶσα πατρίς, καὶ οὐδεμία ; Σὺ δὲ
οὐ ξένος καὶ παρεπίδημος ; Οὐκ ἐπαινῶ σου τὴν κατοικίαν,
ἂν οὕτως ἔχῃς, μὴ τῆς ἀληθινῆς πατρίδος ἐκπέσῃς, εἰς
ἣν ἀποτίθεσθαι χρὴ τὸ πολίτευμα[f].

Τὸ γῆρας δὲ οὐκ ὀνειδίσαις ἡμῖν καὶ τὸ νοσῶδες ; Οὐχ
20 ὅλον τοῦτο τῆς ὕλης καὶ τῆς φύσεως ; Ἵν' ἴδῃς τι τῶν
ἐμῶν ἀπορρήτων · ἔστιν ὃ καὶ λογισμὸς ἐδαπάνησεν, ἵνα
μικρόν τι καυχήσωμαι. Σὺ δὲ δὴ σὺ σφριγῶν μοι καὶ
σαρκοτροφῶν, ἡδὺ θέαμα. Εἴθε τι καὶ πολιᾶς ἐπήνθει σοι καὶ
ὠχρότητος, ἵνα πιστευθῇς γ' οὖν εἶναι συνετὸς καὶ φιλόσοφος.

14, 6 δειξάτωσαν — νικάτωσαν > R ‖ νικάτωσαν : νικησάτωσαν
BT ‖ 7 δ' ASDPC : δέ QBWVT Maur. ‖ 7-8 τὴν μὲν — πνεύματι :
*Pauli ad eos sermonibus respondeamus quia stultam facit deus
sapientiam huius mundi, quia nec prius potest quis sapiens effici
apud deum, nisi stultus fiat in hoc mundo* R (quod videtur esse
glossa in textu introducta) ‖ 9 περιουσίαν + quattuor lineas R,
(de quibus, cf. *supra* p. 210) ‖ εἰ : εἴθε Maur. Vmg. tamquam varia lectio ‖ 10 ῥάκια : ῥακία AQVS ῥάκκη W ‖ 11 εἰ
γὰρ AQWVTSDPC : εἰ B εἴθε Maur. ‖ βαρὺν : βραχύν T ‖ ἀπεθέμην > QWVTS₂ ‖ 13 ὡς — φρονοῦσι > C ‖ 14 μοι : ἐμοὶ AS₁DPC ‖
15 οὗτος ASDC ‖ περιγραπτός : περίγρ- QW ἀπερίγραπτος S₂ ‖ δ'
S₁DPC ‖ 16 κατοικίαν : παροικίαν A ‖ 17 ἔχεις S ‖ 19 τὸ¹ > QWVT
Maur. exp. S₂ ‖ δ' SDPC ‖ ὀνειδίσεις AS₁C ‖ 20 ὅλων B ‖ ἵνα
WT Maur. ‖ εἰδῇς : ἴδῃς (sic) S ‖ 21 ὁ λογισμός B Maur. ‖ 22 οὐ
δὲ : οὐδὲ QBWVT Maur. S₂Pmg. tamquam varia lectio ‖ δὴ
ASDPCR(*ergo*) > QBWVT Maur. ‖ 24 γοῦν DPC Maur.

14. c. Cf. *I Cor.* 12, 8.   d. Cf. *Gen.* 3, 18 ; *Is.* 5, 6-8 ; 7,
23-25.   e. Cf. *Gen.* 3, 21.   f. Cf. *Hébr.* 13, 14.

mon. Qu'ils prouvent donc que je n'ai pas la crainte (de Dieu) et qu'ils aient raison ! Quant au reste de la sagesse, j'en ai laissé une partie de côté, et l'autre partie, je me flatte et j'ai l'espoir d'en prendre ce que je pourrai, en fondant mon assurance dans l'Esprit[c].

Incrimineront-ils l'indigence de ma fortune ? Puissé-je me défaire même de ces habits pour passer sans m'encombrer de rien à travers les épines de la vie[d] ! Que ne puis-je même déposer au plus vite cette tunique pesante pour en mettre une plus légère[e] [1].

Me qualifieront-ils d'exilé[2] ? Quelle idée mesquine ils se font de nous, ces personnages vraiment insolents et xénophobes ! Car, enfin, Messieurs, y a-t-il une patrie limitée aux frontières d'un territoire, pour moi qui suis partout et nulle part dans mon pays ? Et toi, tu n'es pas un étranger et un expatrié ? Si c'est ton cas, je ne fais pas l'éloge de ta résidence de peur qu'on ne t'exclue de la véritable patrie dans laquelle il faut aller prendre domicile[f].

Est-ce que tu nous reprocherais notre grand âge et notre mauvaise santé ? Ce domaine matériel et physique n'est pas tout. Pour te faire voir un de mes secrets (et) pour me vanter un peu, je dirai qu'il y a aussi ce dont s'alimente l'activité intellectuelle. Mais, toi, bien sûr, toi, avec ton appétit et ton embonpoint, voilà, ma foi, un agréable tableau ! Ah ! Si tu pouvais toi aussi montrer quelques cheveux blancs et un teint moins rougeaud, pour faire croire que tu es intelligent et « philosophe » !

1. Périphrases d'inspiration biblique (= mourir).
2. « Exilé », le mot grec est peu courant (φυγόπατριν), cf. H. ESTIENNE, *Thesaurus*, VIII, col. 1101, *s.v.* Le même mot est employé dans une *Lettre à Philagrios* (*Lettre* 32, 6, éd. P. Gallay, Paris, I, 1966, p. 41, ligne 8) et qualifie le destinataire, un autre Cappadocien parvenu, lui aussi, à de très hautes fonctions publiques : cf. HAUSER-MEURY, *Prosopographie*, p. 145-146. Pendant son séjour à Constantinople, Grégoire affecte de mettre en avant son caractère d'*homo novus*, de provincial resté indemne des travers et des compromissions des milieux aisés de la capitale : MOSSAY, *Gregor*, p. 233-238.

B   **15.** Τί ἔτι ; Θρόνων καθαιρήσουσι ; Τίνων ἄρ' ὧν ἡδέως
ἐπέβην ἢ νῦν ἢ πρότερον ; Μακαρίζω δὲ τοὺς ἐπιβαίνοντας ;
Σὺ δέ μοι τούτους ἡδεῖς ποιεῖς, οὕτως ἐπιβαίνων ἀναξίως ;
Οὐδὲ τὰ πρώην συμβάντα τὴν ἐμὴν γνώμην ὑμῖν ἐδήλωσεν
5 ἢ κἀκεῖνα θρύψις τις ἦν καὶ τοῦ πόθου δοκιμασία ; Πάντα
ἂν οἱ τεχνικοὶ περὶ ἄλλων, τὰ ἑαυτῶν, τὰ μὲν ὑπονοήσαιεν,
τὰ δὲ εἴποιεν. Τί δὲ ἡ συντριβή ; Τί δὲ αἱ ἀραὶ ἃς δημοσίᾳ
καθ' ἡμῶν αὐτῶν πεποιήμεθα ; Τί δὲ τὰ δάκρυα καὶ τὸ
ἐλεεινοὺς γενέσθαι ὑμῖν μικροῦ καὶ μισουμένους διὰ τὴν
10 ἔνστασιν ;

Προεδρίας ἀποστερήσουσιν ; Ἦν πότε καὶ τίς τῶν εὖ
φρονούντων ἐθαύμασε ; Νῦν δὲ καὶ τὸ φεύγειν, ὡς γ' οὖν
ἐμοὶ δοκεῖ, πρῶτον συνέσεως · δι' ἣν πάντα δονεῖται καὶ
C σείεται τὰ ἡμέτερα · δι' ἣν τὰ πέρατα τῆς οἰκουμένης ἐν
15 ὑποψίᾳ, καὶ πολέμῳ κωφῷ τινι καὶ οὐδὲ ὄνομα ἔχοντι ·
δι' ἣν κινδυνεύομεν ἀνθρώπων εἶναι, παρὰ Θεοῦ γεγονότες[a],
καὶ τὸ μέγα καὶ καινὸν ἀποβαλεῖν ὄνομα. Ὡς ὄφελόν γε
μηδὲ ἦν προεδρία μηδέ τις τόπου προτίμησις καὶ τυραννικὴ
προνομία ἵν' ἐξ ἀρετῆς μόνης ἐγινωσκόμεθα. Νῦν δὲ τὸ
20 δεξιὸν τοῦτο καὶ τὸ ἀριστερὸν καὶ τὸ μέσον καὶ τὸ ὑψηλότερον

15, 1 καθαιρήσουσιν Q ‖ ἄρα S₂ ‖ 3 ἡδεῖς : ἡδίους QWVTS₂P
sup. lin. tamquam varia lectio ‖ 4 ὑμῖν ἐδήλωσεν ∾ S₁ ‖ 7 δὲ¹ :
δ' D ‖ δὲ² AQB WS₂ : δ' S₁DPC δαὶ VT Maur. ‖ ἡ συντριβή : αἱ
συντριβαί A ‖ δὲ³ AQBWS₂ : δ' S₁DPC δαὶ VT Maur. ‖ 8 δὲ : δαὶ
VT Maur. + καὶ A ‖ 12 γοῦν DPC Maur. ‖ 14 ἦν τὰ : ἦν S₁ ‖ ἐν >
S₁P₁C ‖ 15 οὐδ' S₁DPC ‖ 16 ἄνθρωποι W ‖ 17 καινὸν : κοινὸν W ‖
ὤφελον AB ‖ 18 μηδὲ : μὴ δὲ W μηδ' S₁DPC ‖ τόπου προτίμησις
∾ B ‖ 19 ἐγινωσκόμεθα : ἐπεγιν- DPC ‖ 20 τὸ ἀριστερὸν > τὸ S₁PC
‖ ὑψηλότερον : -λόν S₁

---

15. a. Cf. *Gen.* 6, 1-3.

1. Sans doute allusion aux circonstances décrites dans *D. 36*, 2 :
... « lorsque vous, les fidèles, avec un zèle et un enthousiasme expansifs,
vous m'avez placé sur ce trône... malgré mes protestations et mes
plaintes... ». Cf. *De vita sua*, v. 1389 ; et v. 1273-1277, 1305-1335,
1371-1395.

15. Quoi encore ? Ils me détrôneront ? Quels trônes
ai-je occupés pour mon plaisir, soit actuellement soit dans
le passé ? Est-ce que je proclame heureux ceux qui y accè-
dent ? Est-ce que tu me les rends agréables en y accédant
toi-même aussi indignement ? Et les choses qui se sont
passées ne vous ont-elles pas révélé ma pensée ou bien
n'était-ce là qu'une plaisanterie et une manière de vérifier
si l'on me regrettait ? Les artistes seraient capables de
prêter à autrui toutes leurs propres manières, tantôt en
imagination tantôt en paroles ! Que signifie l'accablement
que j'éprouve ? Et les malédictions que nous avons pronon-
cées en public contre nous-même ? Et les larmes, ainsi
que la pitié et l'irritation que nous avons failli provoquer
en vous par notre résistance[1] ?

Nous priveront-ils de notre préséance ? Quand et qui,
parmi les gens sains d'esprit l'admira jamais ? Mais
maintenant, à mon avis du moins, s'y soustraire est du
bon sens élémentaire. À cause d'elle, chez nous, tout est
plein de trouble et d'agitation, et les extrémités de l'univers, pleines de soupçons et d'une espèce de guerre sournoise
qui n'ose même pas dire son nom. À cause d'elle, nous
sommes exposés à appartenir à des hommes, nous qui
sommes les enfants de Dieu[a], et à perdre ce grand et
nouveau titre. Ah ! je souhaiterais assurément qu'il
n'existât même pas de préséance, ni aucune prééminence
régionale et prérogative monarchique, afin qu'on nous
reconnût à notre vertu seulement[2] ! Mais, maintenant
voilà, la droite, la gauche, le centre, le supérieur, l'inférieur,

---

2. La construction grammaticale du grec (ἵνα et l'indicatif) est
typique du grec tardif. Les lexiques renvoient à ce sujet à *Gal.* 2, 4 ;
et 4, 17. On peut remarquer aussi un parallélisme de fond entre ces
passages de l'épître aux Galates, où S. Paul revendique ses préroga-
tives d'Apôtre, et ce chapitre du *Discours* 26. La question des juri-
dictions patriarcales semble être une des préoccupations majeures
du Concile de 381 : Dagron, *Naissance*, p. 454-461, spécialement
analyse du Canon 3 du Concile ; cf. aussi Ambroise, *Lettre* XIII, 4.

καὶ τὸ χθαμαλώτερον καὶ τὸ προβαδίζειν ἢ συμβαδίζειν, πολλὰ πεποίηκε τὰ συντρίμματα ἡμῶν διακενῆς, καὶ πολλοὺς εἰς βόθρον ὦσε, καὶ εἰς τὴν τῶν ἐρίφων χώραν ἀπήγαγεν [b] · οὐ τῶν κάτω μόνον, ἀλλ' ἤδη καὶ τῶν ποιμένων, οἱ διδάσκαλοι
25 τοῦ Ἰσραὴλ ὄντες[c], ταῦτα ἠγνόησαν.

D **16.** Θυσιαστηρίων εἴρξουσιν ; Ἀλλ' οἶδα καὶ ἄλλο θυσιαστήριον, οὗ τύποι τὰ νῦν ὁρώμενα · ἐφ' ὃ λαξευτήριον οὐκ ἀναβέβηκεν, οὐδὲ χείρ, οὐδὲ ἠκούσθη σίδηρος ἤ τι τῶν
1249 A τεχνιτῶν καὶ ποικίλων[a], ἀλλ' ὅλον τοῦ νοῦ τὸ ἔργον καὶ
5 διὰ θεωρίας ἡ ἀνάβασις. Τούτῳ παραστήσομαι, τούτῳ θύσω δεκτά, θυσίαν καὶ προσφορὰν καὶ ὁλοκαυτώματα [b], κρείττονα τῶν νῦν προσαγομένων, ὅσῳ κρείττων σκιᾶς ἀλήθεια · περὶ οὗ μοι δοκεῖ καὶ Δαβὶδ ὁ μέγας φιλοσοφεῖν, λέγων · Καὶ εἰσελεύσομαι πρὸς τὸ θυσιαστήριον τοῦ Θεοῦ, τοῦ εὐφραίνον-
10 τος τὴν πνευματικήν μου νεότητα[c]. Τούτου μὲν οὖν οὐκ ἀπάξει με τοῦ θυσιαστηρίου πᾶς ὁ βουλόμενος.

Πόλεως ἀπελάσουσιν ; Ἀλλ' οὐχὶ καὶ τῆς ἄνω κειμένης [d]. Τοῦτο δυνηθήτωσαν οἱ μισοῦντες ἡμᾶς ; Καὶ ὄντως πεπολεμήκασιν · ἕως δ' ἂν μὴ δύνωνται, ῥανίσι βάλλουσιν ἢ
15 αὔραις παίουσιν ἢ παίζουσιν ἐνύπνια · οὕτως αὐτῶν ἐγὼ βλέπω τὸν πόλεμον.

B Χρημάτων περιαιρήσουσι ; Τίνων ; Εἰ μὲν τῶν ἐμῶν, καὶ τῶν πτερύγων περικοπτέτωσαν, ὧν οὐκ ἐπιβέβλημαι · εἰ δὲ τῶν τῆς Ἐκκλησίας, τοῦτό ἐστιν ὑπὲρ οὗ πᾶς ὁ

15, 21 τὸ[a] > P₁ ‖ προσβαδίζειν Α ‖ 22 πεποίηκε : -κασι Q ‖ 23 ὦσε : ὤθησεν S₁ ‖ τὴν > D₁
16, 1 θυσιαστηρίων : -ήριον Β ‖ καὶ > Β ‖ 2 ὃ : ᾧ S ‖ 3 οὐδ' ASDPC ‖ ἤ : οὔτε Β ‖ 5 τούτῳ : τοῦτο Β ‖ 6 κρείσσονα Α ‖ 7 κρείττων : -τον Α Maur. ‖ 9-10 τοῦ εὐφραίνοντος : πρὸς τὸν θεὸν τὸν εὐφραίνοντα Α ‖ 10 τούτου : τοῦτο P₁ ‖ οὖν ADR (enim) > QBWVTSPC Maur. ‖ οὐκ : οὐκέτι AS₁DPC ‖ 12 ἀπελάσουσιν : ἀπελαύνουσιν S₁ corr. S₂ ‖ 13 τοῦτο : τούτων S₁ ‖ 14 μὴ + τοῦτο Β Maur. ‖ 14-15 ἢ αὔραις > P₁ add. Pmg. ‖ 15 παίουσιν > D₁P₁ add. Pmg. Dmg.

15 b. Matth. 25, 33 ; cf. id. 25, 31-34, etc.   c. Jn 3, 10.
16. a. Cf. III Rois 6, 7 ; Is. 9, 9-10 ; Ps. 73, 4-7.   b. Hébr. 10, 8.
c. Ps. 42, 4a.   d. Gal. 4, 26.

la préséance ou la dépendance ont multiplié en pure perte
les fractures entre nous. Cela précipita dans l'abîme et cela
entraîna du côté réservé aux boucs[b] beaucoup de monde,
et pas seulement dans les rangs subalternes, mais cela
s'est déjà passé aussi dans les rangs des pasteurs oublieux
qu'ils sont les maîtres en Israël[c].

16. M'interdiront-ils l'accès des autels ? Mais, je connais
aussi un autre autel dont ceux que nous voyons maintenant
sont des figures. Ni le burin ni même la main du tailleur
de pierre ne l'a touché ; aucun outil de fer ou autre des
hommes de métier ne l'a fait résonner[a]. Il est intégralement
l'œuvre de l'esprit et ses marches sont celles de la contemplation. Voilà l'autel à côté duquel je me tiendrai. J'y
ferai un sacrifice, une offrande et des holocaustes accep-
tables[b] qui l'emportent sur les offrandes présentées maintenant autant qu'une réalité l'emporte sur une ombre.
C'est à ce sujet, me semble-t-il, que David le Grand dit
avec « philosophie » : « Et je m'avancerai vers l'autel du
Dieu qui réjouit ma jeunesse spirituelle[c]. » De cet autel-ci
assurément, ne m'écarteront pas tous ceux qui le voudront !

M'expulseront-ils de la Ville ? Pas de celle qui se trouve
en-haut cependant[d]. Ceux qui nous en veulent furent-ils
en mesure de le faire ? Alors aussi, ils nous ont réellement
fait la guerre. Mais, aussi longtemps qu'ils en sont inca-
pables, ils nous lancent des gouttelettes, nous frappent
avec des courants d'air ou s'amusent avec des songes.
C'est ainsi que je vois, moi, la guerre qu'ils font.

Ils saisiront mes biens ? Lesquels ? S'il s'agit de mes
biens personnels, qu'ils me rognent aussi les ailes... dont je
ne suis pas pourvu ! S'il s'agit des biens ecclésiastiques,

20 πόλεμος · δι' ἃ ζηλοτυπεῖ τὸ γλωσσόκομον ὁ κλέπτης[e] καὶ
τὸν Θεὸν προδίδωσι τριάκοντα ἀργυρίων, τὸ δεινότατον.
Τοσούτου γάρ, οὐχ ὁ προδιδόμενος, ἀλλ' ὁ προδιδοὺς ἄξιος[f].
17. Οἰκίας ἀποκλείσουσι ; Τρυφὰς περικόψουσι ; Φίλους
ἀλλοτριώσουσι ; Πάνυ γάρ, ὡς ὁρᾷς, πλείστων κατεναρκήσαμεν, καίτοιγε προκαλουμένων — οὐ γὰρ ἀχαριστήσομεν — ·
εἰ δὲ καὶ κατεναρκήσαμεν, τῷ φείδεσθαι μᾶλλον ἢ τῷ
5 προσίεσθαι. Τὸ δὲ αἴτιον, οἶκός τις ἀνέπαυσεν ἡμᾶς εὐσεβὴς
καὶ φιλόθεος, καὶ οἷος τὸν Ἐλισσαῖον ὁ τῆς Σουμανίτιδος[a],
C συγγενῶν τὸ σῶμα, συγγενῶν τὸ πνεῦμα, πάντα φιλότιμος ·
παρ' οἷς καὶ ὁ λαὸς οὗτος ἐπάγη, κλέπτων ἔτι τὴν διωκομένην
εὐσέβειαν, οὐκ ἀδεῶς, οὐδὲ ἀκινδύνως. Ἀντιμετρήσαι αὐτῷ
10 Κύριος ἐν ἡμέρᾳ ἀνταποδόσεως[b] ! Τρυφὴν δὲ εἰ διώκομεν,
τρυφήσαιεν καθ' ἡμῶν οἱ μισοῦντες ἡμᾶς · οὐ γὰρ ἄλλο τι

16, 20 ζηλοτυποῖ PC || 22 προδοὺς D
17, 1 τρυφὰς BWVTSD₂ : -φὴν AD₁ -φῆς Q τροφὰς PC (*ministeria
... et officia* R) || 2 πλείστων : καὶ πλ-WS₁DP₂C καὶ πλείστω P₁ πλεῖστον
B || 3-4 καίτοιγε — κατεναρκήσαμεν > V post τῷ φείδεσθαι μᾶλλον
A || 3 προκαλουμένων : προσκ- AWDP || 4 καὶ > D || τῷ — μᾶλλον :
scr. primo ante καίτοιγε et iteravit in loco proprio (τὸ φείδεσθαι
μᾶλλον) A || ἢ τῷ : ἢ τὸ AD || 5 προσίεσθαι : προίεσθαι S₁DP₁C
προέσθαι Q προσείεσθαι A || δ' SDPC || 6 τῷ Ἐλισσαίῳ S₁P₁C corr.
S₂P₂ || Σουναμίτιδος Maur. || 7 συγγενῶν ... συγγενῶν : συγγενὴς
ὢν ... συγγενὴς ὢν A || 8 οἷς : ᾧ W || ἔτι : τι W || 9 οὐδ' DPC || 10 ὁ
κύριος A || 10 δ' S₁DPC || διώκομεν : ἐδ- B

16. e. Cf. *Jn* 12, 6.   f. Cf. *Matth.* 27, 9 ; 26, 14-16 ; et *Zach.* 11,
12-13 (*Mc* 14, 10-11 ; *Lc* 22, 3-6).
17. a. Cf. *IV Rois* 4, 8.   b. *II Tim.* 1, 18.

1. Ceci situe la polémique en cause au moment où Grégoire se
trouve déjà à la tête d'une Église disposant de moyens financiers
importants ; la même situation est évoquée dans le poème *De vita
sua* (*Carmina* II, 1, 11), v. 1475-1494, où Grégoire se plaint de l'état
dans lequel les ariens ont laissé la comptabilité des églises au moment
où le clergé orthodoxe y fut installé par l'empereur Théodose, le
28 nov. 380. Commentaires dans P. GALLAY, *Vie*, p. 191 ; cf. éd.
Ch. Jungck, p. 211-212 ; et DAGRON, *Naissance*, p. 489, et *passim*
p. 488-498.

voici l'objet de toute la polémique[1] ; voici pourquoi le voleur s'acharne sur le coffre-fort[e] et pourquoi il trahit Dieu pour trente deniers, le prix non de celui qui est trahi, mais du traître[f].

17. Ils fermeront devant moi des maisons ? Restreindront mes commodités ? Écarteront de moi des amis ? Car, comme tu le vois, nous avons beaucoup importuné un très grand nombre de gens, quoiqu'en répondant à leurs invitations — car nous ne manquerons pas de reconnaissance et, si nous les avions importunés, ce serait par la rareté plutôt que par l'assiduité de nos visites ! Voici la raison. Une demeure pieuse et chrétienne nous offrit un abri, comme celle de la Sunamite à Élisée[a] ; elle appartenait à des personnes qui nous sont apparentées par le sang comme par l'Esprit, (maison) honorable en tous points, où les fidèles que voici, quand ils étaient encore clandestinement fidèles à l'orthodoxie persécutée, furent rassemblés non sans crainte ni sans risques[2]. Que le Seigneur lui rende ce qu'on lui doit, au jour de la rétribution[b] ! Mais, si nous cherchons la commodité, que ceux qui nous en veulent donnent libre cours à leurs hostilité contre nous — car je

---

2. Il s'agit de la communauté nicéenne orthodoxe de l'Anastasia : au début de son ministère à Constantinople (début de 379-fin de 380), Grégoire réunissait les orthodoxes dans une maison amie, à l'écart et en réaction contre l'Église officielle, qui était arienne : *De vita sua* (*Carmina* II, 1, 11), v. 1079-1080 (éd. Ch. Jungck, p. 106 et 196) ; *Discours* 42, 26 ; 22, 8 ; 25, 19 ; et 34, *passim* ; etc. Ces textes sont commentés notamment dans Gallay, *Vie*, p. 138 ; Dagron, *Naissance*, p. 448, et notes 3, 5-7 ; et R. Janin, *Églises et monastères*, p. 22-27. Dans la *Chronique de Seert* (éd. A. Scher, *Histoire nestorienne inédite*, I, dans *Patrologia Orientalis*, IV, p. 213-313, Paris 1908), on lit une description de Constantinople (ch. 19, p. 282) notant que Constantin « y consacra deux églises à la Vierge Marie, dont l'une était l'Anastasie (As-Saṭisâ) et l'autre Sainte-Sophie ». Ceci met en question plusieurs idées traditionnelles relatives à cet édifice : cf. notamment Dagron, *Naissance*, p. 392-401.

μεῖζον ἐμαυτῷ καταράσομαι. Φίλων δέ, οἱ μὲν οὐδὲ πάσχοντες
κακῶς, εὖ οἶδα, φεύξονται ἡμᾶς — τὸ γὰρ συναδικεῖσθαι,
καὶ συναλγεῖν πεποίηκε — · τῶν δὲ ἤδη γεγυμνάσμεθα
15 καὶ ὑπερορώμενοι φέρειν τὴν ὑπεροψίαν. Τῶν γὰρ φίλων
μου καὶ τῶν πλησίον, οἱ μὲν καὶ φανερῶς ἐξ ἐναντίας
ἤγγισαν καὶ ἔστησαν · οἱ δέ, τὸ φιλανθρωπότατον, ἀπὸ
μακρόθεν ἔστησαν ᵈ, καὶ ἐν τῇ νυκτὶ ταύτῃ πάντες ἐσκανδα-
D λίσθησαν ᵉ. Μικροῦ καὶ Πέτρος ἠρνήσατό με · καὶ τυχὸν
20 οὐδὲ κλαίει πικρῶς, ἵνα θεραπεύσῃ τὴν ἁμαρτίαν ᶠ.

1252 A **18.** Μόνος τολμηρὸς ἐγὼ καὶ θράσους γέμων, ὡς ἔοικε ·
μόνος εὔελπις ἐν τοῖς φοβεροῖς, μόνος καρτερικὸς καὶ
δημοσίᾳ προτιθέμενος καὶ ἰδίᾳ καταφρονούμενος καὶ Ἀνατολῇ
καὶ Δύσει τῷ πολεμεῖσθαι γνωριζόμενος. Τῆς ἀπονοίας !
5 Ἐὰν παρατάξηται ἐπ' ἐμὲ παρεμβολή, οὐ φοβηθήσεται ἡ
καρδία μου · ἐὰν ἐπαναστῇ ἐπ' ἐμὲ πόλεμος, ἐν ταύτῃ ἐγὼ
ἐλπίζω ᵃ. Τοσοῦτον ἀπέχω τοῦ φοβερὸν ἡγεῖσθαί τι τῶν
παρόντων, ὥστε τὸ κατ' ἐμαυτὸν ἀφείς, θρηνῶ τοὺς λυπή-
σαντας.

10 Μέλη Χριστοῦ ποτε, μέλη τίμια ἐμοί, καὶ εἰ νῦν διεφθαρ-
μένα, μέλη τῆς ποίμνης ταύτης, ἣν προδεδώκατε μικροῦ,

17, 13 κακῶς > Q ‖ φεύξονται : διαφ- B ‖ συναδικεῖσθαι : ἀδικ-
Q ‖ 14 τῶν : ὧν AS₁DP₁C corr. S₂P₂ ‖ 15 ὑπερορώμενοι : -μεναι S ‖
φέρειν : φέρομεν ADP₁C φέρωμεν S₁ corr. S₂P₂ ‖ ὑπεροψίαν : ὑποψίαν
V ‖ 16 μου > Maur. ‖ πλησίον QVTDCP₂ : -ίων ABWS (P₁) +
μου AP ‖ μὲν καὶ : μὲν ATS₁PC ‖ ἐναντίας + μου ADPC
18, 1 ὁ μόνος T ‖ τολμηρὸς ἐγὼ ∽ D ‖ 8 τὸ : τὰ B ‖ 10 καὶ
εἰ ∽ B Maur. ‖ 11 προδεδώκατε : προεδ- P

---

17. c. *Ps.* 37, 12.   d. Cf. *Matth.* 26, 31.   e. *Mc* 14, 27.
f. Cf. *Matth.* 26, 31-35 (26, 69-75 ?).
18. a. *Ps.* 26, 3.

---

1. Les Mauristes (*PG* 35, col. 1250, n. 27) voient ici une allusion
possible à Pierre, évêque d'Alexandrie, frère et successeur de saint
Athanase, qui faillit prendre parti contre Grégoire dans l'affaire dite
« de Maxime ». Rien n'empêcherait néanmoins le lecteur de chercher

n'appellerai sur moi aucune malédiction pire que celle-là. Parmi nos amis, certains ne s'éloigneront pas de nous, je le sais, même s'ils ont à en souffrir, car le fait de subir les mêmes injustices leur a fait partager les mêmes souffrances. Quant aux autres, si même nous sommes l'objet de leur dédain, nous nous sommes déjà entraînés à le supporter. Parmi mes amis et mes voisins, « les uns s'approchèrent et firent face ouvertement[c], les autres » — comble de bienveillance ! — « se tinrent à distance[d] ». Et au cours de cette nuit-là tous furent scandalisés[e] et il s'en fallut de peu que Pierre ne me reniât[1]. Peut-être ne verse-t-il même pas des larmes amères pour réparer sa faute[f] !

18. Il n'y a que moi apparemment qui sois audacieux et plein d'opiniâtreté, que moi, qui sois optimiste dans les situations inquiétantes, que moi, qui me montre capable de supporter d'être l'objet d'hommages en public et de mépris en privé, d'être connu en Orient et en Occident par les polémiques dont je fais l'objet ! Quelle folie ! « Qu'une armée ennemie dresse son camp contre moi, mon cœur ne craindra pas ; que contre moi s'engage le combat, alors même, j'aurais confiance[a]. » Je suis si éloigné de voir quelque chose d'inquiétant dans les événements actuels que j'ai négligé ce qui m'arrive et que je plains ceux qui m'ont fait de la peine.

Vous, naguère membres du Christ, membres qui m'étiez chers, même si vous êtes maintenant victimes de la corruption, membres de ce troupeau, que vous avez trahi

dans la politique religieuse de Rome, siège de Pierre, un incident permettant d'interpréter le mot comme une allusion au pape de Rome ; les remous provoqués par la célèbre affaire dite « d'Antioche » fournissent sûrement matière à une telle herméneutique. Mais, l'écrivain vise-t-il ici un incident personnel ? Ce n'est pas évident. Le contexte établit un parallèle entre la situation actuelle de Grégoire et les paroles de Jésus à Gethsémani, visant l'abandon collégial des siens.

καὶ πρὶν συναχθῆναι, πῶς διεσπάσθητε καὶ διεσπάσατε, ὡς
βοΐδια ἐκ δεσμῶν ἀνειμένα ; Πῶς θυσιαστηρίῳ θυσιαστήριον
B ἀντηγείρατε ; Πῶς ἐγένεσθε εἰς ἐρήμωσιν ἐξάπινα ; Πῶς καὶ
15 αὐτοὶ νενέκρωσθε τῇ τομῇ, καὶ ἡμᾶς ἀλγεῖν πεποιήκατε ;
Πῶς ἁπλότητι ποιμένων εἰς ποίμνης διάλυσιν κατεχρήσασθε ;
Οὐδὲ γὰρ ἐκείνους μέμφομαι τῆς ἀπειρίας, ἀλλ' ὑμᾶς
αἰτιάσομαι τῆς κακίας. Τῇ διαφθορᾷ σου, 'Ισραήλ, τίς
βοηθήσει[b] ; Τί φάρμακον εὕρωμαι συνουλωτικόν ; Ποῖον
20 ἐπίδεσμον ; Πῶς συνάψω τὰ διεστῶτα ; Τίσι δάκρυσι, τίσι
λόγοις, τίσιν εὐχαῖς θεραπεύσω τὸ σύντριμμα ; Ἢ τάχα τὸν
τρόπον τοῦτον ·

19. Τριὰς ἁγία καὶ προσκυνητὴ καὶ τελεία καὶ καλῶς
ὑφ' ἡμῶν συναγομένη τε καὶ σεβομένη, σὸν τὸ ἔργον, σὸν
C τὸ κατόρθωμα. Σὺ τούτους τε πάλιν ἀποκαταστήσαις ἡμῖν,
τοσοῦτον διαστάντας ὅσον παιδευθῆναι τῷ χωρισμῷ πρὸς
5 ὁμόνοιαν · καὶ ἡμῖν τῶν ἐντεῦθεν μόχθων ἀντιδοίης τὰ
ἐπουράνιά τε καὶ ἀστασίαστα. Τῶν δέ ἐστι τὸ πρῶτον καὶ
μέγιστον, ἐλλαμφθῆναί σοι τελεώτερόν τε καὶ καθαρώτερον,
πῶς ἡ αὐτὴ καὶ μονὰς νοῇ καὶ Τριὰς εὑρίσκη · πῶς τὸ
ἀγέννητον καὶ τὸ γεννητὸν καὶ τὸ προϊόν, μία φύσις, τρεῖς
10 ἰδιότητες, Εἷς Θεός, ὁ ἐπὶ πάντων καὶ διὰ πάντων καὶ ἐν
πᾶσιν[a] · οὔτε ὑπερτιθέμενος οὔτε μετατιθέμενος οὔτε μειού-

18, 13 ἐκ > Q ‖ 17 οὐδὲ : οὐ S ‖ 19 εὕρωμαι : εὕροιμι AS₁PC ‖
21 εὐχαῖς + ἐξαρισθέντα διὰ τὴν πίστιν καὶ ἐπανελθόντα μετὰ τριετῆ
χρόνον S₁ exp. S₂ ‖ 22 τοῦτον ante τόν S ante τρόπον Maur.

19, 3 ἀποκαταστήσας S ‖ 5 μόχθον B ‖ ἀντιδιδοίης PC ‖ 6 τε > QW ‖
τὸ > QT ‖ καὶ + τὸ S₁DPC ‖ 7 τε > TS ‖ 8 πῶς¹ : ὅπως A ‖ 10-11 ἐν
πᾶσιν scrip. ἐμπᾶσιν S

---

18. b. *Os.* 13, 9.
19. a. *Éphés.* 4, 6.

---

1. Sur la situation de l'Église de Constantinople en 380 et 381 et
sur la portée des conflits en cause, voir l'introduction.

ou presque, avant même qu'il ne fût rassemblé, comment
avez-vous été victimes et causes de la dispersion, comme
des bouvillons détachés de leurs longes ? Comment avez-
vous dressé autel contre autel ? Comment vous êtes-vous
trouvés tout-à-coup à l'écart ? Comment avez-vous
provoqué la rupture qui a entraîné votre propre mort et
nos souffrances ? Comment avez-vous exploité la simplicité des pasteurs pour détruire le troupeau ? Car, je ne leur
reprocherai même pas leur manque d'expérience ; mais,
j'accuserai votre malice[1]. « Qui viendra au secours de ta
corruption, Israël[b] ? » Quel médicament trouver pour
cicatriser la plaie ? Quel genre de pansement ? Comment
rattacher ensemble les parties disjointes ? Quelles larmes,
quelles paroles, quelles prières utiliser comme remèdes de
la fracture ? A moins peut-être de s'y prendre de la manière
suivante :

19. Que ce soit ton œuvre et ton mérite, Trinité sainte,
adorée et parfaite, dont nous reconnaissons correctement
l'unité et que nous vénérons ! À toi de ramener à leur place
parmi nous ceux qui se sont écartés juste assez loin pour
apprendre par la séparation à rechercher la concorde[2] !
(À toi), de nous accorder en échange des peines de ce monde,
la sérénité des récompenses célestes[3] ! La première et la
plus grande est de nous faire saisir, dans l'illumination
plus parfaite et plus pure, comment comprendre la Monade
et découvrir la Triade dans ton Identité, (c'est-à-dire)
comment le non-engendré, l'Engendré et Celui-qui-procède
sont une seule Nature en trois Personnes, « Dieu unique
qui es au-dessus de tous, par tous et en tous[a] », sans que

---

2. Sur la portée des désaccords, voir l'introduction.

3. Grégoire fait souvent appel à la certitude des justes compensations obtenues dans l'au-delà « en échanges des peines de ce
monde » : *Discours* 21, 7 ; 2, 48 ; 28, 12 ; 24, 15 ; etc. : KERTSCH,
Bildersprache, p. 147 ; et MOSSAY, *La mort*, p. 83-109.

μενος οὔτε τεμνόμενος · τὸ μὲν ἄρτι καταλαμβανόμενος, τὸ
δὲ ζητούμενος, ποτὲ δέ, ὅσον εἶ, τυχὸν καταληφθησόμενος
τοῖς ἐνταῦθα καλῶς ζητήσασι διὰ βίου καὶ θεωρίας · ᾧ
15 πᾶσα δόξα, τιμή, κράτος εἰς τοὺς αἰῶνας. ᾿Αμήν.

19, 12 τὸ[1] : τῷ T ‖ 13 ποτὲ δέ : ποτὲ δ᾿ S₁DPC ‖ 14 ἐκζητήσασι
ASDPC ‖ 15 τιμή + καὶ ADC ‖ ἀμήν : + εἰς ἑαυτὸν β̅ D + εἰς
ἑαυτὸν (addit insuper καὶ τὸν λαὸν καὶ τοὺς ποιμένας A) ἐξ
ἀγροῦ ἐπιστὰς (-στάντα P₂) μετὰ τὰ (om. τὰ AC) κατὰ Μάξιμον
AWPC + εἰς... S (cetera legi nequierunt) *in saecula saeculorum*
R + *explicit liber S¹ Gregorii Ep¹ In semel ipso de agro regressus*
(R in app. crit. = cod. V. *De semetipso de agro reuerso* v *In
semetipsū de agro reuerso* C). Addit insuper stichometriam στίχοι
φ̅κ̅γ̅´ P (= 523 quod cum codice non congruit)

tu t'élèves, te modifies, t'amoindrisses ni te divises, toi, qui es compris partiellement et objet de nos recherches pour le reste, mais, qui seras sans doute saisi un jour dans tout ton être par ceux-là qui t'auront correctement cherché ici-bas dans la vie (pratique) et la contemplation ; à toi, gloire, honneur, puissance, pour les siècles ! Amen.

ABRÉVIATIONS BIBLIOGRAPHIQUES[1]

ALTANER, *Patrologie* = B. ALTANER, *Précis de patrologie* adapté par H. Chirat, Mulhouse 1961.

Antonianum = R. WEIJENBORG, « Is Evagrius Ponticus the Author of the Longer Recension of the Ignatian Letters ? », dans *Antonianum*, 44 (1969), p. 339-347 ; « Les « Cinq Discours Théologiques », attribués à Grégoire de Nazianze, en partie œuvre de Maxime le Cynique alias Évagre le Pontique d'Antioche », dans *Antonianum*, 48 (1973), p. 476-507 ; et « Prova dell' inautenticità del « Discorso XXV » attribuito a San Gregorio di Nazianzo », dans *Antonianum*, 54 (1979), p. 288-337.

BARDY, *Cyprien* = G. BARDY, art. « Cyprien (de Carthage) », dans *D.H.G.E.*, XIII, 1956, col. 1149-1160.

BARDY et PALANQUE, *Hist. de l'Église*, III, voir ci-dessous FLICHE et MARTIN, *Hist. de l'Église*, III, ou BARDY, *La crise arienne*.

BASSET, *Synaxaire* = R. BASSET, *Le Synaxaire arabe jacobite* (rédaction copte). Texte arabe publié, traduit et annoté (*Patrologia Orientalis*, 1, 3), Paris 1907.

CAMELOT, *Cyprian* = P.-Th. CAMELOT, art. « Cyprian », dans *L. Th. K.*, III, 1959, col. 115-117.

DAGRON, *Thècle* = G. DAGRON, *Vie et miracles de sainte Thècle.* Texte grec, traduction et commentaire (Subsidia hagiographica, 62), Bruxelles 1978.

— *Thémistius* = G. DAGRON, « L'Empire romain d'Orient au IVe siècle et les traditions politiques de l'hellénisme. Le témoignage de Thémistios», dans *Travaux et Mémoires*, 3 (1968), p. 1-242.

---

1. Supplément à la liste des sigles et des abréviations bibliographiques que le lecteur trouvera dans le premier vol., p. 312-323.

DELEHAYE, *Cyprien* = H. DELEHAYE, *Cyprien d'Antioche et Cyprien de Carthage*, dans *Analecta bollandiana*, 39 (1921), p. 314-332.

— *Passions* = Les Passions des martyrs et les genres littéraires, Bruxelles 1921.

— *Cinq leçons* = Cinq leçons sur la méthode hagiographique (Subsidia hagiographica, 21), Bruxelles 1934.

DES PLACES, *Syngeneia* = É. DES PLACES, *Syngeneia. La parenté de l'homme avec Dieu d'Homère à la patristique* (Études et commentaires, 51), Paris 1964.

— *Lexique* = Platon, *Œuvre complète. XIV. Lexique de la langue philosophique et religieuse de Platon* (CUF), Paris 1970.

LAFONTAINE, *Version arménienne* = G. LAFONTAINE, « La tradition manuscrite de la version arménienne des Discours de Grégoire de Nazianze », dans *Le Muséon* », 90 (1977), p. 281-340.

FLICHE et MARTIN, *Hist. de l'Église* = G. BARDY, J.-R. PALANQUE et P. DE LABRIOLLE, *De la paix constantinienne à la mort de Théodose* (Histoire de l'Église. A. Fliche et V. Martin, 3), s.l. (Paris) 1945.

EUDOCIE-ATHÉNAÏS, *Confessio Cypriani* = L'impératrice EUDOCIE, *De sancto Cypriano*, éd. A. M. BANDINI, 1761, dans *PG* 85, col. 831-864.

GARITTE, *Calendrier* = G. GARITTE, *Le calendrier palestino-géorgien du Sinaiticus 34 (X*e *siècle)* édité, traduit et commenté (Subsidia hagiographica, 30), Bruxelles 1958.

HALKIN, *Auctarium* = F. HALKIN, *Auctarium bibliothecae hagiographicae graecae* (Subsidia hagiographica, 47), Bruxelles 1969.

HARNACK, *Literatur* = A. HARNACK, *Geschichte der altchristlichen Literatur bis Eusebius. I. Ueberlieferung und Bestand*, Leipzig 1893 (= 1958).

HUMBERT, *Syntaxe* = J. HUMBERT, *Syntaxe grecque* (Collection de philologie classique, 2), Paris, 3e éd., 1960.

HUNGER, *Prooimion* = H. HUNGER, *Prooimion. Elemente der byzantinischen Kaiseridee in den Arengen der Urkunden* (Wiener byzantinische Studien, 1), Vienne 1964.

JANIN, *Églises et monastères* = R. JANIN, *La géographie ecclésiastique de l'empire byzantin. I. Le siège de Constantinople et le patriarcat œcuménique. 3. Les églises et les monastères* (Publications de l'Institut français d'études byzantines), Paris, 2e éd., 1969.

JOURJON, *Introduction* = Grégoire de Nazianze, *Discours 27-31 (Discours théologiques)*. Introduction, texte critique et notes par P. Gallay, avec la collaboration de M. Jourjon (*SC* 250), Paris 1978, p. 29-65.

Julien, *Discours* = L'empereur Julien, *Œuvres complètes*, II, 1. Texte établi et traduit par G. Rochefort (C.U.F.), Paris 1963 ; II, 2, par Chr. Lacombade (C.U.F.), Paris 1964.

Kertsch, *Bildersprache* = M. Kertsch, *Bildersprache bei Gregor von Nazianz. Ein Beitrag zur spätantiken Rhetorik und Popularphilosophie* (Grazer theologische Studien, 2), Graz 1980².

Klauser, *Märtyrerkult* = Th. Klauser, *Christlicher Märtyrerkult, heidnischer Heroenkult und spätjüdische Heiligenverehrung* (Arbeitsgemeinschaft für Forschung des Landes Nordrhein-Westfalen, Geisteswissenschaften, 91), Cologne 1960.

Kötting, *Kyprianos* = B. Kötting, art. « *Kyprianos v. Antiocheia* », dans *L. Th. K.*, VI, 1961, col. 701-702.

Kondakoff = N. Kondakoff, *Histoire de l'art byzantin considéré principalement dans les miniatures...*, traduction de M. Trawinski, New York 1970 = Paris 1886 et 1891 (2 vol.).

Krestan et Hermann = L. Krestan et A. Hermann, art. « Cyprianus II (Magier) », dans *Reallexikon für Antike und Christentum*, III, 1957, col. 467-477.

De Labriolle, *Littérature* = P. de Labriolle, *Histoire de la littérature latine chrétienne* (Collection d'études anciennes), Paris 1920.

Leclercq, *Oratio* = H. Leclercq, art. « Oratio Cypriani », dans *D.A.C.L.*, XII, 2, 1936, col. 2324-2345.

Mossay, *Gregor* = J. Mossay, « Gregor von Nazianz in Konstantinopel (379-381 A.D.) », dans *Byzantion*, 47 (1977), p. 223-238.

— *La date* = « La date de l'Oratio II de Grégoire de Nazianze et celle de son ordination », dans *Le Muséon*, 77 (1964), p. 175-186.

— *Notes Or. VIII* = « Note sur Grégoire de Nazianze, *Oratio* VIII, 21-22 », dans *Studia Patristica*, 12 (= *T.U.*, 115), Berlin 1975, p. 113-118.

— *Question homérique* = « Les professeurs face aux philologues. Notes sur la question homérique », dans *Les études classiques*, 40 (1972), p. 4-16, et 156-164.

Mossay et Yannopoulos, *L'article XVI, 2* = J. Mossay et P. Yannopoulos, « L'article XVI, 2 de l'Éclogue des Isauriens et la situation des soldats », dans *Byzantion*, 46 (1976), p. 48-57.

NAUTIN, *La date* = P. NAUTIN, « La date du *De viris illustribus* de Jérôme, de la mort de Cyrille de Jérusalem et de celle de Grégoire de Nazianze », dans *Revue d'Histoire ecclésiastique*, 56 (1961), p. 33-35.

NÉLIS, *L'antithèse* = J. T. NÉLIS, « L'antithèse Vie-Mort dans les épîtres pauliniennes », dans *Ephemerides theologicae lovanienses*, 20 (1943), p. 18-53.

NEYT, *Barsanuphe* = F. NEYT, *Les lettres à Dorothée dans la correspondance de Barsanuphe et de Jean de Gaza*, dissert. dactylogr., Louvain 1969.

— *Un type* = F. NEYT, « Un type d'autorité charismatique », dans *Byzantion*, 44 (1974), p. 343-361.

NICOLAS LE SOPHISTE, *Progymnasmata*, = NICOLAS, *Progymnasmata*, éd. L. SPENGEL, *Rhetores graeci*, III, Leipzig 1856, p. 449-398.

P. PETIT, *Libanius* = P. PETIT, *Libanius et la vie municipale à Antioche au IVe siècle après J.-C.*, thèse, Paris 1955.

PIGANIOL, *L'Empire chrétien* = A. PIGANIOL, *Histoire romaine. IV, 2. L'Empire chrétien (325-395)* (Histoire générale fondée par G. Glotz), Paris 1947.

QUASTEN, *Initiation II* = J. QUASTEN, *Initiation aux Pères de l'Église*. Trad. de J. Laporte, tome II, Paris (1956).

SAJDAK, *Historia* = J. SAJDAK, *Historia critica scholiastarum et commentatorum Gregorii Nazianzeni*. Pars prima (Meletemata patristica, 1), Cracovie 1914.

SINKO, *De Cypriano* = Th. SINKO, « De Cypriano martyre a Gregorio Nazianzeno laudato », dans *Rozprawy P.A.U.* Series III, 8 (53), Cracovie 1916, p. 318-348.

SPATHARAKIS, *The Portrait* = I. SPATHARAKIS, *The Portrait in Byzantine Illuminated Manuscripts* (Byzantina Neerlandica, 6), Leydde 1976.

ŠPIDLIK, *Grégoire* = Th. ŠPIDLIK, *Grégoire de Nazianze. Introduction à l'étude de sa doctrine spirituelle* (Orientalia christiana analecta, 189), Rome 1971.

SPANNEUT, *Stoïcisme* = M. SPANNEUT, *Le stoïcisme des Pères de l'Église de Clément de Rome à Clément d'Alexandrie* (Patristica Sorbonnensia, 1), Paris 1957.

SZYMUSIAK, *Chronologie* = J. M. SZYMUSIAK, « Pour une chronologie des Discours de S. Grégoire de Nazianze », dans *Vigiliae christianae*, 20 (1966), p. 183-189.

SZYMUSIAK, *Thèse* = J. M. SZYMUSIAK, *L'homme et sa destinée selon Grégoire le Théologien*, thèse sur microfiches, Paris 1957.

TRISOGLIO, *Studi* = F. TRISOGLIO, *San Gregorio di Nazianzo in un quarantennio di studi (1925-1965)*, Turin 1974 (= *Rivista lasalliana*, 40, 1973).

INDEX SCRIPTURAIRE

On renvoie au texte des Discours en indiquant le numéro de
ceux-ci, celui du paragraphe concerné et la lettre servant d'appel
dans l'apparat biblique. Les références aux notes, commentaires
et introductions indiquent le volume (I = 1er volume : Discours 20-23,
II = 2e volume : Discours 24-26), la page et éventuellement la note.
On n'a pas distingué ici les citations des simples allusions.

INDEX DES MOTS GRECS

Relevé des mots grecs expliqués dans les notes et commentaires :
I = 1er volume (Discours 20-23), II = 2e volume (Discours 24-26).
On renvoie au volume, à la page et éventuellement aux notes.

INDEX DE TERMES TECHNIQUES

Relevé exhaustif des termes de rhétorique, auquel on a joint des mots qui concernent des controverses idéologiques de l'époque. Les références indiquent le volume (I = 1er vol. : Discours 20-23 ; II = 2e vol. : Discours 24-26), la page et éventuellement la note.

INDEX DES NOMS PROPRES

Relevé des noms propres de personnes et de lieux cités dans les deux volumes (I = 1er vol. : Discours 20-23 ; II = 2e vol. : Discours 24-26).

Corrections au volume I (Discours 20-23)

1. P. 15, ligne 12, lire : « popularisé ».

2. P. 98, ligne 20, au lieu de « pas », lire « par ».

3. P. 128-129, n. 1 : P. DELEHAYE, *Les Passions des martyrs et les genres littéraires*, Bruxelles 1966².

4. P. 141, n. 4, à la ligne 5 de la note : au lieu de « 333 », lire « 335 ». Ajouter : que le P. P. PEETERS (« L'épilogue du synode de Tyr en 335 », dans *Anal. Boll.*, 63, 1945, p. 131-144), s'appuyant sur SOZOMÈNE, *Hist. eccl.*, II, 25, 14, et sur le sommaire placé en tête d'une ancienne version syriaque des *Lettres festales* de saint Athanase, imagine une reconstitution des faits et remarque que le synode avait « tourné beaucoup plus mal encore qu'on ne le croirait à lire les récits où Athanase lui-même a délibérément atténué le côté humiliant des avanies et des dangers par lesquels il avait passé » (p. 135, cf. p. 144). Voir aussi P. PEETERS, « Comment saint Athanase s'enfuit de Tyr en 335 », dans *Bulletin de la Classe des Lettres et des Sciences morales et politiques de l'Académie Royale de Belgique*, 5ᵉ série, t. 20 (1944), p. 131-177. Dans cette affaire, le savant bollandiste devine des dessous constantinopolitains qui pourraient expliquer les réticences de GRÉGOIRE DE NAZ., *Discours* 21, 15, lignes 7-9 : Εἴ τις ὑμῶν οἶδε ... οἶδεν ὁ λέγω. Cf. F. HALKIN, dans *Anal. Boll.*, 99 (1981), p. 180.

5. P. 171, au lieu de « Le Caire », lire « El Qaryûn ». Toponyme du Delta du Nil connu par l'hagiographie : *Vita Antonii*, 86 (*PG* 26, col. 964 B 6), et R. DRAGUET, *La Vie primitive de saint Antoine...* (*CSCO* 418), Louvain 1980, p. 82, 27-28. La localité est située à une vingtaine de kilomètres à l'est d'Alexandrie. Cf. Ewa WIPS-ZYCKA, « Compte de dépenses d'un village (P. Sorb. inv. 113) », dans *Chronique d'Égypte*, 35 (1960), p. 206-221, spécialement p. 207 (carte), p. 208 (texte) et p. 210 (comment.). Je remercie les collègues qui m'ont signalé mon étourderie et m'ont ainsi permis de la corriger, notamment Mᵐᵉ G. Husson et M. J. Rougé.

6. P. 175, § 31, ligne 1 *ab imo*, lire « rayons[b] ».

TABLE DES MATIÈRES

SOURCES CHRÉTIENNES

LISTE COMPLÈTE DE TOUS LES VOLUMES PARUS

N. B. — L'ordre suivant est celui de la date de parution (n° 1 en 1942) et il n'est pas tenu compte ici du classement en séries : grecque, latine, byzantine, orientale, textes monastiques d'Occident ; et série annexe : textes para-chrétiens.

Sauf indication contraire, chaque volume comporte le texte original, grec ou latin, souvent avec un apparat critique inédit.

La mention *bis* indique une seconde édition. Quand cette seconde édition ne diffère de la première que par de menues corrections et des *Addenda et Corrigenda* ajoutés en appendice, la date est accompagnée de la mention « réimpression avec supplément ».

1. GRÉGOIRE DE NYSSE : **Vie de Moïse.** J. Daniélou (3ᵉ édition) (1968).

2 bis. CLÉMENT D'ALEXANDRIE : **Protreptique.** C. Mondésert, A. Plassart (réimpression de la 2ᵉ éd., 1976).

3 bis. ATHÉNAGORE : **Supplique au sujet des chrétiens.** *En préparation.*

4 bis. NICOLAS CABASILAS : **Explication de la divine Liturgie.** S. Salaville, R. Bornert, J. Gouillard, P. Périchon (1967).

5. DIADOQUE DE PHOTICÉ : **Œuvres spirituelles.** É. des Places (réimpr. de la 2ᵉ éd., avec suppl., 1966).

6 bis. GRÉGOIRE DE NYSSE : **La création de l'homme.** *En préparation.*

7 bis. ORIGÈNE : **Hom. sur la Genèse.** H. de Lubac, L. Doutreleau (1976).

8. NICÉTAS STÉTHATOS : **Le paradis spirituel.** *Remplacé par le n° 81.*

9 bis. MAXIME LE CONFESSEUR : **Centuries sur la charité.** *En préparation.*

10. IGNACE D'ANTIOCHE : **Lettres** — **Lettres et Martyre** de POLYCARPE DE SMYRNE. P.-Th. Camelot (4ᵉ édition) (1969).

11 bis. HIPPOLYTE DE ROME : **La Tradition apostolique.** B. Botte (1968).

12 bis. JEAN MOSCHIUS : **Le Pré spirituel.** *En préparation.*

13. JEAN CHRYSOSTOME : **Lettres à Olympia.** A.-M. Malingrey. Trad. seule (1947).

13 bis. 2ᵉ édition avec le texte grec et la Vie anonyme d'Olympias (1968).

14. HIPPOLYTE DE ROME : **Commentaire sur Daniel.** G. Bardy, M. Lefèvre. Trad. seule (1947).
2ᵉ édition avec le texte grec. *En préparation.*

15 bis. ATHANASE D'ALEXANDRIE : **Lettres à Sérapion.** J. Lebon. *En prép.*

16 bis. ORIGÈNE : **Hom. sur l'Exode.** H. de Lubac, J. Fortier. *En prép.*

17. BASILE DE CÉSARÉE : **Sur le Saint-Esprit.** B. Pruche. Trad. seule (1947).

17 bis. 2ᵉ édition avec le texte grec (1968).

18 bis. ATHANASE D'ALEXANDRIE : **Discours contre les païens.** P. Th. Camelot (1977).

19 bis. HILAIRE DE POITIERS : **Traité des Mystères.** P. Brisson (réimpression, avec supplément, 1967).

20. THÉOPHILE D'ANTIOCHE : **Trois livres à Autolycus.** G. Bardy, J. Sender. Trad. seule (1948).
2ᵉ édition avec le texte grec. *En préparation.*

21. ÉTHÉRIE : **Journal de voyage.** H. Pétré (réimpression, 1975).

22 bis. LÉON LE GRAND : **Sermons 1-19.** J. Leclercq, R. Dolle (1964).

23. CLÉMENT D'ALEXANDRIE : **Extraits de Théodote.** F. Sagnard (réimpr., 1970).

24 bis. PTOLÉMÉE : Lettre à Flora. G. Quispel (1966).

25 bis. AMBROISE DE MILAN : **Des Sacrements. Des Mystères. Explication du Symbole**. B. Botte (réimpr. de la 2e éd., 1980).

26 bis. BASILE DE CÉSARÉE : **Homélies sur l'Hexaéméron**. S. Giet (réimpr. avec suppl., 1968).

27 bis. **Homélies Pascales**, t. I. P. Nautin. *En préparation*.

28 bis. JEAN CHRYSOSTOME : **Sur l'Incompréhensibilité de Dieu**. J. Daniélou, A.-M. Malingrey, R. Flacelière (1970).

29 bis. ORIGÈNE : **Homélies sur les Nombres**. A. Méhat. *En préparation*.

30 bis. CLÉMENT D'ALEXANDRIE : **Stromate I**. *En préparation*.

31. EUSÈBE DE CÉSARÉE : **Histoire ecclésiastique**, t. I. Livres I-IV. G. Bardy (réimpression, 1965).

32 bis. GRÉGOIRE LE GRAND : **Morales sur Job**, t. I. Livres I-II. R. Gillet, A. de Gaudemaris (1975).

33 bis. **À. Diognète**. H. I. Marrou (réimpr. avec suppl., 1965).

34. IRÉNÉE DE LYON : **Contre les hérésies**, livre III. F. Sagnard. *Remplacé par les n*os *210 et 211*.

35 bis. TERTULLIEN : **Traité du baptême**. F. Refoulé. *En préparation*.

36 bis. **Homélies Pascales**, t. II. P. Nautin. *En préparation*.

37 bis. ORIGÈNE : **Homélies sur le Cantique**. O. Rousseau (1966).

38 bis. CLÉMENT D'ALEXANDRIE : **Stromate II**. *En préparation*.

39 bis. LACTANCE : **De la mort des persécuteurs**. 2 vol. *En préparation*.

40. THÉODORET DE CYR : **Correspondance**, t. I. Y. Azéma (1955).

41. EUSÈBE DE CÉSARÉE : **Histoire ecclésiastique**, t. II. Livres V-VII. G. Bardy (réimpression, 1965).

42. JEAN CASSIEN : **Conférences**, t. I. E. Pichery (réimpression, 1966).

43 bis. JÉRÔME : **Sur Jonas**. *En préparation*.

44. PHILOXÈNE DE MABBOUG : **Homélies**. E. Lemoine. Trad. seule (1956).

45. AMBROISE DE MILAN : **Sur S. Luc**, t. I. G. Tissot (réimpr. avec suppl., 1971).

46 bis. TERTULLIEN : **De la prescription contre les hérétiques**. *En préparation*.

47. PHILON D'ALEXANDRIE : **La migration d'Abraham**. *Épuisé*. Voir série « Les Œuvres de Philon ».

48. **Homélies Pascales**, t. III. F. Floëri et P. Nautin (1957).

49 bis. LÉON LE GRAND : **Sermons** 20-37. R. Dolle (1969).

50 bis. JEAN CHRYSOSTOME : **Huit Catéchèses baptismales inédites**. A. Wenger (réimpr. avec suppl., 1970).

51 bis. SYMÉON LE NOUVEAU THÉOLOGIEN : **Chapitres théologiques, gnostiques et pratiques**. J. Darrouzès (1980).

52 bis. AMBROISE DE MILAN : **Sur S. Luc**, t. II. G. Tissot (réimpr. avec suppl., 1976).

53 bis. HERMAS : **Le Pasteur**. R. Joly (réimpr. avec suppl., 1968).

54. JEAN CASSIEN : **Conférences**, t. II. E. Pichery (réimpression, 1966).

55. EUSÈBE DE CÉSARÉE : **Histoire ecclésiastique**, t. III. Livres VIII-X. G. Bardy (réimpression, 1967).

56. ATHANASE D'ALEXANDRIE : **Deux apologies**. J. Szymusiak (1958).

57. THÉODORET DE CYR : **Thérapeutique des maladies helléniques**. 2 volumes. P. Canivet (1958).

58 bis. DENYS L'ARÉOPAGITE : **La hiérarchie céleste**. G. Heil, R. Roques, M. de Gandillac (réimpr. avec suppl., 1970).

59. **Trois antiques rituels du baptême**. A. Salles. Trad. seule. *Épuisé*.

60. AELRED DE RIEVAULX : **Quand Jésus eut douze ans**. A. Hoste, J. Dubois (1958).

61 bis. GUILLAUME DE SAINT-THIERRY : **Traité de la contemplation de Dieu**. J. Hourlier (réimpression, 1977) .

62. IRÉNÉE DE LYON : **Démonstration de la prédication apostolique**. L. Froidevaux. Nouvelle trad. sur l'arménien. Trad. seule (réimpr. 1971).

63. RICHARD DE SAINT-VICTOR : **La Trinité**. G. Salet (1959).

64. JEAN CASSIEN : **Conférences, t. III. E.** Pichery (réimpr., 1971).

65. GÉLASE Ier : **Lettre contre les Lupercales et dix-huit messes du sacramentaire léonien.** G. Pomarès (1960).

66. ADAM DE PERSEIGNE : **Lettres, t. I.** J. Bouvet (1960).

67. ORIGÈNE : **Entretien avec Héraclide.** J. Scherer (1960).

68. MARIUS VICTORINUS : **Traités théologiques sur la Trinité.** P. Henry, P. Hadot. Tome I. Introd., texte critique, traduction (1960).

69. **Id. —** Tome II. Commentaire et tables (1960).

70. CLÉMENT D'ALEXANDRIE : **Le Pédagogue, t. I.** H. I. Marrou, M. Harl (1960).

71. ORIGÈNE : **Homélies sur Josué.** A. Jaubert (1960).

72. AMÉDÉE DE LAUSANNE : **Huit homélies mariales.** G. Bavaud, J. Deshusses, A. Dumas (1960).

73 bis. EUSÈBE DE CÉSARÉE : **Histoire ecclésiastique, t. IV.** Introd. générale de G. Bardy et tables de P. Périchon (réimpr. avec suppl., 1971).

74 bis. LÉON LE GRAND : **Sermons 38-64.** R. Dolle (1976).

75. S. AUGUSTIN : **Commentaire de la 1re Épître de S. Jean.** P. Agaësse (réimpression, 1966).

76. AELRED DE RIEVAULX : **La vie de recluse.** Ch. Dumont (1961).

77. DEFENSOR DE LIGUGÉ : **Le livre d'étincelles, t. I.** H. Rochais (1961).

78. GRÉGOIRE DE NAREK : **Le livre de Prières.** I. Kéchichian. Trad. seule (1961).

79. JEAN CHRYSOSTOME : **Sur la Providence de Dieu.** A.-M. Malingrey (1961).

80. JEAN DAMASCÈNE : **Homélies sur la Nativité et la Dormition.** P. Voulet (1961).

81. NICÉTAS STÉTHATOS : **Opuscules et lettres.** J. Darrouzès (1961).

82. GUILLAUME DE SAINT-THIERRY : **Exposé sur le Cantique des Cantiques.** J.-M. Déchanet (1962).

83. DIDYME L'AVEUGLE : **Sur Zacharie.** Texte inédit. L. Doutreleau. Tome I. Introduction et livre I (1962).

84. **Id. —** Tome II. Livres II et III (1962).

85. **Id. —** Tome III. Livres IV et V, Index (1962).

86. DEFENSOR DE LIGUGÉ : **Le livre d'étincelles, t. II.** H. Rochais (1962).

87. ORIGÈNE : **Homélies sur S. Luc.** H. Crouzel, F. Fournier, P. Périchon (1962).

88. **Lettres des premiers Chartreux, tome I :** S. BRUNO, GUIGUES, S. ANTHELME. Par un Chartreux (1962).

89. **Lettre d'Aristée à Philocrate.** A. Pelletier (1962).

90. **Vie de sainte Mélanie.** D. Gorce (1962).

91. ANSELME DE CANTORBÉRY : **Pourquoi Dieu s'est fait homme.** R. Roques (1963).

92. DOROTHÉE DE GAZA : **Œuvres spirituelles.** L. Regnault, J. de Préville (1963).

93. BAUDOUIN DE FORD : **Le sacrement de l'autel.** J. Morson, É. de Solms, J. Leclercq. Tome I (1963).

94. **Id. —** Tome II (1963).

95. MÉTHODE D'OLYMPE : **Le banquet.** H. Musurillo, V.-H. Debidour (1963).

96. SYMÉON LE NOUVEAU THÉOLOGIEN : **Catéchèses.** B. Krivochéine, J. Paramelle. Tome I. Introduction et Catéchèses 1-5 (1963).

97. CYRILLE D'ALEXANDRIE : **Deux dialogues christologiques.** G. M. de Durand (1964).

98. THÉODORET DE CYR : **Correspondance, t. II.** Y. Azéma (1964).

99. ROMANOS LE MÉLODE : **Hymnes.** J. Grosdidier de Matons. Tome I. Introduction et Hymnes I-VIII (1964).

100. IRÉNÉE DE LYON : **Contre les hérésies, livre IV.** A. Rousseau, B. Hemmerdinger, Ch. Mercier, L. Doutreleau. 2 vol. (1965).

101. QUODVULTDEUS : **Livre des promesses et des prédictions de Dieu.** R. Braun. Tome I (1964).

176. Salvien de Marseille : Œuvres, Tome I. G. Lagarrigue (1971).
177. Callinicos : Vie d'Hypatios. G. J. M. Bartelink (1971).
178. Grégoire de Nysse : Vie de sainte Macrine. P. Maraval 1971).
179. Ambroise de Milan : La pénitence. R. Gryson (1971).
180. Jean Scot : Commentaire sur l'évangile de Jean. É. Jeauneau (1972).
181. La Règle de S. Benoît. Tome I. Introduction et Chapitres I-VII. A. de Vogüé et J. Neufville (1972).
182. Id. — Tome II. Chapitres VIII-LXXIII, Tables et concordance. A. de Vogüé et J. Neufville (1972).
183. Id. — Tome III. Étude de la tradition manuscrite. J. Neufville (1972).
184. Id. — Tome IV. Commentaire (I-III). A. de Vogüé (1971).
185. Id. — Tome V. Commentaire (IV-VI). A. de Vogüé (1971).
186. Id. — Tome VI. Commentaire (VII-IX), Index. A. de Vogüé (1971).
187. Hésychius de Jérusalem, Basile de Séleucie, Jean de Béryte, Pseudo-Chrysostome, Léonce de Constantinople : Homélies pascales. M. Aubineau (1972).
188. Jean Chrysostome : Sur la vaine gloire et l'éducation des enfants. A.-M. Malingrey (1972).
189. La chaîne palestinienne sur le psaume 118. Tome I. Introduction, texte critique et traduction. M. Harl (1972).
190. Id. — Tome II. Catalogue des fragments, Notes et Index. M. Harl (1972).
191. Pierre Damien : Lettre sur la toute-puissance divine. A. Cantin (1972).
192. Julien de Vézelay : Sermons. Tome I. Introduction et Sermons 1-16. D. Vorreux (1972).
193. Id. — Tome II. Sermons 17-27, Index. D. Vorreux (1972).
194. Actes de la Conférence de Carthage en 411. Tome I. Introduction. S. Lancel (1972).
195. Id. — Tome II. Texte et traduction de la Capitulation et des Actes de la première séance. S. Lancel (1972).
196. Syméon le Nouveau Théologien : Hymnes. J. Koder, J. Paramelle, L. Neyrand. Tome III. Hymnes XLI-LVIII, Index (1973).
197. Cosmas Indicopleustès : Topographie chrétienne, t. III. Livres VI-XII, Index. W. Wolska-Conus (1973).
198. Livre (cathare) des deux principes. Ch. Thouzellier (1973).
199. Athanase d'Alexandrie : Sur l'incarnation du Verbe. C. Kannengiesser (1973).
200. Léon le Grand : Sermons 65-98, Éloge de S. Léon, Index. R. Dolle (1973).
201. Évangile de Pierre. M.-G. Mara (1973).
202. Guerric d'Igny : Sermons. Tome II. J. Morson, H. Costello, P. Deseille (1973).
203. Nersès Snorhali : Jésus, Fils unique du Père. I. Kéchichian. Trad. seule (1973).
204. Lactance : Institutions divines, livre V. Tome I. Introd., texte et trad. P. Monat (1973).
205. Id. — Tome II. Commentaire et index. P. Monat (1973).
206. Eusèbe de Césarée : Préparation évangélique, livre I. J. Sirinelli, É. des Places (1974).
207. Isaac de l'Étoile : Sermons. A. Hoste, G. Salet, G. Raciti. Tome II. Sermons 18-39 (1974).
208. Grégoire de Nazianze : Lettres théologiques. P. Gallay (1974).
209. Paulin de Pella : Poème d'action de grâces et Prière. C. Moussy (1974).
210. Irénée de Lyon : Contre les hérésies, livre III. A. Rousseau, L. Doutreleau. Tome I. Introduction, notes justificatives et tables (1974).
211. Id. — Tome II. Texte et traduction (1974).
212. Grégoire le Grand : Morales sur Job. L. XI-XIV. A. Bocognano (1974).
213. Lactance : L'ouvrage du Dieu créateur. Tome I. Introduction, texte critique et traduction. M. Perrin (1974).
214. Id. — Tome II. Commentaire et index. M. Perrin (1974).

285. François d'Assise : **Écrits.** Th. Desbonnets, Th. Matura, J.-F. Godet, D. Vorreux, o.f.m. (1981).
286. Origène : **Homélies sur le Lévitique.** M. Borret. Tome I : Introduction et Hom. I-VII (1981).
287. **Id.** — Tome II : Hom. VIII-XVI, Index (1981).

Hors série :

Directives pour la préparation des manuscrits (de « Sources Chrétiennes »). A demander au Secrétariat de « Sources Chrétiennes », 29, rue du Plat, 69002 Lyon.

La Règle de S. Benoît. VII. Commentaire doctrinal et spirituel. A. de Vogüé (1977).

SOUS PRESSE

Guillaume de Bourges : **Livre des guerres du Seigneur.** G. Dahan.

Eusèbe de Césarée : **Préparation évangélique,** livre XI. G. Favrelle et É. des Places.

Lactance : **La colère de Dieu.** C. Ingremeau.

Origène : **Commentaire sur S. Jean.** Tome IV. L. XIX - XX. C. Blanc.

Irénée de Lyon : **Contre les hérésies,** livre II. A. Rousseau et L. Doutreleau.

Cyprien de Carthage : **A Donat** et **La vertu de patience.** J. Molager.

Jean Chrysostome : **Panégyriques de S. Paul.** A. Piédagnel.

Les Règles des saints Pères. A. de Vogüé.

PROCHAINES PUBLICATIONS

Théodoret de Cyr : **Commentaire sur Isaïe,** t. II. J.-N. Guinot.

Origène : **Philocalie 1-20** et **Lettre à Africanus.** M. Harl.

Basile de Césarée : **Contre Eunome.** L. Doutreleau, G. M. de Durand, B. Sesboué.

Eusèbe de Césarée : **Préparation évangélique,** livres XII-XIII. É. des Places.

Guillaume de Saint-Thierry : **Le miroir de la foi.** J. M. Déchanet.

Tertullien : **La Pénitence,** Ch. Munier.

Égérie : **Journal de voyage.** P. Maraval.

Jean Chrysostome : **Commentaire sur Isaïe.** J. Dumortier.

SOURCES CHRÉTIENNES

(1-285)

LES ŒUVRES DE PHILON D'ALEXANDRIE

publiées sous la direction de

R. ARNALDEZ, C. MONDÉSERT, J. POUILLOUX.

Texte grec et traduction française.

IMPRIMERIE A. BONTEMPS

LIMOGES (FRANCE)

Éditeur : 7448 — Imprimeur : 21610

Dépôt légal : 4e trimestre 1981